DIDEROT ET LE ROMAN

ROGER KEMPF

DIDEROT
ET LE ROMAN

OU LE DÉMON DE LA PRÉSENCE

ÉDITIONS DU SEUIL
27 rue Jacob, Paris VIe

A Charly et Liliane Guyot,
à Gérard Charrière.

Mon amie, quand on compose et quand on juge un monument religieux, il faut se prêter au système.

(Diderot à Sophie Volland, 20 février 1766.)

L'essence de l'œuvre est son propre langage, il faut que celui du critique s'y identifie, qu'il y adhère indissolublement.

(Eugène Ionesco,
Catalogue de l'exposition Byzantios, 1963.)

AVANT-PROPOS

Sous le couvert d'une vie publique et besogneuse, généreusement offerte à tout venant, Diderot, replié sur lui-même, se protège de l'insuffisant lecteur. Comme pressentant une longue mise en tutelle, il envie Falconet d'être loué de son vivant, sans si, ni mais, ni car [1]. *En livrant Diderot à la conjonction, les critiques ont sanctionné son inquiétude et justifié ses précautions. Il est encore de bon ton de déplorer les faiblesses de l'écrivain ou de l'époux, le négligé du style, le désordre ou les contradictions de l'œuvre. Tel interprète dénonce les « révoltantes obscénités dont il a souillé ses romans »* et ne voit dans les Bijoux indiscrets *qu'une « œuvre de pur dévergondage dont il n'y a pas à se souvenir* [a] »*. Tel autre nous conjure d'abandonner « à l'oubli qu'elles méritent les fades polissonneries des* Bijoux indiscrets *[...], à plus forte raison les diatribes faciles de* la Religieuse, *toute une production médiocre où se donne libre cours sa verve libertine...* [b] »*. Dans un manuel d'histoire littéraire, l'écolier découvre que Diderot, « guère doué pour la scène », était, en général, « incapable de créer des caractères », « incapable de composer* [c] »*. Toujours l'accent est mis péjorativement, d'une part sur l'impuissance à créer et, partant, sur la primauté du modèle (Crébillon fils, le neveu de Rameau, Sterne), d'autre part sur les regrettables débordements d'une capricieuse personnalité : digressions, « bavardages », divagations.*

A l'encontre d'une tradition qui se manifeste tantôt par l'hostilité ou l'injure, tantôt par l'indulgence condescendante, ce livre se propose d'abolir un purgatoire et de traiter comme un écrivain adulte l'auteur des Bijoux

---

a. André Le Breton, *Le Roman français au XVIIIe siècle*, Paris, Boivin, 1925, 382.

b. Hubert Gillot, *Denis Diderot*, Paris, Courville, 1937, 294.

c. P. Castex et P. Surer, *Manuel des Études littéraires françaises*, XVIIIe siècle, Paris, Hachette, 1949, 94, 97.

indiscrets. *Le critique n'est ni un réformateur ni un directeur de conscience. Libre à lui de réserver son adhésion, de sauver son âme en choisissant ses auteurs. Mais il ne lui appartient pas de récrire ou de brûler toute page qui ne satisfait pas aux préjugés de sa caste ou de son art poétique. Ainsi, l'on va rabâchant de siècle en siècle, au mépris des textes, que Diderot est un piètre dramaturge, qu'il a le verbe et la larme faciles, que son œuvre abonde en détails licencieux, sans jamais rechercher ce que signifiaient* pour lui *le théâtre ou le roman, les écarts et digressions, la parole, les larmes, la sexualité.*

Je me suis efforcé de rendre à lui-même cet écrivain qui, de son vivant, se plaignait de ne pouvoir jouir de soi. Considérant son œuvre comme entièrement signifiante, j'interroge honnêtement sa mythologie et ses images, sa fantaisie et son sérieux, son mouvement et sa chaleur. Je ne décrète pas, je relève des signes et propose des sens. Les répétitions et les clichés, le sourire, les mains, les attitudes des personnages, rien qui ne mérite notre attention. Mais cet univers incomparable, *si prodigue de mythes incongrus, se relie néanmoins à une actualité. Il eût été malhonnête de ne pas évoquer le paysage économique, si dédaigneusement négligé par la critique littéraire, alors qu'il n'est guère de roman et de conte où Diderot ne dénonce aussi les misères de son temps.*

Comment dès lors se renfermer dans les limites d'une œuvre romanesque ? Chez Diderot tout est dans tout et ce serait le trahir que de le diviser. Il y a du théâtre dans le roman, du roman dans le théâtre, de la physiologie dans le roman, des tableaux dans Jacques le Fataliste *aussi bien que dans les* Salons, *des contes dans la correspondance. On ne saurait parler du romancier sans tout approfondir. Cependant, sans jamais perdre de vue l'unité de l'œuvre, je me suis attaché à étudier surtout les rapports de Diderot avec le genre romanesque.*

*Rapports difficiles, polémiques, un peu honteux, dont la première partie de cet essai rappelle les péripéties. Le prestige, la valeur sont, au XVIIIe siècle, du côté du théâtre, et Diderot ne vient au roman que par le truchement d'un romancier qui n'en est pas un : « Je voudrais bien, écrit-il dans l'*Éloge, *qu'on trouvât un autre nom pour les ouvrages de Richardson... »*

Je ne pense pas, toutefois, je le dirai, que l'œuvre dramatique de Diderot doive trouver son excuse dans la mauvaise réputation du genre romanesque. Le Fils naturel, le Père de famille, *dont on a tant médit, inaugurent* un théâtre original et, surtout, profondément authentique et utile, puisque permettant à Diderot d'apaiser dans l'imaginaire son conflit avec Langres. Pour son repos, sinon pour son bonheur, Diderot retouche ou reconstruit. Ainsi le père autoritaire, ce fameux coutelier de Langres, inspiret-il, par réaction, l'indulgent Père de famille. Sans le vilipender ni le porter aux nues, je comprends ce théâtre comme un rêve. Les pères y sont généreux à souhait, les amis de vrais amis, et si le drame éclate, l'ordre finit par triompher en un concert de bénédictions et d'embrassades. Sur la scène comme dans la salle, les cœurs se fondent, les larmes se mêlent, les méchants pleurent avec les honnêtes gens.

Mais à peine les lustres éteints, voici que le méchant oublieux poursuit sa carrière. Coupé du siècle dont il s'abrite et qu'il veut modifier, le théâtre n'opère — magiquement — que l'espace d'une représentation : il semble qu'il y ait aussi loin du Père de famille à Jacques le Fataliste que de la présence miraculeuse à la présence réelle.

Contre l'arbitraire du roman « romanesque » et l'insuffisance du théâtre, Diderot se munit des viatiques de Richardson. Enfin il pourra s'emparer du lecteur jusqu'à le subjuguer ! Aussi bien le « nouveau roman », celui des romanciers anglais, a-t-il pour objet cette même présence réelle que le peintre parvient à dispenser mieux que personne. Présence visible, qui s'attache aux pouvoirs du corps. Présence turbulente qui sacrifie à sa mobilité les figures du temps. Présence signifiée où les physionomies, les gestes et jeux de mains, les bruits et les silences se substituent au discours ordinaire.

La deuxième partie, l'univers romanesque, décrit le « monde où nous vivons [2] ». Les personnages ne sont ni hurons ni anglais, mais des Français inégaux : anarchistes, nouveaux riches, maîtres et valets, prêtres, médecins, femmes, fermiers et simples paysans, vingt millions de paysans dans la misère. Univers tragiquement dominé par l'argent. « Dans son ouvrage, comme dans ce monde, écrit Diderot de Richardson, les hommes sont partagés en deux classes : ceux qui jouissent et ceux qui souffrent. C'est toujours à ceux-ci qu'il m'associe... »

Les histoires sont d'une extrême simplicité : une jeune fille devient religieuse contre son gré, des hommes réduisent d'autres hommes en esclavage, un valet tient la dragée haute à son maître, un homme aime une femme qui ne l'a jamais aimé, une femme s'ingénie à punir l'homme qui ne l'aime plus, un homme cesse d'aimer la femme qui lui a tout sacrifié.

Aucune concession aux dépaysements faciles, au pittoresque des lieux inhabités. Le décor ne surgit que pour accueillir ou élucider les actions des personnages.

Dans la troisième partie, j'ai poursuivi jusqu'à son horizon le plus sombre — le masque, la fausse apparence — cette passion de la présence qui gouverne les rapports de Diderot avec le genre romanesque. Constituer des recueils de signes ou d'indices, parvenir à déceler le moine défroqué ou l'ancienne demoiselle de Saint-Cyr, deviner l'être par sa présentation, tel est, semble-t-il, depuis les Bijoux indiscrets, le projet fondamental de Diderot.

Projet d'une redoutable ambiguïté, déposé dans l'œuvre et contesté par elle. De roman en roman, ce ne sont que machinations et mensonges victorieux. Tout se passe comme si le code de la présence n'ouvrait la voie qu'aux faussaires. Le voleur puise aux expressions de l'honnêteté, le méchant tend une pieuse oreille à l'heure de l'Angélus, les apparences accablent l'innocent. Comment, dans ces conditions, décider si une présence est réelle, une attitude masque ou sincérité ? Il est une solution possible : l'étude de l'anatomie et de la physiologie. Persuadé que toute existence, toute histoire suscite ses stigmates, sa graphie, Diderot traite le corps comme un texte à déchiffrer. Mais il lui arrive également, soit de s'en remettre au temps qui arrache les masques, soit, comme fait Mirzoza dans les Bijoux indiscrets, de créer l'univers où toute simulation serait impossible.

Diderot se lasserait, il va sans dire, de ces représentations sans mystère. Les masques l'enchantent autant qu'ils l'inquiètent. Qui ne l'a senti dans Jacques le Fataliste, frémissant d'admiration devant les agissements du P. Hudson ou de Mme de La Pommeraye ? Du moment où l'imposture emporte la conviction, il en prend son parti. La tentation est grande de triompher à son tour, de posséder les autres à leur insu. Diderot se déguise, mais par-là même s'enferme dans un destin : le mystificateur ne peut jouir de soi qu'en se découvrant. Comment donc se passer du concours d'autrui ? Autour de lui et dans son œuvre, Diderot dispose des miroirs qui lui renvoient dans la solitude le reflet de sa valeur.

R. K.

LES PROBLÈMES DU ROMAN

I. ROMAN ET ROMANESQUE

Le roman jouit au xviiie siècle d'une réputation que mesurent les premières lignes des *Bijoux indiscrets* [a] : le coupable appétit de Zima, le satanisme de l'auteur, et tant de volumes glissés sous l'oreiller.

Dans cette « foule des romans que chaque jour voit naître et mourir », le critique de la *Correspondance littéraire* salue tristement deux grands écrivains égarés, Choderlos de Laclos et Restif de la Bretonne : « Où le génie va-t-il donc se nicher [b] ? » Entendons : dans quel genre ? Car telle œuvre d'exception ne saurait profiter au genre romanesque. L'on considère le roman comme un produit de consommation, divertissement ou médecine. C'est l'antisomnifère prescrit au sultan Mangogul dans *les Bijoux indiscrets,* ou le remède qui délivrera Diderot des vapeurs de sa femme : « J'avais toujours traité les romans comme des productions assez frivoles; j'ai enfin découvert qu'ils étaient bons pour les vapeurs; j'en indiquerai la recette à Tronchin la première fois que je le verrai. *Recipe* huit à dix pages du *Roman comique ;* quatre chapitres de *Don Quichotte ;* un paragraphe bien choisi de Rabelais; faites infuser le tout dans une quantité raisonnable de *Jacques le Fataliste* ou de

a. « Zima, profitez du moment. L'aga Narkis entretient votre mère, et votre gouvernante guette sur un balcon le retour de votre père : prenez, lisez, ne craignez rien. Mais quand on surprendrait *les Bijoux indiscrets* derrière votre toilette, pensez-vous qu'on s'en étonnât ? Non, Zima, non; on sait que *le Sopha,* le *Tanzaï* et les *Confessions* ont été sous votre oreiller. Vous hésitez encore ? »

b. *Correspondance littéraire, philosophique et critique* par Grimm, Diderot, Raynal, Meister, etc., éd. Maurice Tourneux, Paris, Garnier, 1877, XI, 171, 160-161.

Manon Lescaut ; et variez ces drogues comme on varie les plantes, en leur en substituant d'autres qui ont à peu près la même vertu[1]. »

Il serait absurde de vouloir percer les goûts de Diderot à travers ces prescriptions où se mêlent sympathies et antipathies, au risque de sacrifier le repos des critiques au plaisir de l'auteur. Que pense-t-il, par exemple, de l'abbé Prévost ? Il le malmène dans *Jacques* (« cela aurait pué le *Cléveland* à infecter »), après l'avoir porté aux nues dans le *Discours sur la poésie dramatique :* « Chaque ligne de *l'Homme de qualité retiré du monde,* du *Doyen de Killerine* et de *Cléveland,* excite en moi un mouvement d'intérêt sur les malheurs de la vertu, et me coûte des larmes[2]. » S'il apprécie peu Marivaux et Crébillon, auxquels il préfère Mme Riccoboni, nous savons par *les Deux Amis de Bourbonne* qu'il juge Scarron, Cervantes, Marmontel exemplaires. Mais l'important est l'aveu qu'il fait à sa fille dans cette lettre du 28 juillet 1781 : « J'avais toujours traité les romans comme des productions assez frivoles... » De fait il n'en est guère où ne se manifeste, en un cycle d'abandon et de résistance à la facticité, la mauvaise conscience du romancier. De Furetière à Diderot, l'on verrait sans trop d'arbitraire de grandes œuvres s'inscrire dans une « ère du soupçon ».

Une terminologie péjorative y aidait, qui faisait du romancier un pénitent en puissance. Le romanesque se définissait, indirectement, par un voisinage de mauvais aloi : apprêt, supposition, vernis, incroyable, impossible, merveilleux. Conseiller littéraire de Catherine II, Diderot la félicite du « peu d'intrigue de sa pièce et [de] la simplicité de son dénouement » : « Je ne saurais souffrir ce qu'on appelle un dénouement merveilleux et piquant. Ce dénouement est presque toujours romanesque[3]. »

Cette acception reçue — du romanesque comme défaut de vraisemblance ou de vérité [a] — entre pour une large part dans la situation du roman. Celui-ci est méprisé, parce que le romanesque

---

a. Ajoutons que l'adjectif *romanesque* n'est pas réservé au théâtre ou au roman. Diderot parle d'esprits romanesques, d'un « certain tour d'esprit romanesque » du philosophe qui s'imagine que « le même bonheur est fait pour tous »; de pinceaux romanesques, ceux de Boucher, qui trempent dans l'afféterie et la galanterie. Le XVIIIe siècle désigne encore par romanesque ce que nous qualifierions aujourd'hui de pittoresque. Diderot ne condamne pas, il va sans dire, les chaumières de Hollande ou les *romanesques* paysages des bords de la Marne.

en paraît la sécrétion ordinaire. Les mauvaises réputations s'établissent ainsi, sournoisement, par le fait du langage, par le seul pouvoir d'une épithète. « ... Ne l'appelez plus roman, écrivait déjà Furetière, et il ne vous choquera point, en qualité de récit d'aventures particulières [a]. » Diderot voudrait « qu'on trouvât un autre nom pour les ouvrages de Richardson [4]... »

a. Furetière, *Le Roman bourgeois*, Romanciers du xviie siècle, éd. Pléiade, 1026.

II. LE NOUVEAU ROMAN

I. RICHARDSON

Le vrai roman, déclarait Thibaudet, commence par un refus des romans. Richardson n'était venu que de mauvaise grâce à un genre abhorré. Dans une lettre à Aaron Hill [a], de janvier 1741, il fustige « the pomp and parade of romance-writing », « the improbable and marvellous, with which novels generally abound ». Les fables, les moralités, la direction spirituelle avaient été ses premiers exercices. Rééditant en 1739 une version anglaise des *Fables* d'Esope, la version de l'Estrange, il l'augmente d'une série « de morales instructives et de commentaires exempts de considérations de parti, adaptés à toutes les capacités, et destinés à promouvoir la religion, la moralité et la bienveillance universelle ». En 1741 paraissent les « Lettres écrites à et pour des amis particuliers dans les occasions les plus importantes, indiquant non seulement le style requis et les formes à observer en composant des lettres familières, mais aussi comment penser et agir avec prudence et équité dans les opérations communes de la vie humaine ». Cependant, comme les sermons passaient de mode et que l'expert gagnait à plus de simplicité, Richardson se résigna à être de son temps :

I am of opinion that it is necessary for a genius to accommodate itself to the mode and taste of the world it is cast into [b]...

Ses amis inquiets retrouvèrent bientôt dans *Paméla* le meilleur des *Familiar Letters* : religion, pudeur, pédagogie. Les jeunes

a. Aaron Hill (1685-1750), poète anglais, ami de Richardson, adaptateur de Shakespeare, traducteur de la *Zaïre* de Voltaire.
b. Voir Paul Dottin, *Samuel Richardson*, Paris, Libraire académique Perrin, 1931.

Hill consignèrent au jour le jour, dans leur exemplaire interfolié du roman, les bienfaits que leur apportait la conversation de la douce Paméla.

Du côté de Grimm et de Diderot, chacun se félicitait qu'un Français eût inspiré Richardson, tout en regrettant que ce fût Marivaux : « … s'il est vrai que ses romans ont été les modèles des romans de Richardson et de Fielding, on peut dire que, pour la première fois, un mauvais original a fait faire des copies admirables [a]. » Les romans de Marivaux, assure Diderot, « ont inspiré *Paméla, Clarisse* et *Grandisson*. Nous avons l'honneur d'avoir fait les premiers pas dans ces genres [1] ». Les Anglais reconnaîtront-ils nos mérites ? Au *Salon de 1765*, devant un panier de Chardin, Diderot s'en prend à leur partialité; nous surfaisons leurs productions, ils déprécient les nôtres [b].

Si l'on peut admirer Diderot d'avoir su rendre hommage à un romancier, Marivaux, dont il ne faisait pas le plus grand cas, on ne saurait néanmoins tenir pour « visible » la filiation de *Paméla* à *la Vie de Marianne*. C'est en effet Marivaux qui, pour ses *Mémoires d'une dame retirée du monde,* prélude à *la Vie de Marianne,* avait imité le *Spectator* anglais. Marianne et Paméla auraient donc puisé de concert aux sources anglaises — le *Tatler* et le *Spectator* —, où Steel, Addison, Budgell, Hughes rivalisaient de grâce féminine dans l'invention épistolaire. C'est dans ces périodiques de mœurs, dont Richardson était si friand, que commençait à s'organiser la tragédie ou le roman domestiques, la « Gretchen-Tragödie [c] ».

Paméla fut traduit en 1741 par une équipe comprenant vraisemblablement Aubert de la Chesnaye-Desbois, l'auteur des *Lettres amusantes et critiques sur les romans,* et le mathématicien Clairaut. Richardson, après de vains efforts pour apprendre le français, dut soumettre cette traduction à Hill. La trahison ne faisait aucun

---

a. *Correspondance littéraire,* V, 236.
b. L'Angleterre, cependant, avait fait un sort aux traductions des romans de l'abbé Prévost et de Marivaux : l'*Histoire de M. Cléveland* et les *Mémoires et Aventures d'un homme de qualité, le Paysan parvenu, la Vie de Marianne.*
c. Georg Lukacs, *Gœthe und seine Zeit,* Berne, Francke, 1947, 177.

doute : « Que cette version, écrit Hill, manifeste la différence entre l'affectation et la nature! Le traducteur a utilisé sa langue jusqu'à l'extrême maximum! Mais cette fausse vanité écrivassière qui, sous les noms de politesse et de décence, énerve le goût de cette nation, ne pouvait manquer, en beaucoup d'endroits, de nous donner la lueur maladive de la lune au lieu de notre vigoureux soleil. » *A bed* était devenu un chaste lit, *a bow* une profonde révérence. *A kiss* était traduit « avec transport » ou « avec une ardeur incroyable ».

Prévost, dans sa version de *Clarisse* et de *Grandisson,* se montre plus expéditif, moins soucieux de périphrases que de coupes ou d'abrégés propitiatoires, « par le droit suprême à tout écrivain qui cherche à plaire dans sa langue naturelle ». La littérature anglaise, pour se faire naturaliser à Paris, n'a-t-elle pas besoin de « ces petites réparations » ? Il supprime tout ce qui lui semble « fort long et fort anglais », « purement anglais », les « détails sans action », des lettres entières « qui ne contiennent que d'inutiles détails ». Dans la *Correspondance littéraire,* on s'indigne : « Il faut avoir bonne opinion de soi pour se faire ainsi sculpteur du marbre de M. Richardson[a]. » L'abbé, non content d'avoir tronqué *Clarisse,* a « absolument estropié » *Grandisson,* c'est-à-dire délesté le nouveau roman de tout ce qui fascinait Diderot ou Gœthe : les « petites choses », les « détails qui seront intéressants pour moi, s'ils sont vrais », « das genaueste Detail », « unendliche Einzelheiten[b] ».

« Fatras d'inutilités », se plaint Voltaire. A Mme du Deffand, il avoue avoir lu comme un pensum « neuf volumes entiers dans lesquels on ne trouve rien du tout ». Aussi n'a-t-il pas été mécontent, au dixième, de rencontrer Clarisse en un mauvais lieu[c]. Dans les *Lettres chinoises* (1776), il affirme encore avoir perdu, à lire Richardson, « son temps et le fil de ses études ».

Si Clarisse n'offre au tempérament de Voltaire (« un homme aussi vif que je le suis ») que disette d'événements, Rousseau, lui, se

a. *Correspondance littéraire,* III, 161. — Sur les traducteurs de Richardson, voir F. H. Wilcox, *Prévost's translations of Richardson's novels,* University of California Publications in Modern Philology, XII, 1925-1926, 341-408.

b. *Gœthes Werke,* Leipzig, Insel-Verlag, 1940, 5, 171-172.

c. Jules Janin, *Clarisse Harlowe,* Paris, Amyot, 1846, 173-174.

plaint du contraire : le romanesque, les aventures, Richardson « a cela de commun avec les plus insipides romanciers » :

> Il est aisé de réveiller l'attention en présentant incessamment et des événements inouïs et de nouveaux visages qui passent comme les figures de la lanterne magique : mais de soutenir toujours cette attention sur les mêmes objets et sans aventures merveilleuses, cela est certainement plus difficile, et si, toute chose égale, la simplicité du sujet ajoute à la beauté de l'ouvrage, les Romans de Richardson, supérieurs en tant d'autres choses, ne sauraient, sur cet article, entrer en parallèle avec le mien [a].

Reprenons ce texte des *Confessions*. Le manuscrit de Paris présente une variante significative : « ... les romans de Richardson, *quoi que M. Diderot en ait pu dire,* ne sauraient... » Diderot et Rousseau se visent à travers Richardson, dans la restriction ou dans l'éloge, comme pour légitimer leur mésentente. « ... un homme d'un peu de goût, écrira Diderot dans l'*Essai sur les règnes de Claude et de Néron,* ne s'avisera jamais de comparer son *Héloïse* avec les romans de Richardson, qu'il a pris pour modèle [2]. »

Proposée par Rousseau, toute vérité de détail — si fidèle soit-elle à l'esthétique du nouveau roman — semble une faute de goût aux fanatiques de Richardson : ainsi la bataille à coups de noyaux de pêches, qui, dans *la Nouvelle Héloïse,* oppose la cousine et le précepteur. Le critique de la *Correspondance littéraire* s'offusque de tant d'indélicatesse, tout en admirant le rêve sublime de Julie pendant sa petite vérole : « Une chose de génie que l'auteur de *Grandisson* n'aurait pas dédaigné de placer dans l'épisode de Clémence, si elle lui fût venue [b]. »

Nul roman ne paraît, dont ceux de Richardson ne fournissent la mesure. *Les Liaisons dangereuses* ne sont considérées que comme une métamorphose de *Clarisse*. Le vicomte de Valmont ne triomphe-t-il pas de la vertu d'une nouvelle Clarisse ? Sa lettre à Azolan, son chasseur, ne rappelle-t-elle pas la correspondance de Lovelace et de son Joseph Léman ? La marquise de Merteuil, enfin, ne dirait-on pas un Lovelace travesti [c] ? Tel était le crédit de Richardson.

a. Rousseau, *Œuvres complètes,* éd. Pléiade, I, 546-547.

b. *Correspondance littéraire,* IV, 344-345.

c. *Ibid.,* XIII, 107-111. Bien avant Diderot, l'abbé Raynal dans ses *Nouvelles littéraires,* Grimm dans le deuxième volume de sa *Correspondance,* célébraient

Concurremment avec cette *Princesse de Clèves* que Rousseau se flattait d'avoir égalée, il inaugurait en Europe une tradition romanesque, thématique et technique, que Balzac a maintes fois observée.

Passion tardive que celle de Diderot pour Richardson. C'est en 1760 que, séjournant au Grandval [a], il se serait enflammé pour *Clarisse :* « On disputa beaucoup de Clarisse », écrit-il à Sophie Volland. « Ceux qui méprisaient cet ouvrage, le méprisaient souverainement. Ceux qui l'estimaient, aussi outrés dans leur estime que les premiers dans leur mépris, le regardaient comme un des tours de force de l'esprit humain [3]. »

Cependant son amie se refuse par coquetterie à une adhésion si absolue. Comment, partant pour la province, a-t-elle pu oublier d'enfermer *Clarisse* dans sa malle ? Les réticences de Sophie, la platitude de ses objections (Paméla imparfaite, Milord trop rustique) impatientent Diderot. « J'en appelle du premier jugement que vous portez de *Paméla,* à une seconde lecture. En attendant, je vous préviens que les reproches que vous lui faites sont précisément ceux que lui ont faits la tourbe des gens de petit goût. » Trop sensible à l'intrigue, elle s'enferre volontiers dans les lieux communs du « peuple des lecteurs » : « Cela est triste pour vous. J'en suis encore fâché pour vous. Combien petitement vous voyez le sujet de *Paméla.* Cela fait pitié! Non, mademoiselle, non; ce n'est pas l'histoire d'une femme de chambre tracassée par un jeune libertin [4]. » Toute cette polémique prend fin en septembre 1762, ce

---

les vertus du roman anglais. Des personnages de *Clarisse,* Grimm note que tous « ont leur style et leur langage à eux, qui ne ressemblent nullement aux autres. Cette différence est observée jusque dans les nuances les plus fines [...]; c'est un prodige continuel aux yeux du connaisseur... » (*Ibid.,* II, 248; V, 232.) « ... mais ce qui confond d'étonnement, écrira Diderot, c'est que chacun a ses idées, ses expressions, son ton... » (*O.,* 1097. O. : *Œuvres de Diderot,* texte établi et annoté par André Billy, éd. Pléiade, 1951.) Grimm s'était proposé de consacrer à Richardson un assez long article; il en fut dispensé par l'*Éloge,* de Diderot, paru en janvier 1762 dans le *Journal étranger.*

a. « Je me souviens encore de la première fois que les ouvrages de Richardson tombèrent entre mes mains : j'étais à la campagne. » (*O.,* 1091.)

Il semble peu probable que Diderot ait découvert *Paméla* dès 1742, bien qu'il évoque vingt ans plus tard, dans une lettre à Sophie Volland, cet événement « qui partagea tous les esprits ».

qui ne permet évidemment pas de traiter comme une passade la rencontre avec Richardson.

2. LA MARQUE DE RICHARDSON

Incertain de sa vocation, tiraillé entre le théâtre et le roman, de quelque côté qu'il penche, Diderot ne manque pas de s'associer toujours Richardson : dans le *Discours sur la poésie dramatique,* dans la *Lettre à Mme Riccoboni.* A Richardson de voisiner désormais avec Euripide et Sophocle, puisqu'il investit le roman d'une dignité qui lui était jusque-là refusée. Pourtant c'est le théâtre qui, dans le *Discours sur la poésie dramatique,* s'approprie les qualités du roman : pantomime, peinture des mouvements. Tout en célébrant Richardson, Diderot privilégie encore le théâtre dans la hiérarchie des valeurs. On ne saurait, en effet, jauger la dignité d'un art sans tenir compte des difficultés vaincues. A « perfection égale », un portrait de La Tour semble plus méritoire qu'un morceau de genre de Chardin. Le romancier est au dramaturge ce que Chardin est à La Tour : tout lui étant permis — il dispose à sa guise du temps et de l'espace —, il se tirera plus vite d'affaire que le dramaturge : « ... à titre égal, j'estimerai donc moins un roman qu'une pièce de théâtre[5]. » Au niveau de la création, le théâtre apparaît comme une ascèse. Le poète dramatique trouve dans la certitude de son mérite la consolation de ses peines ou de ses déboires.

Barbey d'Aurevilly accuse Diderot et d'imiter platement *Tristram Shandy* (« ... quelle patte à la place de cette main ») et de ne pas assimiler les vertus de *Clarisse :* « Richardson et son admirable livre passèrent, sans y laisser de trace, à travers cet esprit ouvert, cette bouche de Gargantua littéraire... [a] » Toute agressivité mise à part, le feu de l'*Éloge* présageait, en effet, une trace plus visible. Il semble que Richardson soit présent dans l'*Éloge,* bien plus que dans *la Religieuse.* Pour le premier, en tout cas, Diderot aura relu, plume en main, la préface de *Clarisse* et l'*Examen de quelques objections faites à l'auteur.* L'on dirait un éloge de Richardson par lui-même.

a. Barbey d'Aurevilly, *Gœthe et Diderot,* Paris, Dentu, 1880, 174.

DIDEROT :

Par un roman, on a entendu jusqu'à ce jour un tissu d'événements chimériques et frivoles [...]. Je voudrais bien qu'on trouvât un autre nom pour les ouvrages de Richardson, qui élèvent l'esprit, qui touchent l'âme, qui respirent partout l'amour du bien, et qu'on appelle aussi des romans (O., 1089.)

RICHARDSON :

Cet ouvrage est donc le cadre intéressant d'une instruction généralement utile, et n'a pas eu pour objet l'amusement frivole et passager que certains lecteurs se promettent d'une *Nouvelle,* ou d'un *Roman* ordinaire, qui distrait quelques heures, pour être ensuite oublié [a].

« Il m'a laissé, écrit Diderot de Richardson, une mélancolie qui me plaît et qui dure... [6] » Dans son *Examen,* Richardson cite un article du *Spectator* où Addison, se référant à Aristote, observe que « la terreur et la pitié laissent dans l'âme une mélancolie douce, et fixent l'auditoire dans une disposition d'esprit sérieuse, plus durable et plus délicieuse que les éclats d'une joie folle et passagère ».

Ce que l'on reproche surtout à Richardson, ce sont ses longueurs et sa minutie : « Sachez, réplique Diderot, que c'est à cette multitude de petites choses que tient l'illusion... [7] » « Cette histoire, écrivait Richardson, a paru longue à quelques personnes qui peut-être ne l'ont regardée que comme une simple nouvelle ou roman... Nous pouvons encore ajouter qu'il est souvent nécessaire de descendre dans le détail des plus légères circonstances pour conserver cet air de vraisemblance que doit avoir une histoire destinée à offrir un tableau de la vie sociale... [b] » Richardson esquive les critiques en invoquant l'absolue nouveauté de son œuvre, en affirmant invariablement : c'est un roman que vous avez cru lire, ce n'en est pas un. Les longueurs, c'est-à-dire l'obscur passage du temps humain au temps romanesque, le plongent néanmoins dans une inquiétude dont il ne s'ouvre qu'à ses familiers. A Hill, premier témoin de l'œuvre, il écrit en janvier 1746 : « La longueur est surtout ce qui me dégoûte en ce moment. La fixation des dates a été pour moi tâche pénible. J'ai peur d'exagérer l'étendue des lettres que je prête aux différents correspondants. Si les dames nonchalantes, c'est-à-dire toutes les dames qui n'aiment pas écrire,

a. Richardson, *Clarisse Harlowe,* trad. M. Le Tourneur, Genève-Paris, 1785; I, Préface, XVIII.
b. *Ibid.,* X, 434-435, 451-452.

devaient me juger, elles me condamneraient, surtout si elles ne sont pas matinales. » Dans son *Examen,* il reconnaît cette difficulté inhérente au roman par lettres : « Il faut pour cela que tous les caractères aient un goût extraordinaire pour cette espèce de correspondance... ᵃ »

Il est curieux que Diderot ait négligé le ressort de la présence romanesque dans *Clarisse :* cette forme épistolaire qui remplissait Richardson de fierté. Technique dont celui-ci vante longuement les mérites, et qui devait réduire à l'extrême l'artifice :

> Toutes ces lettres sont écrites *dans la chaleur même du sujet ou de l'événement qui les occasionne,* en sorte qu'elles abondent en descriptions, en réflexions spontanées, inspirées par le moment où l'impression est la plus fraîche et la plus vive [...]. Il doit y avoir, dit un des principaux personnages, une bien plus grande énergie de sentiments et de vie *dans le style de celui qui écrit au sein même de sa détresse,* au moment où son cœur est sur la roue de l'incertitude, lorsque la suite des événements de sa destinée est encore cachée dans les ténèbres de l'avenir, que dans le récit froid, inanimé d'une personne, qui, le cœur à l'aise et dans le calme, ne fait plus que raconter à loisir des dangers évanouis, des obstacles surmontés ; et si elle n'est plus elle-même que faiblement émue du souvenir de sa propre histoire, comment fera-t-elle passer dans l'âme du lecteur des émotions vives et profondes ᵇ ?

Richardson y revient dans l'*Examen :* la mémoire ne peut conserver les détails caractéristiques que dans la relation d'événements récents. Ce qui fait l'invraisemblance des romans, et en particulier de ceux de Marivaux, c'est que « l'histoire est supposée écrite après que l'ordre des événements a été fermé par la catastrophe ; ce qui suppose dans les personnages une *si prodigieuse mémoire,* pour être en état de rapporter mot à mot après plusieurs années toutes les particularités d'une conversation fugitive, qu'elle est au-dessus de tout exemple et de toute probabilité... ᶜ »

Il suffirait d'appliquer ce jugement à Diderot pour obtenir un compte rendu imaginaire de *la Religieuse* par Richardson. Diderot, il est vrai, prévient cette critique : Suzanne aime mieux abréger son récit que de l'achever « dans un temps où des faits éloignés auraient cessé d'être présents à [sa] mémoire ». Souvent aussi, sa

a. *Ibid.,* X, 450.
b. *Ibid.,* I, Préface, xvj-xvij.
c. *Ibid.,* X, 450.

mémoire s'obscurcit, ses oreilles bourdonnent : « Je n'entendis rien de ce qu'on disait autour de moi... je n'en ai nulle mémoire... Je ne me souviens point... J'ai appris ces choses depuis. [8] » N'empêche qu'oublis et défaillances, tout en mettant d'autant plus en vedette, à d'autres moments, la *prodigieuse mémoire* du personnage, trahissent un acte du romancier. Mais jusqu'à cet éclatant post-scriptum [a], qui, opportunément, apaise le critique, le génie de Diderot a su confondre certains artifices romanesques avec les artifices et la coquetterie d'une femme. Les petites invraisemblances ne surgissent que dans une relecture fragmentaire, sans jamais nuire à la présence des personnages.

Barbey d'Aurevilly ne manquait pas de flair lorsqu'il ouvrait avec insolence, dans les monuments du xviiie siècle, ses brèches en trompe-l'œil. Il avait aperçu Diderot embusqué derrière les romans de Richardson. Tout éloge, de Richardson ou de Sénèque, renvoie Diderot à lui-même. « ... c'est autant mon âme que je peins, que celle des différents personnages qui s'offrent à mon récit », écrit Diderot dans la dédicace de l'*Essai* [9]. Toute pierre de touche dénonce celui qui a décidé d'en faire usage. Ceux à qui les romans de Richardson déplaisent « sont jugés » : « Je n'en ai jamais parlé à un homme que j'estimasse, sans trembler que son jugement ne se rapportât pas au mien [10]. » Il pardonnerait à Sophie Volland de ne pas goûter *Clarisse* ou *Paméla,* si ce n'était le viser dans la caution qu'il s'est choisie. Écrivain ? Lecteur ? Entre l'écrivain homme de bien et le lecteur « à l'âme belle », au « goût exquis et pur », comment distinguerait-il encore ? Qu'il écrive *la Religieuse* ou qu'il lise Richardson, l'image qu'il nous propose est celle d'un visage baigné de larmes. Et c'est sur lui-même, aussi, qu'il se penche : « Il n'a pas eu toute la réputation qu'il méritait... Le génie de Richardson a étouffé ce que j'en avais... et je m'avance vers le dernier terme, sans rien tenter qui puisse me recommander aussi au temps à venir [11]. » Tout le pathétique de l'*Éloge* est dans cette rencontre de Diderot avec lui-même.

---

a. Il s'agit du dernier paragraphe de *la Religieuse* (O. R., 392-393). O. R. : *Œuvres romanesques* de Diderot, texte établi avec une présentation et des notes par Henri Bénac, Paris, Garnier, 1951.

III. PROPITIATIONS

Dans une ère du soupçon, « plus personne n'ose avouer qu'il invente [a] ». Ni Daniel Defoe ni Richardson n'avouent inventer leurs histoires. *Ceci n'est pas un conte, Conte qui n'est que trop vrai, Conte qui n'en est pas un,* ces titres d'époque sont l'éloquence d'un refus. L'abbé Prévost n'a pas voulu donner à son *Cléveland* les « grâces d'un roman », le début de *Marianne* « *paraît* annoncer un roman », la Religieuse de Diderot rédige ses mémoires « sans talent et sans art [1] ». Bref, le romancier s'applique à écrire des romans qui n'aient pas l'air d'en être, à les revêtir d'apparences avec notre complicité. Il prétend aller au cœur « d'une manière détournée », et frapper d'autant plus fortement l'âme « qu'elle s'étend et s'offre d'elle-même au coup [2] ». Marivaux, dans le *Paysan parvenu,* lui recommande d'y aller doucement, de ménager ostensiblement ses lecteurs. Il sautera, par exemple, comme autant d'inventions gratuites, les intermédiaires temporels et les menus récits, supposera le soir venu, le voyage terminé, la noce célébrée, la table desservie. Je ne vous ferai point, nous dit-il, un détail exact de..., je passerai légèrement sur..., je ne m'amuserai point à détailler..., qu'il vous suffise de savoir que... « ... saute, saute par-dessus tout cela [3] », dit le maître à Jacques. Déjà Scarron, dans le *Roman comique,* se refusait à nous restituer dans le menu l'emploi du temps de ses personnages, et Furetière, dans le *Roman bourgeois,* à enfler son ouvrage, « comme les bouchers font la viande qu'ils apprêtent [b] ». La Religieuse nous épargne à plusieurs reprises les détails où se coulent romanesque et facilité.

a. Nathalie Sarraute, *L'Ère du soupçon,* Paris, Gallimard, 1956, 59.
b. Furetière, *Le Roman bourgeois,* 1020.

27

Portes et fenêtres.   Dès 1748, Diderot décline, par procuration, le « miracle arbitraire » en quoi Michelet reconnaît l'essence du roman. L'anneau magique [a] qui procure ubiquité et omniscience, le sultan s'en défait à la fin des *Bijoux indiscrets*. Privé des services de Cucufa, le romancier mettra en œuvre ce sens de la palissade — cloison, porte ou fenêtre — qui permet au narrateur, dans *Sodome et Gomorrhe,* de surprendre Charlus et Jupien conversant par le regard et la parole. Il les aperçoit, il se déplace pour les apercevoir encore, il se rapproche pour les entendre; mais, Charlus ayant oublié ses cigares, Jupien l'hospitalier l'entraîne dans sa boutique :

> La porte de la boutique se referma sur eux et je ne pus plus rien entendre. [...] J'avisai alors la boutique à louer, séparée seulement de celle de Jupien par *une cloison extrêmement mince* [b].

Tout ce manège serait esthétiquement insuffisant — la cloison jouant le rôle de l'anneau magique —, sans la crainte incessante d'être découvert et la nécessité de se dissimuler, de longer les murs, de ne pas faire craquer le plancher, puisque « le moindre craquement dans la boutique de Jupien s'entendait de la mienne [c] ». Toute présence est menacée; le narrateur est *là* parce qu'il n'ose pas bouger, mais aussi pour ne pas bouger, s'entourant de précautions et feignant une insécurité qui atteste la vérité du spectacle. Il suffit donc de cette présence marginale, de cette inquiétude scandée par la poursuite et les retraites successives, de cette *connaissance approchée* des négociations de Charlus et de Jupien, pour affranchir du miracle le paysage romanesque.

Tel est aussi, dans *Jacques le Fataliste,* le sens de la palissade : « Curieux de la conversation de Bigre le père et du mien, je me cache dans un recoin, derrière une cloison, d'où je ne perdis pas un

---

a. Dans *les Bijoux indiscrets,* Mangogul, le sultan, s'ennuyant à mourir, obtient du génie Cucufa un anneau magique qui procure les plus savoureuses distractions. Toutes les femmes sur lesquelles il en tourne le chaton confessent leur vertu ou bien leurs aventures par « la partie la plus franche qui soit en elles ».

b. Marcel Proust, *A la Recherche du Temps Perdu,* éd. Pléiade, II, 607.

c. *Ibid.,* 608-609.

mot [4]. » La Religieuse écoute aux portes — elle s'en confesse au marquis de Croismare — et Jacques ne parvient à capter la conversation de ses hôtes que parce que leur chambre était séparée de la sienne « par des planches à claire-voie sur lesquelles on avait collé du papier gris... [5] » Les uns et les autres redoutent, il importe, d'être aperçus ou entendus. Le sentiment de se tenir à l'affût, la crainte d'être débusqué humanisent sans cesse la révélation.

Dans *Ceci n'est pas un conte,* le narrateur ne *sait* que parce qu'il fréquente la maison de Tanié et de Mme Reymer. Il les voit, il les entend, il leur tient compagnie, il reçoit leurs confidences. Ailleurs, il souffre de la logorrhée de Jacques, parfois même il se manifeste par son appétit ou sa fatigue :

> Le lendemain Jacques se leva de grand matin, mit la tête à la fenêtre pour voir quel temps il faisait, vit qu'il faisait un temps détestable, se recoucha, et *nous* laissa dormir, son maître et *moi,* tant qu'il *nous* plut. (*O. R.,* 586.)

Mais toujours à proximité, il ne saurait être partout, et, si Jacques et son maître se séparent, suivre l'un et l'autre à la fois. En dépit du miracle initial, Diderot éloigne des *Bijoux indiscrets* la tentation des *panoramas.* Ce roman de la curiosité assouvie sait nous abandonner parfois à notre perplexité : le sultan s'éloigne d'Hippomanès et d'Alphane, et voici leur conversation perdue à jamais. Nous n'apprendrons pas non plus ce qui s'est passé *au fond* de l'âme de Jacques, lorsque son maître est tombé de cheval. Barbey d'Aurevilly y voit un manque de profondeur; or l'art du romancier consiste précisément à ménager des inconnues. Cette intention, notons-le, n'est pas particulière à Diderot. Dans *les Égarements du cœur et de l'esprit,* de Crébillon, « la palissade [...] me dérobait leur vue » : la palissade peut dévoiler, protéger, interdire. Dans *le Sopha,* « comme il n'y avait pas de retraite pour mon âme dans le lieu où l'on mangeait, je ne pus pas entendre les discours qui s'y tinrent [a] ». Le romancier doit rendre compte et de ce qu'il ignore et de ce qu'il sait. Comment le paysan parvenu, au service des demoiselles Habert, a-t-il su « ces entretiens, où le prochain essuyait la digestion de ces dames » ? « C'était, nous dit Marivaux, en ôtant la table, en ran-

---

a. Crébillon, *Les Égarements du cœur et de l'esprit,* Paris, Le Divan, 1929, 75. — *Le Sopha,* Paris, Le Divan, 1930, 61.

geant dans la chambre où elles étaient [a]. » Quelques pages plus loin, le directeur de ces dames étant arrivé, le paysan approche son oreille de la porte, puis regarde à travers la serrure.

L'ère du soupçon. La plupart des romanciers du XVIIIe siècle ont incidemment tenté d'écarter le soupçon d'artifice. Les mémoires où le cours des événements se conforme rigoureusement à la chronologie, ne supposent-ils pas une mémoire trop parfaite ? Prévost, dans *Cléveland,* à défaut de pouvoir représenter à la fois tous les malheurs d'un personnage, souhaitera exposer d'abord les plus grands, « ceux qui s'offrent le plus vivement à [sa] mémoire [b] ».

Furetière, le premier, dans son *Roman bourgeois,* avait mis entre parenthèses les petits appendices qui irritent à juste titre Nathalie Sarraute : « reprit-il », « dit-elle », ne subsistent que pour permettre au commun des lecteurs de s'y retrouver. Ces appendices, nombreux chez Marivaux (homme de théâtre qui s'adapte au genre romanesque), se raréfient chez Richardson et Diderot. De tous les romanciers du XVIIIe siècle, le moins lu aujourd'hui, Richardson, est peut-être le plus attachant par son respect des points de vue. Dans *Clarisse,* la même scène, différemment éclairée, est vécue et racontée par Lovelace et Clarisse :

Elle est entrée, la tête haute, mais le visage détourné, son sein charmant agité, gonflé et plus saillant par l'attitude même de sa tête relevée... L'air sombre que j'ai affecté lorsque ma main tremblante a saisi la sienne, a bientôt fait prédominer la crainte sur les autres passions [c].

A mon entrée dans la salle à manger, il a pris ma main dans les siennes, avec un mouvement si brusque que j'ai vu clairement un dessein formé de se quereller avec moi.

Toutes ces menues inventions, cette limitation précautionneuse des pouvoirs, remédient par une ascèse à l'anarchie du genre. Elles

a. Marivaux, *Romans,* éd. Pléiade, 609.
b. Abbé Prévost, *Le Philosophe anglais ; Histoire de Cléveland, Fils naturel de Cromwell, écrite par lui-même et traduite de l'anglais,* Amsterdam, 1783, II, 266-267.
c. *Clarisse,* V, 131.

ne relèvent pas seulement d'un souci de vraisemblance, puisqu'elles substituent un arbitraire de la rigueur aux séductions de l'arbitraire. L'enjeu, pour Diderot, c'est à la fois le mérite de l'écrivain et la qualité de la présence : une présence qui incite à choisir entre Lovelace et Clarisse, Mme de La Pommeraye et le marquis des Arcis, qui convainque aussi de la difficulté du choix. Car tel est le paradoxe de cette présence, que tout en nous portant à juger [a], elle nous renvoie sans cesse à elle-même. Lovelace et Clarisse fascinent également.

Que la tiédeur soit exclue de l'œuvre de Diderot, qu'il n'y ait pas, pour lui, de prégnance de la frivolité, excuserait sa sévérité envers plusieurs de ses contemporains. La frivolité n'est pas dans la matière des contes, ni même dans l'obscénité, mais dans le rapport du romancier ou du lecteur aux personnages. Marivaux et Crébillon renouvellent les techniques du récit, élèvent des palissades, protestent de la moralité de leurs intentions ; mais comme ils échouent à « enrôler » leurs lecteurs, ils n'échappent pas, pour Diderot, aux fantaisies de la facticité.

---

a. « ... mais celui qui agit, on le voit, on se met à sa place ou à ses côtés, on se passionne pour ou contre lui... » (O., 1090).

IV. L'ÉCRIVAIN ET SON LECTEUR

Les techniques du roman visent au premier chef à déterminer un mode de coexistence avec le lecteur. Le romancier sent peser sur ce qu'il écrit un regard hostile, incrédule ou ennuyé. Crébillon intitule « Qui fera bâiller plus d'un lecteur » un chapitre de *l'Écumoire*. Épousant l'impatience du lecteur au lieu de lui communiquer celle des personnages, habilement il prévient les maux réels par des maux imaginaires : « Mon cher ami, dit Schah-Baham en bâillant, cette conversation m'est mortelle! Pour l'amour de moi, ne l'achevez pas. Ces gens-là m'excèdent à un point que je ne puis dire. En conscience, cela ne vous ennuie-t-il pas vous-même ? En grâce, faites qu'ils s'en aillent [a]! »

Le romancier vit en état d'accusation devant un tribunal bien singulier. Tantôt le lecteur s'ennuie, tantôt il voudrait en savoir davantage, tout en exigeant que le romancier n'en sache pas trop. La notion de clientèle paraît le mieux envelopper cette double qualité de commanditaire et de juge : le lecteur est un client, la littérature un « service payé ». Assumée par l'écrivain, la complaisance devient un signe de lucidité. C'est du moins ce que semble avancer Marmontel dans son *Apologie du théâtre,* en écho à la *Lettre* de Rousseau *à d'Alembert :* « L'actrice qui joue Émilie ou Colette, est-elle plus *vendue à l'or des spectateurs,* que ne l'étaient Corneille et M. Rousseau lui-même ? S'il me répond qu'elle leur vend sa présence, son action, sa voix et le talent d'exprimer tout ce qu'elle imite, je dirai que Corneille et M. Rousseau ont vendu avant elle leur imagination, leur âme, leurs veilles, et le don de peindre qui leur est commun avec elle. » Selon Diderot, le romancier devra

a. Crébillon, *Le Sopha,* 36.

choisir entre la complaisance et l'affranchissement : « Et puis, lecteur, toujours des contes d'amour [...]. Il est vrai d'un autre côté que, puisqu'on écrit pour vous, il faut ou se passer de votre applaudissement, ou vous servir à votre goût... [1] » Duclos, pour ses dernières œuvres, avait renoncé à se faire éditer, remplaçant « la foule des lecteurs dont il avait été assez longtemps l'esclave par un public choisi, sinon idéal [a] », ne se souciant plus, assurait-il, que d'amuser sa vieillesse.

Persuadé de l'insuffisance du lecteur, Diderot exclut de son ouvrage quiconque « n'a pas la force ou le courage de suivre un raisonnement étendu [2] ». *Piscis hic non est omnium* : il tient ses *Pensées philosophiques* « pour détestables, si elles plaisent à tout le monde [3] ». Seuls lui importent les meilleurs, le « très petit nombre de ceux qui savent parler et entendre [4] ». Diderot s'adresse donc à un lecteur défini [b] : l'abbé Diderot pour l'*Essai sur le mérite et la vertu,* Mme de Puisieux pour les *Pensées philosophiques,* l'abbé Batteux pour la *Lettre sur les sourds et muets,* Grimm pour le *Discours sur la poésie dramatique* ou les *Salons,* etc. « Personne que vous, mon ami, ne lira ces papiers; ainsi je puis écrire tout ce qu'il me plaît [5]. » Diderot ne connaît pas cette aventure du livre qui découvre son lecteur.

L'angoisse devant le lecteur ou le spectateur inconnu expliquerait, du moins en partie, l'insouciance de Diderot à publier ses œuvres de son vivant. Il y a là une attitude dont on ne connaît pas d'exemple au xviiie siècle. Si l'on parvient, à la rigueur, à imaginer une œuvre romanesque posthume (Martin du Gard, après les *Thibault,* avait choisi de s'exprimer ainsi), la notion de public futur, de théâtre posthume paraît absurde. Diderot avait donné « sans empressement ni opposition » le *Fils naturel* et le *Père de famille.* « Je ne sais, écrivait-il à Voltaire, quelle opinion le public prendra de mon talent dramatique, et je ne m'en soucie guère... [6] » Le départ entre « œuvres parues du vivant de l'auteur » et « œuvres posthumes » n'est donc pas si simple à effectuer. L'œuvre posthume se reconnaît plutôt à un *projet* qu'à une date de publication. Ainsi le

a. Paul Meister, *Charles Duclos,* Genève, Droz, 1956, 206.
b. L'*Encyclopédie* elle-même, pour aborder aux rivages lointains, prend appui sur la liste des souscripteurs.

Père de famille, publié en 1758, ne serait pas moins posthume que *la Religieuse* (1796). Diderot choisit un public à venir, c'est-à-dire qu'il refuse le public réel. Il imagine la justice des siècles comme un « concert de flûtes qui s'exécute au loin ». Un jour nous verrons son œuvre, comme celle de Richardson, « à la distance d'où nous voyons Homère [7] ». L'inconnu lointain n'a rien de menaçant.

Les pouvoirs du roman. C'est autour du rapport au lecteur que s'organisent, chez Diderot, les thèmes « assurantiels », en particulier celui de la distance.

Le lecteur n'est menaçant que s'il s'établit en dehors de l'œuvre, et qu'il la tienne assujettie à son plaisir. C'est dans le bouleversement de ce rapport que Diderot aperçoit, à travers Richardson, un des bénéfices du roman. Ce n'est plus le lecteur qui s'empare de l'œuvre, c'est l'œuvre qui s'empare du lecteur. Celui-ci ne prend pas délibérément un rôle dans le roman, il est « enrôlé ». Il ne s'associe pas, il *est associé* aux infortunes des personnages, pris de surprise, frappé, subjugué. Toute réflexion sur le roman vient achopper à cette magie du *Dasein.* Le roman se qualifiera désormais par l'affirmation d'une présence.

Georges May, dans son étude sur *la Religieuse,* note fort à propos que l'art de Diderot consiste à empêcher de réfléchir. Diderot, en effet, ne cesse d'opposer au critique la densité de vie des personnages. Comment le lecteur contesterait-il la réalité de sa propre agitation ? Aux dernières lignes de l'*Éloge,* Diderot s'avoue encore habité par les personnages de Richardson. Tant pour convaincre que pour se convaincre, il vient de définir le roman comme un charme qui opère par des ressorts secrets : « Gardez-vous bien d'ouvrir ces ouvrages *enchanteurs,* lorsque vous aurez quelques devoirs à remplir [8]. » La *Correspondance littéraire* fera allusion, en juillet 1761, aux « moyens extrêmement détournés et fugitifs dont l'action sur notre âme est absolument cachée ». Si puissant est cet envoûtement qu'il n'y aura de contestation possible du roman que par lui-même : ce sera *Jacques le Fataliste.*

Et le critique ? Comment le distinguerait-on du lecteur ? Il est en proie, lui aussi, aux « plus violentes secousses ». Il reconnaît, en la subissant, la présence de Clarisse ou de Lovelace et se transforme bon gré mal gré en moraliste, si curieux soit-il des questions de métier.

L'*autre lecteur*.   Il n'a pas manqué de romanciers, au XVIIIe siècle, pour privilégier un lecteur fantoche et se retourner à tout propos, complaisamment, vers le fauteuil où ils l'avaient assis. Ce procédé, fréquent chez Prévost, prend chez Diderot une signification nouvelle. Tandis que Prévost rassure ses lecteurs réels par la présence d'un lecteur-auditeur installé en marge du récit, comme une sorte de délégué à la vraisemblance, Diderot personnifie cette technique : « Je ne vous écris pas; mais je cause avec vous... » « Avant que de lui écrire, j'ai voulu le connaître... » En septembre 1780, il s'explique sur *la Religieuse* : « ... tout l'intérêt est rassemblé sur le personnage qui *parle* [9]. » Le *lecteur* qu'il introduit dans le conte, est plus qu'un auditeur : un interlocuteur rassurant par sa présence et sa parole [a]. Mais, par-là même, tout conte de Diderot existe indépendamment du lecteur réel.

Lorsqu'on fait un conte, c'est à quelqu'un qui l'écoute; et pour peu que le conte dure, il est rare que le conteur ne soit pas interrompu quelquefois par son *auditeur*. Voilà pourquoi j'ai introduit dans le récit qu'on va lire, et qui n'est pas un conte, ou qui est un mauvais conte, si vous vous en doutez, *un personnage qui fasse à peu près le rôle du lecteur ;* et je commence.
Et vous concluez de là ?
— Qu'un sujet aussi intéressant devait mettre nos têtes en l'air...
(*O. R.,* 793.)

Les premières lignes de *Ceci n'est pas un conte* caractérisent la manière abrupte de Diderot. Que nous soyons si brusquement emportés, Balzac s'en étonne, tout en admirant que Diderot ne nous ait pas livré les antécédents de ses personnages. Il ne semble pas que le « mouvement qui saisit dès le début » procède, comme le suggère Dieckmann, de la transformation du lecteur « en un per-

---

a. La lecture est incompatible avec le silence ou la neutralité de l'auditeur. Diderot ne conçoit pas de lecture qui ne se traduise par une participation, par un spectacle soit verbal (réactions, résistances), soit pantomimique (cf. *O.,* 1178).

sonnage qui écoute le récit pour la première fois, qui l'interrompt, qui le commente, qui, en un mot, est attention, activité, participation directe ª ». Ce mouvement *est* le discours dont nous ignorons ce qui l'a amorcé. « Et vous concluez de là ? », mouvement continué dans lequel le conteur nous plonge brusquement, fait ironiquement pendant à la phrase précédente : « et je commence ». Ainsi, au moment même où nous sommes accueillis dans l'histoire, comme le mélomane qu'on aurait convié au dernier mouvement d'une sonate, nous en sommes rejetés par les prérogatives de l'autre et ne nous retrouverons de plain-pied avec lui qu'au moment essentiel : celui, non pas du récit, mais de la problématique du jugement.

Cet interlocuteur qui en sait plus que nous, nous tient à distance, dans *Ceci n'est pas un conte,* par sa complicité non seulement avec le narrateur, mais avec la belle Alsacienne pour l'amour de qui Tanié était allé mourir au Canada : « Et moi aussi, je l'ai connue ; elle s'appelait Mme Reymer... Je vous dispense de la pantomime de Mme Reymer. Je la vois, je la sais... Je savais tout cela... [10] » Ces intrusions, intolérables dans un roman, n'hypothèquent aucunement ici la liberté ou l'avenir des personnages. Au reste, le narrateur lui-même inscrit *initialement* le malheur de Tanié dans la méchanceté de Mme Reymer : « Il faut avouer qu'il y a des hommes bien bons, et des femmes bien méchantes [11]. » Le conteur n'est pas l'ouvrier d'un avenir, mais le récitant d'un destin.

La Religieuse et le marquis. Le marquis de Croismare, dans *la Religieuse,* représente un autre type de lecteur privilégié. Sœur Suzanne, qui s'est évadée de son monastère, lui écrit pour lui demander secours. Elle le met à contribution, elle l'accule à la générosité : « Monsieur, que je ne sache pas où aller, ni que devenir, cela dépend de vous [12]. » Diderot prête à son personnage tout un art de toucher, une rhétorique de l'apitoiement où le pathétique des tableaux alterne avec le chantage au suicide. Elle se pendra : ne s'est-elle pas surprise à essayer la force de ses jarretières ? Elle se jettera dans un puits : il y en a un, profond, au bout du jardin. Il y

a. Herbert Dieckmann, *Cinq leçons sur Diderot,* Genève, Droz, 1959, 37.

en a partout. Le marquis sera déchiré de remords : « Monsieur, ayez pitié de moi, et ne vous préparez pas à vous-même de longs regrets [13]. » Elle s'expatriera : la pire mort peut-être. S'expatrier, c'est se perdre soit hors de Paris, pour ceux qui ne connaissent pas la campagne, soit à Paris pour ceux qui ne connaissent que la campagne [a].

La Religieuse séduit tantôt avec les malheurs, tantôt avec les miroirs : « ... il n'est pas à présumer qu'il se détermine à changer mon sort *sans savoir qui je suis*... Monsieur le marquis, *je vois d'ici tout le mal que je vous cause ;* mais vous avez voulu savoir *si je méritais un peu la compassion que j'attends de vous*... [14] » Pour mieux apitoyer, ne force-t-elle pas sa mémoire ? C'est là une entreprise à ne pas perdre de vue, si l'on veut saisir l'œuvre dans toute sa richesse, comme un foyer de regards concertants. Regard en avant, ou progression dans le roman, du lecteur réel qui découvre les malheurs de la Religieuse. Regards, en avant et en arrière, de sœur Suzanne. Mais, comme une mémoire trop fidèle pourrait grever l'avenir (l'accueil du marquis), c'est le regard en avant qui dispose des infortunes passées. Ainsi le marquis de Croismare n'exerce-t-il pas seulement une préséance virtuelle. Son image, toujours présente, infléchit la mémoire de la Religieuse en déterminant le choix de ses aveux, de ses oublis, de ses silences. Si peu qu'il se manifeste au long du récit, sinon par sa réputation d'homme de bien et les vocatifs de la Religieuse (« Oh! monsieur... Ah! monsieur... un parti dont vous jugerez, monsieur... mais vous, monsieur... »), il figure l'efficacité d'une conscience esthétique, la main qui, obscurément, guide sœur Suzanne vers le salut, à travers les méandres de la mémoire et le choix des épithètes.

---

a. Aussi le « compère », dans *Jacques le Fataliste,* a-t-il beau jeu de toucher la fibre paternelle de l'hôte :

LE COMPÈRE.

· Voilà donc ma pauvre Marguerite, qui est si sage et si jolie, qui s'en ira en condition à Paris!

. . . .

L'HÔTE.

Et c'est moi qui en serais la cause! Cela ne sera pas. Tu es un cruel homme; tant que je vivrai tu seras mon supplice. Çà, voyons ce qu'il te faut. (*O. R., 590-591.*)

Je dialogue.   Le lecteur privilégié préserve l'œuvre de l'insuffisance — esthétique et morale — du commun des lecteurs. Par le regard et le droit de regard, la sympathie et la lucidité, narrateur et auditeur veillent, dans l'inconfort d'une polémique, à l'intégrité du récit. Leur privilège ne tient pas du merveilleux, mais de la situation *à l'intérieur*. Il appartient au dialogue de sauvegarder la pureté du récit en l'empêchant de se figer dans diverses tentations : le monologue, le rêve, l'aliénation hâtive d'autrui. Diderot introduit, dans *Ceci n'est pas un conte,* un auditeur acide, exigeant, ironique, mais qui ne tarde pas à s'enliser dans le récit des déboires sentimentaux de Tanié, *ses* déboires. Pour avoir été, après Tanié, l'amant de Mme Reymer, il ignorait qu'elle eût eu plusieurs autres liaisons (« Allez, allez », dit-il simplement au narrateur [15]). On le sent plein de rancœur contre cette femme qui a « dérangé [ses] affaires ». A travers les malheurs de Tanié, il retrouve l'amertume des siens, secrètement, passionné honteux que démasque le narrateur : « Mais vous ne vous rappelez donc plus votre aventure avec la Deschamps et le profond désespoir où vous tombâtes lorsque cette créature vous ferma sa porte [16] ? » Dans *Madame de La Carlière* [a], c'est à l'auditeur d'exercer sa lucidité lorsqu'il entend le narrateur se complaire à lui-même tout en croyant approfondir la subjectivité d'autrui : « C'est votre histoire, mais ce n'est pas la sienne [17]. »

Au contraire du bavardage qui, toujours chez Diderot, désigne la « parlerie » de l'opinion, le dialogue rythme la communication des consciences, la polémique avec les autres ou avec soi-même. Ne fût-il qu'un « entretien avec soi-même », il exprimerait encore, par ce qu'il suppose de lucidité, certain refus de soi. On comprend dès lors, que le dialogue coûte : « ... le dialogue me tue [18]... »

Ne prétendons pas, ici ou là, identifier Diderot, le reconnaître dans tel personnage. Il est l'un ou l'autre, et parfois l'un et l'autre. Le

a. Suivant le manuscrit du Fonds Vandeul, nous intitulons *Madame de La Carlière* le conte d'ordinaire publié sous le titre : *Sur l'inconséquence du jugement public.* Cf. Dieckmann : *Supplément au voyage de Bougainville,* Genève, Droz, 1955, XCVI; *Inventaire du Fonds Vandeul,* Droz, 1951, 97.

regard qu'il confronte au sien, tantôt le condamne, tantôt lui renvoie le procès-verbal de ses larmes : « Mais votre voix s'entrecoupe, et je crois que vous pleurez [19]. » Il n'est pas Protée mais Janus, et dans cette poursuite de l'un à l'autre, on n'est assuré de l'atteindre que lorsque le cœur lui manque pour dissimuler le spectacle de sa vertu. Le plus souvent Diderot dialogue *à notre insu,* en aparté soit avec lui-même soit avec ses complices. Avec lui-même, s'il est vrai qu'il prête à son interlocuteur l'aventure qu'il avait eue, lui Diderot, avec la Deschamps. Avec ses complices — Grimm, Naigeon, etc. —, seuls capables de saisir les allusions strictement personnelles. Pour son lecteur futur il brouille passionnément les plans et les pistes. De là ce sentiment d'insécurité (« ein Gefühl der Unsicherheit ») qui ravissait Nietzsche à la lecture de *Tristram Shandy* comme de *Jacques le Fataliste.*

V. LA MÉTHODE

Mouvement désordonné, assurent les censeurs, produit d'un naturel hâtif. Diderot, certes, est le premier responsable de ce mythe de l'improvisateur brouillon, que firent fructifier les *Mémoires* de Naigeon et leur descendance. Jamais indifférent aux images (de Dorval sous le charme, du romancier s'attendrissant sur sa *Religieuse*), Diderot évoque la chaleur avec laquelle, en une journée, il composa l'*Éloge de Richardson* [1]. Naigeon renchérit à plaisir sur la rapidité d'exécution, affirmant que Diderot fit l'*Éloge* en quinze heures. Quant aux *Réflexions sur Térence,* « qui exigeaient quelques recherches de faits et de dates auxquelles Diderot était peu propre », « elles l'occupèrent huit jours ». De même *l'Histoire de la peinture en cire.* Cette perfide arithmétique devait permettre à Naigeon d'en appeler au jugement du lecteur, de le persuader qu'aucun manuscrit de Diderot ne pouvant être imprimé « dans l'état où il l'a laissé », son éditeur aurait à montrer « un esprit très juste, et surtout un goût très sévère [a] ».

Pour *la Religieuse,* Naigeon recommande de « passer la lime sur quelques endroits, et même [d'] en retrancher plusieurs pages ». Cette lime euphémique n'a plus la sollicitude de celle de Boileau : Naigeon, dans ses *Mémoires,* donne libre cours à sa castromanie.

a. J. A. Naigeon, *Mémoires historiques et philosophiques sur la vie et les ouvrages de D. Diderot,* Paris, Brière, 1821, 193-194, 205-206.
D'une oreille à l'autre la confidence se dégrade; nul n'échappe au mythe. Meister note que l'*Apologie de l'abbé de Prades* « fut l'ouvrage de quelques jours; le sublime *Éloge de Richardson,* celui d'une matinée; à peine employa-t-il une quinzaine à faire *les Bijoux indiscrets* » (*Aux mânes de Diderot, A. T.,* I, XVI. *A. T. : Œuvres complètes,* éd. Asségat-Tourneux, Paris, Garnier, 1875-1877.) Balzac, dans sa *Théorie de la démarche,* cite avec admiration « la belle lettre de Diderot, faite, par parenthèse, en douze heures de nuit ».

P. 312, il trouve *Jacques* « trop long de moitié ». P. 314, il propose de réduire ce roman « au tiers de son volume ». P. 315, il s'exaspère : « Si j'apprenais un jour qu'un homme très attaché à la mémoire de Diderot [...] a jeté au feu la dernière copie de *Jacques le Fataliste,* mais qu'il a conservé religieusement l'épisode de Mme de La Pommeraye, peut-être en regretterais-je quelques autres pages pour lesquelles j'aurais demandé grâce, mais je me consolerais bientôt de cette perte, en faisant réflexion que la partie qui reste de cet ouvrage, est au fond la seule qui soit véritablement digne d'être lue et qui méritât d'être écrite [a]. »

Il n'est guère de professeur ni de critique littéraire qui ne propose ce coup de lime, le coup de Naigeon. *La Religieuse ?* « C'est un roman à prédication comme *Clarisse* » (Bédier-Hazard). Un roman où « l'ennui le dispute au dégoût » (Faguet). *Jacques le Fataliste ?* « Un livre infect » (Vinct). Diderot ? Un être « foncièrement obscène » et, dans ses lettres à Sophie Volland, « véritablement répugnant » (Schérer).

La licence, l'obscénité, qui sont la raison d'être des censeurs, les rassurent et les mettent à l'aise. Ils aperçoivent le mal, ils le dénoncent, et sans doute souhaiteraient-ils trouver à chaque page un Neveu de Rameau s'abaissant pour le plaisir à certains actes d'humilité [b]. Ce qui les déconcerte, en revanche, c'est l'allure, le « décousu », la chaleur de Diderot. En vain tentent-ils d'isoler telle page, tel conte qui, détachés de l'œuvre, la leur rendraient accessible. Ils s'essoufflent, ils s'égarent. Pourtant, quoi qu'ils écrivent, amis ou ennemis, qu'ils ne voient jaillir de Diderot qu'une étincelle, avec Brunetière, ou qu'ils viennent, avec Michelet, « puiser au puits de feu », à leur insu ils interrogent l'œuvre dans son langage et sa mythologie : fleuve, souffle, volcan. « Il fit jusqu'à ses ennemis, écrit Michelet, les grandit, les arma de ce qu'ils tournèrent contre lui [c]. »

---

a. Naigeon, *op. cit.,* 311-316.
« Le mieux est de retrancher, et beaucoup », conseille également Caro. « On le peut sans inconvénient. De cinq à six pages débordantes ou tumultueuses on fait une page excellente qui, en disant moins, fait entendre davantage. Soumettez donc, si vous l'osez, à ce genre d'expériences les vrais écrivains... » (E. Caro, *La Fin du XVIIIᵉ siècle,* Paris, Hachette, 1881, 335.)
b. *Le Neveu de Rameau,* éd. Jean Fabre, Genève, Droz, 1950, 21.
c. Cité par Charly Guyot, *Diderot par lui-même,* Paris, éd. du Seuil, 1953, 185.

Chaleur, mouvement,   Dans ses *Réflexions sur le livre de l'Esprit,*
liberté.   Diderot écrit d'Helvétius :

> Il est très méthodique; et c'est un de ses défauts principaux : pre-
> mièrement, parce que la méthode, quand elle est d'appareil, *refroidit,*
> *appesantit* et *ralentit ;* secondement, parce qu'elle ôte à tout *l'air de*
> *liberté et de génie...* (*A. T.,* II, 272.)

Tandis que la méthode *d'appareil,* prothèse de l'expression, suggère une machine qui se mettrait en branle pour affronter la
complexité du monde, la méthode telle que l'entend Diderot se
confond avec ce qu'elle dévoile. Loin d'instaurer un ordre factice,
elle révèle les paradoxes d'une organisation vivante. Plutôt que
de méthode, il conviendrait de parler de démarche, car la démarche
peut s'accommoder du désordre, et le désordre traduire une disposition. Tel contemporain de Diderot « s'est très bien aperçu qu'il
y avait du désordre dans l'*Art poétique* d'Horace; mais il ne s'est
pas aperçu que ce désordre était tout à fait du genre épistolaire,
qu'il caractérisait le poète, et que cette liberté donnait à l'ouvrage
un air de verve et un caractère charmant [2] ». Voici, au *Salon de*
1767, deux Chardin représentant divers instruments de musique :
« Les instruments y sont disposés avec goût. Il y a, dans ce désordre
qui les entasse, une sorte de verve [3]. » Il y a de la verve, aussi,
au couvent de Saint-Eutrope, dans le chant « sans méthode » des
deux sœurs qu'accompagne au clavecin la Religieuse, et dans le
jeu de la supérieure : « Elle préluda, elle joua des choses folles,
bizarres, décousues comme ses idées; mais je vis, à travers tous
les défauts de son exécution, qu'elle avait la main infiniment plus
légère que moi [4]. »
Diderot ne s'est-il pas abandonné au *tumulte* de son cœur pour
faire, « sans liaison, sans dessein et sans ordre », l'*Éloge de Richard-*
son ? L'ordre, précisément, était celui du tumulte. Dès 1754, dans
les *Pensées sur l'Interprétation de la nature,* Diderot laisse ses « pensées se succéder sous [sa] plume, dans l'ordre même selon lequel
les objets se sont offerts à [sa] réflexion; parce qu'elles n'en repré-
senteront que mieux les mouvements et la marche de [son]
esprit [5] ». Au *Salon de 1761,* il note à l'intention de Grimm toutes
les idées qui lui passent par la tête, sans se soucier de trier les

vraies d'entre les fausses : Grimm s'en chargera. Seul le requiert, pour le moment, une démarche qu'il s'efforce de surprendre dans toute son animation. Mouvement et spontanéité suffisent, semble-t-il, à qualifier idées et sentiments, indépendamment de leur vérité ou de leur moralité. « Qui sait où l'enchaînement des idées me conduira ? ma foi! ce n'est pas moi [6]. »

LA DIGRESSION

Le poète n'est pas « une bête de somme qui suit droit son che min [7] ». Tout itinéraire rectiligne exclut la découverte : « Je vais jeter sans ordre, sur le papier, des phénomènes qui ne m'étaient pas connus [8]... » Diderot s'excuse auprès des dames de la vivacité de son allure, sans en changer pour autant : « ... mais il faut que vous ayez la bonté, madame, de me passer toutes ces digressions : je vous ai promis un entretien, et je ne puis vous tenir parole sans cette indulgence... Et toujours des écarts, me direz-vous... Mais je m'écarte toujours. Je reviens donc au sourd et muet de naissance [9]. » Il était, comme l'écrivait Galiani à Mme d'Épinay, « homme à oublier qu'il doit revenir ». Tous ses contemporains le connaissent comme un *faiseur de digressions perpétuelles*. Ainsi s'exprime le président de Brosses qui, après avoir subi et compté vingt-cinq digressions, de neuf heures du matin à une heure, se prend à regretter la « netteté » de Buffon [a]. Garat se rappelle également les « circuits » et les digressions du philosophe : « Si les liaisons rapides et légères de son discours amènent le mot de lois, il me fait un plan de législation; si elles amènent le mot théâtre, il me donne à choisir entre cinq ou six plans de drames et de tragédies, etc... [b] » Quant à Raynal et Naigeon, ils reprochent à Diderot les « mille choses qui n'ont qu'un rapport bien éloigné avec le sujet principal », les écarts qu'il avoue. Or rien n'est plus éloigné de Diderot que cet académisme du « sujet principal » qui tend à faire passer la

a. Charly Guyot, *op. cit.,* 181-182.
b. *A. T.,* I, XXI.

digression pour une paresse ou une fioriture ᵃ. Impatiente et opé-
ratoire, la digression remplit diverses tâches. En voici deux témoignages.

*La digression-
pénitence.*

Jusque dans les œuvres romanesques,
la rigueur surgit avec l'insolite, sous bien
des emprunts. Diderot, qui vise à la
morale, assure qu'on ne saurait en faire de bonne sans être anatomiste, physiologiste, naturaliste. Lorsque la tristesse s'emparait de
Mme de La Carlière (« elle pleurait quelquefois; elle voulait être
seule, chez elle ou à la promenade; [...] elle gardait un silence
continu; il ne lui échappait que quelques soupirs involontaires. »),
Desroches « traitait cet état de vapeurs, *quoique les femmes qui nour-
rissent n'y soient pas sujettes* ¹⁰ ». Dans l'*Essai sur les règnes de Claude
et de Néron*, le récit de la mort de Sénèque est suivi de considérations sur « la mort naturelle par l'hémorragie des veines » :
« elle est lente : elles s'affaissent à mesure qu'elles se vident et
l'effusion du sang est suspendue. Pourquoi les tyrans n'ordon-
naient-ils pas la blessure au cœur ou la section des artères, dont on
périt si rapidement ? Pourquoi les victimes n'en faisaient-elles pas
le choix ? Pourquoi ne s'enfonçaient-elles pas ou ne se faisaient-
elles pas enfoncer le poignard au-dessus de la clavicule gauche ¹¹...»

Évoquant le temps qu'il fait, jamais Diderot ne s'abandonne à
la facile nature dont les romans l'avaient lassé. La *Promenade du
sceptique* « commença par une de ces belles nuits qu'un auteur de
roman ne laisserait pas échapper sans en tirer le tribut d'une ample
description. Je ne suis qu'un historien, et je te dirai simplement
que la lune était au zénith, le ciel sans nuage et les étoiles très
radieuses ¹² ». Sa seule concession à la poésie, ce seront, dans les
Entretiens sur le Fils naturel, ces « larges bandes de pourpre [qui]
nous promettent une belle journée ¹³ », et les palpitations de

a. Nombre de critiques ont aperçu dans Diderot de gratuites divagations à
l'extérieur, lorsqu'ils espéraient une méthode, horizontale ou verticale. La
sonde devint l'enseigne de leur dépit. Diderot était décidément incapable de
« sonder les âmes ».

Dorval devant le spectacle de la nature. Dans *le Neveu de Rameau*, dans le *Supplément au Voyage de Bougainville,* dans *Madame de La Carlière,* il commence par priver le ciel de toute fascination poétique. Quelque temps qu'il fasse, vers les cinq heures du soir, le philosophe se promène au Palais-Royal : « Si le temps est trop froid, ou trop pluvieux, je me réfugie au café de la Régence [14]... » C'est grâce au mauvais temps que, confinés avec Jacques et son maître dans l'auberge du Grand-Cerf, nous entendrons l'histoire de Mme de La Pommeraye; et grâce au brouillard que nous prendrons connaissance du *Supplément.*

Diderot ne néglige pas le ciel, il l'explique. Sans doute n'est-il rien d'équivalent, dans aucune littérature, aux premières lignes du *Supplément* ou de *Madame de La Carlière :*

> J'en ai souvent fait l'observation en été, dans les temps chauds. La partie basse de l'atmosphère, que la pluie a dégagée de son humidité, va reprendre une portion de la vapeur épaisse qui forme le voile obscur qui vous dérobe le ciel. La masse de cette vapeur se distribuera à peu près également dans toute la masse de l'air; et, par cette exacte distribution ou combinaison, comme il vous plaira de dire, l'atmosphère deviendra transparente et lucide. C'est une opération de nos laboratoires, qui s'exécute en grand au-dessus de nos têtes. (O. R., 813.)

Il y a plus d'étoiles dans le ciel de Kant, mais l'œuvre de Diderot demande à être comprise dans une appréciation ambivalente du roman : contes, dialogues, récits se rachètent inopinément par des rappels d'objectivité, cathartiques du romancier pénitent.

La digression-tableau. La digression sert aussi bien au dégagement qu'à l'approfondissement. Dans l'entre-deux, il y a place pour le repos : « Et puis après une histoire sérieuse, un petit conte gai. » « ... cette contention me fatigue, et la digression me repose [15]. » Les *Salons* offrent des dégagements exemplaires dont la durée est inversement proportionnelle à la médiocrité des tableaux : une ligne pour Le Prince, deux pour Ollivier, deux et demie pour Deshays, trois pour Mouchy, et, pour Lépicié, dans le *Salon de 1765,* cette seule phrase : « Mon ami, si nous continuions à faire des contes [16] ? »

Mais que Diderot admire et le voici, en 1767, cinquante pages durant, sous le charme de Vernet. Ému, il s'occupe « à consoler un enfant en peinture de la perte de son oiseau, de la perte de tout ce qu'il vous plaira [17] ». C'est où Barbey d'Aurevilly, vaincu, le reconnaît véritablement créateur : « Là, il introduit jusqu'au drame, jusqu'au dialogue (voir les pages sur le tableau de Greuze, la *Jeune fille qui pleure son oiseau mort*), jusqu'à l'anecdote, et même l'anecdote usée, pour faire entrer davantage dans l'esprit le trait aigu de sa critique [a]. » Diderot, dans ses digressions, est pédagogue aussi, et souvent sans vergogne. Afin d'éclaircir le rapport de l'esquisse au tableau, il n'hésite pas à évoquer, « dans le déshabillé d'un lieu de plaisir », et faisant l'admiration des filles, le « mérite » du petit président de Brosses. L'une des filles, « après avoir fait en silence plusieurs fois le tour du merveilleux petit président, lui dit : " Monsieur, voilà qui est beau, il faut en convenir; mais où est le cul qui poussera cela ? " Mon ami, si l'on vous présente un canevas de comédie ou de tragédie, faites quelques tours autour de l'homme; et dites-lui, comme la fille de joie au président de Brosses : Cela est beau, sans contredit, mais où est le cul [18] ? » Cette dernière image revient si souvent, qu'il serait malhonnête de la laisser dans l'ombre des Œuvres complètes.

Toujours en 1767, après une courte phrase sur *la Chaste Suzanne* de La Grenée, Diderot, s'étonnant de la froideur des vieillards, se rappelle le déclin de la belle comtesse de Sabran. Criblée de dettes, pressée par les plus humbles de ses créanciers — boucher, boulanger, cordonnier, couturière —, elle se disait si pauvre qu'on lui voyait le « cul », « et, tout en parlant ainsi, elle troussait ses cotillons et montrait son derrière » à son cordonnier attendri [19]. Diderot ne se retient pas.

Les harmoniques du désir. Où qu'elle nous entraîne, quelque tâche qu'elle propose, quelque urgence qu'elle prétexte, la digression répond à l'urgence du désir. C'est le temps retrouvé avec le mouvement, par-delà les idées. Diderot tente d'imposer sa voix, son allure, avec l'impa-

---

a. Barbey d'Aurevilly, *op. cit.*, 219.

tience narcissique de ceux qui arrivent délibérément en retard, parce que toute attente — toute absence — leur est insupportable. La présence, chez Diderot, réclame la brutalité d'un surgissement et la frémissante disponibilité de l'autre.

Est-ce parce qu'Hubert Robert revient d'Italie que Diderot, en 1767, se livre à un long écart sur les voyages ?

> Et Robert ?
> — *Piano, di grazia;* Robert viendra tout à l'heure. (*A. T.,* XI, 222.)

Le *piano* définit l'enjeu. Diderot oppose à l'impatience de Grimm sa propre impatience [a]. « Lecteur, vous me traitez comme un automate, cela n'est pas poli. [...] Il faut sans doute que j'aille quelquefois à votre fantaisie; mais il faut que j'aille quelquefois à la mienne [20]... » Dans les *Entretiens avec Dorval,* il accuse une défaite : « J'aurais une petite aventure à vous raconter sur nos salles de spectacles. — Je vous la demanderai, me répondit-il; *et il continua* [21]... » Diderot ne se refuse pas à entretenir Grimm des ruines de Robert, ni Dorval à entendre l'anecdote de Diderot. La polémique, dans l'un et l'autre exemple, ne porte nullement sur un contenu, mais sur la priorité d'un mouvement. Sans doute cette instance du désir se confond-elle, à la lecture, avec la nécessité de la composition, mais il reste que toute structure procède chez Diderot de la démarche que j'essaie de définir. Si la vertu du romancier appelle des sacrifices, sa liberté s'exprime par son insoumission. Considérée sous cet aspect, l'œuvre de Diderot met essentiellement en jeu une technique de l'exclusion momentanée du lecteur ou de l'auditeur. Le désir s'associe au mouvement pour saper la durée :

> — Savez-vous que de toutes les manières qu'ils ont de me faire enrager, la vôtre m'est la plus antipathique ?
> — Et quelle est la mienne ?
> — Celle d'être prié de la chose que *vous mourez d'envie* de faire. Hé bien, mon ami, je vous prie, je vous supplie de vouloir bien vous *satisfaire.*

---

a. JACQUES. — C'est que j'aime à parler aussi.
LE MAÎTRE. — Ton tour viendra. (*O. R.,* 593.)

— Me satisfaire !
— Commencez, pour Dieu, commencez.
— Je tâcherai d'être court.
— Cela n'en sera pas plus mal.

Ici, un peu par malice, je toussai, je crachai, je développai *lentement* mon mouchoir, je me mouchai, j'ouvris ma tabatière, je pris une prise de tabac ; et j'entendais mon homme qui disait entre ses dents : « Si l'histoire est courte, les préliminaires sont longs... » *Il me prit envie* d'appeler un domestique sous prétexte de quelque commission... (*O. R.*, 794.)

Cette vocation de la liberté d'allure, ce goût du contretemps, des opérations syncopées, des délais, s'affirme dès *les Bijoux indiscrets*. Dans *Jacques le Fataliste,* roman du désir, où l'on ne voit d'ordinaire qu'une sorte de *Journal des Faux-Monnayeurs,* Diderot, en une caricaturale volonté de puissance, nous ballotte à son gré, comme Montaigne.

VI. TEMPS ET MOUVEMENT

I. LA LONGUEUR DU TEMPS [a]

L'image que Diderot donne le plus volontiers de lui-même, est celle d'un être contraint et dérouté. On a disposé de son temps, on lui a imposé une allure : « ... ce qu'il y a de certain, c'est qu'il y a bientôt cinquante ans que je suis étranger dans [ce monde-ci], que je vis d'une vie *imitative* qui n'est pas la *mienne*, que je me *plie* sans cesse à *l'allure des autres...* [1] » Dans son *Salon de* 1767, il évoque avec amertume les années sacrifiées à l'*Encyclopédie* (« vingt-cinq ans de ma vie [2] ») et qui l'ont comme arraché à lui-même [b]. En opposant au bonheur d'être soi tout pur l'esclavage d'une vie imitative ou parasitaire, Diderot nous invite à considérer dans son œuvre les conduites de dénégation, de refus ou de compensation, signes inversés de contraintes réellement vécues.

Le temps lui pèse parce qu'il le subit; aussi s'ingénie-t-il à le domestiquer ou à le réduire pour l'approprier à son désir. Il le soustrait aussi bien aux rigueurs de la chronologie qu'à la posses-

---

a. Le 8 septembre 1770, l'abbé Galiani écrit à Mme d'Épinay : « Je suis honteux de n'avoir pas encore répondu à Diderot. Mais comme le philosophe ne connaît pas la durée du temps, il n'y aura ni tôt ni tard pour lui. » (*Lettres de l'abbé Galiani à Mme d'Épinay,* publiées par Eugène Asse, Paris, Charpentier, 1881, I, 137.)

b. « La juste appréciation finale de presque tous les hommes d'élite se trouve beaucoup entravée par une fatale opposition entre leur propre nature et l'ensemble des impulsions qui dominèrent leur existence. Ce conflit s'aggrave quelquefois jusqu'à imposer même une carrière directement contraire à la principale vocation de certains penseurs, dont le vrai génie ne peut alors être dignement senti que d'après une exacte théorie historique. Tel fut surtout le grand Diderot, que son siècle condamna irrésistiblement à seconder une pure démolition, alors qu'il était né pour les plus sublimes constructions. » (Auguste Comte, *Système de Politique positive,* Paris, L. Mathias, 1851, I, 738.)

sivité d'autrui. Préliminaires, parenthèses, digressions instituent en marge des événements ou même des idées une durée satisfaisante. La digression, c'est l'itinéraire imprévisible d'une liberté, le temps retrouvé dans la subjectivité d'une allure. Diderot se dérobe et se ressaisit par la fantaisie de sa démarche.

L'on s'étonne en conséquence de le voir justifier dans *les Bijoux indiscrets* une durée totalisatrice, calquée, comme dans les romans de Richardson, sur celle d'entreprises réelles : « ... vous qui n'ignorez pas ce qu'il en coûte quelquefois pour mettre fin à une misérable intrigue et combien la plus petite affaire de politique absorbe de temps en démarches, en pourparlers et en délibérations [3]. » Que Diderot, pour défendre un romancier accusé de longueurs, ait repris cette plaidoirie dans l'*Éloge de Richardson,* montrerait du moins qu'il est absurde d'isoler son premier chef-d'œuvre : « Vous avez donc oublié combien il en coûte de peines, de soins, de mouvements, pour faire réussir la moindre entreprise, terminer un procès, conclure un mariage, amener une réconciliation [4]. » Peut-être songeait-il, plutôt qu'au roman, aux services réels qu'il rendait, aux mystifications qui lui permettaient de rendre service, à cette patiente technique de la persuasion dont *Est-il bon ? Est-il méchant ?* dévoile les ressorts. Car cette épaisseur et cette longueur de temps, qui, théoriquement, avantagent le roman par rapport au théâtre, Diderot les refuse tout en les légitimant. Il n'y a pas chez lui de ces obstacles habités par la durée, de ces intermédiaires temporels qui sont les grossesses du roman et le délicieux enfer du lecteur : « Voilà l'hôtesse descendue, remontée et reprenant son récit... » « Voilà la cour traversée; nous voilà à la porte de l'appartement; nous voilà dans le cabinet de Gardeil. » Mme de La Pommeraye ayant proposé une promenade au marquis des Arcis, « Voilà les chevaux mis; les voilà partis; les voilà arrivés au Jardin du Roi... [5] » « Me voilà parti; me voilà à Chaumont », écrit Diderot à Sophie Volland [6]. Il ne prend pas le temps. Les voyages mêmes sont exclus parce qu'ils ménagent la durée. Celui de Desroches et de sa femme tient en une phrase : « Ils partent; ils arrivent [7]. »

Si le mouvement abrège ou exorcise la durée, il l'abolit dans les choses de l'amour où les instances temporelles — *pudeur, retenue, bienséance* — apparaissent non seulement pénibles mais incongrues. Le Tahitien cède sans vergogne « à l'*impulsion* la plus auguste de la nature [8] ». Il est vrai que, débutant comme « des hommes civilisés », nous finissons pour la plupart comme le Tahitien, mais il est regrettable (c'est l'avis de *B* dans le *Supplément au Voyage de Bougainville*) que « ces préliminaires de convention [a] consument la moitié de la vie d'un homme de génie [9] ». Cependant le prince de Galitzin ne met qu'une semaine pour investir, aux eaux d'Aix-la-Chapelle, la comtesse de Schmettau : « ... il en devient amoureux; il le dit, il est écouté, il est époux [10]. » Ainsi les impératifs du désir répondent magiquement à ceux de la nature. Diderot ne fut pas moins heureux [b] le jour où il rencontra sur son chemin « une femme belle comme un ange » : « ... je veux coucher avec elle; j'y couche; j'en ai quatre enfants... [11] »

Ce qui se découvre immédiatement, à travers tant de raccourcis, c'est un monde en proie au mouvement, une poésie de l'agitation des corps. Diderot « se détourne » des méchants et « vole au-devant des bons ». Il exalte la turbulence de Socrate, il communique le mouvement aux images qui, traditionnellement, conviaient au repos : la fidélité même ne va plus sans écarts et retours. Les seuls tableaux qui le touchent sont ceux où « les figures tranquilles [lui] semblent prêtes à se mouvoir [12] ».

Les personnages les moins attachants sont aussi les plus statiques : Mme Reymer, Gardeil, Mme de La Carlière — Sarah Bernhardt figée dans la religion du contrat —, le maître, passif et routinier. Il semble qu'indépendamment de toute visée morale,

a. Il convient de distinguer, chez Diderot, entre les préliminaires de convention, qui instaurent une durée factice, et les préliminaires, oratoires ou gestuels, du narrateur ou du romancier. Le narrateur qui, au début de *Ceci n'est pas un conte,* tousse, crache, développe lentement son mouchoir, se mouche et ouvre sa tabatière avant de commencer son récit, accuse une instance du désir.

b. Supposé que « Nanette » ait été si facile (alors que Mme de Vandeul affirme pieusement dans une lettre à Meister : « Jamais mon père ne put réussir auprès d'elle qu'en l'épousant »), il ne manquerait pas d'autres obstacles si l'on voulait rétablir les intermédiaires temporels dans cette confession du *Salon de 1767.*

les plus extravagants, la supérieure de Saint-Eutrope et le Neveu de Rameau, se rachètent spectaculairement par leur mobilité.

« La tête d'un Langrois, écrit Diderot à Sophie Volland, est sur ses épaules comme un coq d'église au haut d'un clocher. Elle n'est jamais fixe dans un point; et si elle revient à celui qu'elle a quitté, ce n'est pas pour s'y arrêter. » Cette lettre est datée du 11 août 1759. Relisons à présent le portrait, peut-être contemporain, de la supérieure de Saint-Eutrope : « ... sa tête n'est jamais assise sur ses épaules, il y a toujours quelque chose qui cloche dans son vêtement [13]... » Le vêtement, pour Diderot, ne doit rien être qu'un révélateur du corps; il le met en valeur, il ajoute à son expressivité. Ainsi, le corps répondant à travers le vêtement au décousu de l'esprit, les yeux « pleins de feu et distraits » (images de la chaleur et du mouvement), la supérieure s'agite, se contredit et entraîne tout son monastère dans la comédie [a].

2. L'EMPLOI DES TEMPS

« Elle se lève, elle sort, elle voit, elle crie, elle tombe à la renverse. Ses enfants accourent, ils voient, ils crient; ils se roulent sur leur père, ils se roulent sur leur mère [14]. » Se lever, sortir, voir, crier, tomber : ces actions se succèdent avec une rigueur qui demeure le souci de Diderot. N'assurait-il pas que les amateurs de style seraient impuissants à le déchiffrer ? C'est qu'il n'a de style que par le refus du style. Un passage du *Télémaque*, cité comme exemple de description romanesque dans le *Discours sur la poésie dramatique*, révèle par contraste l'affairement des mots dans la phrase de Diderot : « La douce vapeur du sommeil, écrit Fénelon, ne coule pas plus doucement dans les yeux appesantis et dans tous les membres fatigués d'un homme abattu, que les paroles flatteuses de la déesse s'insinuaient pour enchanter le cœur de Mentor; mais elle sentait toujours je ne sais quoi, qui repoussait tous

a. « ... il y avait des jours où tout était confondu, les pensionnaires avec les novices, les novices avec les religieuses; où l'on courait dans les chambres les unes des autres; où l'on prenait ensemble du thé, du café, du chocolat, des liqueurs; où l'office se faisait avec la célérité la plus indécente... » (*O. R.*, 329.)

ses efforts et qui se jouait de ses charmes [15]. » La langue de Diderot incrimine cette onctueuse oisiveté : par les pouvoirs qu'elle délègue aux verbes et aux adverbes; par le peu de cas qu'elle fait de l'adjectif, parasite consommateur d'énergie; par la préséance du présent, temps de l'action et du mouvement.

Diderot ne *décrit* pas, à la manière de Fénelon. Il *produit* le mouvement afin de pouvoir, à volonté, ralentir ou accélérer la cadence. Le style indirect, l'emploi des temps ressortissent chez lui à une cinétique. Dans *Madame de La Carlière,* le style indirect nous épargne le réalisme des bons sentiments, le lent mot à mot des « protestations honnêtes et tendres » de Desroches [16]. Et dans *la Religieuse* le détail d'un entretien sur la musique :

> Les religieuses s'éclipsèrent les unes après les autres, et je restai presque seule avec la supérieure à parler musique. Elle était assise; j'étais debout; elle me prenait les mains, et elle me disait en les serrant : « Mais outre qu'elle joue bien, c'est qu'elle a les plus jolis doigts du monde; voyez donc, sœur Thérèse... » (*O. R.,* 335.)

Par un complexe emploi des temps, Diderot réduit progressivement le champ romanesque. Avec le premier verbe s'amorce le départ des religieuses : *s'éclipsèrent les unes après les autres.* On les voit en train de disparaître, on s'aperçoit qu'elles ont disparu. Le passé simple exerce son pouvoir par-delà l'endroit qu'il occupe dans la phrase. Il commence par exprimer une action en cours, un présent; la disparition des religieuses lui restitue son sens de passé réel. Quant aux autres verbes, présents déguisés en imparfaits, par une illusion de « travelling », ils introduisent au dialogue où le style direct nous plonge brusquement.

L'obstacle de la langue. Georges May a noté dans *la Religieuse* le « fonctionnement extratemporel de la sensibilité et de l'imagination de Diderot », l'importance du présent de l'indicatif, la fréquente confusion des temps. « A chaque instant, écrit-il, l'imparfait et le passé composé du mémorialiste cèdent la place au présent de l'indicatif familier aux lecteurs de journaux intimes [a]. » Ajoutons que cette

a. Georges May, *Diderot et « La Religieuse »,* Paris, P. U. F., 1954, 207.

confusion n'est pas inadvertance, mais ruse. Si Diderot force inexorablement les mots au mouvement, c'est qu'ils n'y sont pas appelés par vocation. Il tient, au contraire, que la langue fait obstacle au désir par le retard qu'elle apporte à son expression. La langue lui paraît constitutionnellement en retard. Les Langrois « ont le parler lent » malgré « une rapidité surprenante dans les mouvements, dans les désirs, dans les projets, dans les fantaisies, dans les idées [17] ». La langue peine à rendre une rapide succession d'idées, elle « se traîne » après l'esprit [18]. Comment, à plus forte raison traduirait-elle la simultanéité ? Diderot se demande, dans la *Lettre sur les sourds et les muets,* si l'esprit ne peut avoir un certain nombre d'idées « exactement dans le même instant ». Considérant la phrase : *le beau fruit, je mangerais volontiers icelui,* il remarque que « la sensation n'a point dans l'âme ce développement successif du discours; et si elle pouvait commander à vingt bouches, chaque bouche disant son mot, toutes les idées précédentes seraient rendues *à la fois* [19] ». Ce qui eût été possible sur le clavecin oculaire du P. Castel. Cet étrange instrument, qui n'a cessé d'enchanter Diderot, devait permettre de jouer, à grands renforts d'éventails, de silencieuses sonates de couleurs. Les dames insulaires en font, dans *les Bijoux indiscrets,* un usage plus profane : elles assortissent suivant ses directives les couleurs de leurs toilettes [20].

3. LE TEMPS SABORDÉ

Le mouvement.   La langue se fait complice de la durée en nous condamnant au retard et à la succession. Mais Diderot corrige la langue par le mouvement en vue du mouvement. Il espère abolir la durée par une animation universelle : du dialogue, des expressions, des corps. La belle veuve, amie de Desglands, tentait de le réconcilier avec son rival. Elle parle, pleure, s'évanouit, parle et retombe en défaillance :

... elle serrait les mains à Desglands, elle tournait ses yeux inondés de larmes sur l'autre. Elle disait à celui-ci : « Et vous m'aimez!... », à celui-là : « Et vous m'avez aimée... », à tous les deux : « Et vous voulez me perdre... » (*O. R.,* 753.)

La supérieure de Saint-Eutrope s'agite, le Neveu de Rameau « se démène de la tête, des pieds, des mains, des bras, du corps », il imite tous les instruments de l'orchestre, il vide son verre trois fois de suite. Sans transition *apparente,* il passe d'un rôle à un autre : « ... s'il quittait la partie du chant, c'était pour prendre celle des instruments qu'il laissait subitement, pour revenir à celle de la voix; entrelaçant l'une à l'autre, de manière à conserver les liaisons, et l'unité de tout... [21] » A mesure de sa rapidité, le mouvement procure *l'illusion* du « en même temps » ou du « à la fois ».

Le lapsus. Diderot bouleverse spontanément la chronologie. C'est ainsi qu'il écrit à Grimm pour le prier de corriger, dans *les Deux Amis,* l'endroit où il a fait « voyager et travailler dans la forêt la charbonnière après sa mort » : « On en conclurait que je crois à la résurrection [22]. » Dans *Jacques,* le maître raconte l'histoire d'une veuve très légère que son mari « plaignit pendant qu'elle vécut » et « regretta longtemps après sa mort [23] ». Dans *la Religieuse,* Mme Simonin, sur le point de mourir, envoie à sa fille, sœur Suzanne, un paquet contenant cinquante louis et une lettre. Diderot l'y fait relater des événements qui auraient eu lieu le lendemain du jour où cette lettre fut écrite et emportée : « Vos sœurs sont arrivées[...]. Elles ont soupçonné, je ne sais comment, que je pouvais avoir quelque argent caché entre mes matelas; il n'y a rien qu'elles n'aient mis en œuvre pour me faire lever, et elles y ont réussi; mais heureusement mon dépositaire était venu la veille, et je lui avais remis ce petit paquet avec cette lettre qu'il a écrite sous ma dictée [24]. » Plusieurs critiques ont hâtivement baptisé « bévues » les lapsus de Diderot.

4. LE TEMPS RETROUVÉ

Bien loin de s'oublier, Diderot s'affirme par sa liberté de mouvement, par les libertés qu'il prend avec le temps. Dans *Jacques,* dans les contes, dans l'*Essai sur les règnes de Claude et de Néron,* il manifeste à divers sujets son refus d'une temporalité « événementielle ». La frivolité fondamentale du roman réside moins dans une matière érotique que dans un rapport coupable du romancier ou du lecteur à des événements qui jugeraient souverainement une vie [a]. Contre l'opinion qui fait de l'événement la mesure du blâme ou de l'éloge, Diderot plaide pour la moralité du jugement, pour la remise en question d'un prétendu passé.

Ses personnages n'ont ni passé ni avenir. La Religieuse ne souhaite qu'une place de femme de chambre ou de simple domestique. Elle vivra « ignorée dans une campagne, au fond d'une province, chez d'honnêtes gens qui ne reçussent pas un grand monde [25] ». Tanié est mort, ainsi que Mlle de La Chaux et Mme de La Carlière. Desroches vit encore, mais il n'est plus que « ce personnage long, sec et mélancolique, qui s'est assis, qui n'a pas dit un mot, et qu'on a laissé seul dans le salon, lorsque le reste de la compagnie s'est dispersée [26] ». On ne l'imagine guère se ressaisissant avec le temps, comme Des Grieux, et reprenant goût au bonheur.

La mort même ne suffit pas à leur assurer un passé, puisque l'événement ne comporte aucune certitude morale : innocence ou culpabilité. Diderot nous introduit dans une morgue, dans un prétoire. Qui a tué Mlle de La Chaux, Mme de La Carlière ? Les événements se présentent comme les *phénomènes* d'une histoire qui reste à écrire. Le lecteur, par un exercice dialectique, restituera aux personnages leur passé réel.

L'on s'explique dès lors les singularités de la technique. Sénèque a beau mourir au chapitre xciv de l'*Essai,* au chapitre ciii nous le retrouverons en train d'exhorter Néron [b]. Ces détours, si caractéristiques de la manière de Diderot, visent à empêcher toute confusion de la durée avec la chronologie, c'est-à-dire avec une durée rythmée par les événements en un simulacre d'objectivité. La durée surgit dans un univers où il ne se passe rien encore, dans un univers où il ne se passe plus rien. Elle est le signe tantôt d'une catastrophe imminente (« ... cela ne pouvait durer [27]. »), tantôt du délaissement.

Diderot n'en est pas moins optimiste, puisqu'il ne comprend la

a. Diderot oppose à la succession temporelle tantôt l'impatience de son désir, tantôt le respect de l'ordre moral.

b. *A. T.,* III, 142, 158.

durée que dans une éthique de la durée. Au préjugé de l'événement il oppose la durée du préjugé. Un jour viendra où « la chose sera vue telle qu'elle est » : « ... le discours de l'avenir rectifie le bavardage du présent [28]. » Qu'il s'agisse des hommes ou des livres, le temps entraîne une promesse de réparation. Desroches sera absous, Richardson et Diderot reconnus par la postérité. Nul n'œuvrerait, du reste, sans l'espoir de durer. Quelque astronome nous assurerait-il par ses calculs que la terre disparaîtrait dans mille ans d'ici, nous renoncerions au travail : « ... plus d'ambition, plus de monuments, plus de poètes, plus d'historiens, et peut-être même plus de guerriers ni de guerres [29]. »

La vie n'est-elle pas trop brève en comparaison des exigences de l'œuvre, de la survie que nous rêvons ? « Un jour de plus, et l'on eût découvert la quadrature du cercle [30]. » « Accordez à l'homme, je ne dis pas l'immortalité, mais seulement le double de sa durée, et vous verrez ce qui en arrivera [31]. » L'œuvre y gagnerait, sans conteste, mais l'homme ? Toute vie écourtée ou prolongée ne déplacerait-elle pas les lignes de la moralité ? « Néron meurt exécré; quelques années plus tôt, Néron mourait regretté [32]. » « Nous sommes tellement abandonnés à la destinée, que si la nature nous avait accordé une durée de trois cents ans, par exemple, je tremble que de cinquante ans en cinquante ans nous n'eussions été successivement gens de bien et fripons [33]. » Peu importe la méchanceté de Racine, écrivait Diderot à Sophie Volland, s'il reste de lui un ouvrage éternel.

Écrire, c'est survivre, et c'est vivre au présent en accélérant le temps : « Mon ami, faisons toujours des contes. Tandis qu'on fait un conte, on est gai; on ne songe à rien de fâcheux. Le temps se passe; le conte de la vie s'achève, sans qu'on s'en aperçoive [34]. » Diderot tue le temps pour s'exercer à durer. La sérénité de l'écrivain est dans ce dépaysement anticipé.

VII. THÉATRE ET ROMAN

1. REPÈRES

Il est remarquable que Diderot ait introduit dans un roman, *les Bijoux indiscrets,* ses premières réflexions sur le théâtre, et dans des essais sur le théâtre [a], les premiers éloges de Richardson. En 1757, il ne mentionne encore, parmi les Anglais, que les auteurs du *Marchand de Londres* et du *Joueur,* George Lillo et Edward Moore [1]. Mais l'année suivante, relisant Richardson, il découvre le profit à tirer du roman : « Nous n'y sommes pas, mon amie, nous n'y sommes pas. Il faudrait trois ou quatre bons romans pour nous y conduire ou pour nous y ramener [2]. »

Il entrevoit un perfectionnement du théâtre par le roman, du roman par le théâtre. A la faveur d'incursions ou d'emprunts réciproques, les deux genres préciseraient leur nature et leurs frontières. Du reste l'imagination dramatique semble ne différer guère de l'imagination romanesque. Le mot *roman,* dans un contexte théâtral, prend le sens de matière brute, non raffinée. Ce n'est pas du pain cuit, note Diderot; ce sont des œufs pondus, non encore couvés [3]. Le *roman* figure tantôt un théâtre débridé, tantôt un matériau : l'histoire, l'intrigue. Il renvoie au « journal » de l'œuvre. N'ayant pas destiné son *Fils naturel* à la scène, Diderot y joint quelques idées qu'il a sur la poétique, la musique, la déclamation, la pantomime, pour former du tout « une espèce de roman [intitulé] *le Fils naturel,* ou *les Épreuves de la vertu,* avec l'histoire véritable de la pièce [4] ». D'un plan de comédie, il écrit à Grimm : « O mon ami, qui est-ce qui mettra cela en scènes ? qui est-ce qui divisera ce roman en actes ?... » Dans une autre

---

a. La *Lettre à Mme Riccoboni* (*Correspondance,* II, 89) et le *Discours sur la poésie dramatique.*

58

lettre, il est question de plans qui sont encore en *romans*. En septembre 1760, le *roman* désigne toujours l'intrigue : « Et puis, il faut se faire trois ou quatre petits romans particuliers... Cela fournira des détails faciles et vrais [5]. » Ce qui fait toutefois la supériorité du théâtre, c'est qu'un roman, si réussi soit-il, ne donnera pas nécessairement un bon drame, tandis qu' « il n'y a point de bon drame dont on ne puisse faire un excellent roman [6] ».

Il reste que l'auteur dramatique part d'un *roman*, c'est-à-dire d'une intrigue à élaborer, à simplifier suivant les règles qui distinguent les deux genres. Il importe en particulier que nous soyons « tout entiers à la même chose » : « Dans la société, les affaires ne durent que par de petits incidents, qui donneraient de la vérité à un roman, mais qui ôteraient tout l'intérêt à un ouvrage dramatique... [7] »

Qu'une part de romanesque subsiste, malgré tout, dans la réalisation dramatique, Diderot le constate à regret au chapitre XIII de son *Discours :* « Mais n'est-ce pas assez du vernis romanesque, malheureusement attaché au genre dramatique par la nécessité de n'imiter l'ordre général des choses que dans le cas où il s'est plu à combiner des incidents extraordinaires... » Fidèle aux images de Diderot, Lessing, dans la cinquante et unième Soirée de sa *Dramaturgie de Hambourg,* parlera de la « couleur romanesque dont les combinaisons dramatiques sont déjà si rarement exemptes ».

Assurément l'on chercherait en vain dans notre théâtre du XVIIIe siècle, exception faite du légendaire *Philosophe sans le savoir* de Sedaine, la simplicité d'action briguée par Diderot [a]. La Porte et Chamfort, dans leur *Dictionnaire dramatique,* ne parviennent pas à résumer en moins d'une page le sujet du *Fils naturel,* en moins de trois pages celui du *Père de famille.* Mercier, dans son essai *Du théâtre,* aura beau conseiller au dramaturge de « suivre dans le choix des événements le cours ordinaire des choses », d'éviter « tout ce qui sent le roman [b] », le drame devra son succès, sinon

---

a. Voir F. Gaiffe, *Le Drame en France au XVIII[e] siècle,* Paris, A. Colin, 1907, 452-468.

b. Le « soupçon » se traduit volontiers, au XVIII[e] siècle, par des verbes olfactifs : « puer le Cléveland » est une expression de Diderot.

au romanesque — épithète de la mauvaise conscience —, du moins au roman [a].

Le projet dramatique n'en demeure pas moins redoutable par ce qu'il suggère de discipline, de difficultés, d'entraves, de contraintes [b]. Diderot en souffre plus que personne. Les conventions les plus immédiates le mettent à la torture : « Dites-moi : y aurait-il bien de l'inconvénient à *s'affranchir* de la liaison des scènes ? S'il faut que je m'y *assujettisse,* je m'y *assujettirai ;* mais le travail sera *terrible* [8]. »

Des considérations de prestige, d'autres plus secrètes l'attachent fortement au théâtre, mais l'on sent que le sel de la difficulté entre pour beaucoup dans sa persévérance. Une page trop suave du *Télémaque* lui rappelle les écueils combien plus exaltants et les affres de la création dramatique. Mais comment se satisfaire d'un tel effort si le public en méconnaît le mérite ? « Des lecteurs ordinaires estiment le talent d'un poète par les morceaux qui les affectent le plus. [...] Mais qu'ils interrogent le poète sur son propre ouvrage; et ils verront qu'ils ont laissé passer, sans l'avoir aperçu, l'endroit dont il se félicite [9]. » Aussi le *Discours sur la poésie dramatique* se conclut-il par l'éloge d'Ariste, lequel se suffit à lui-même, « homme de bien, homme instruit, homme de goût, grand auteur et critique excellent [10] ».

2. CRITIQUE DU THÉATRE

Un genre fatigué.   Régi, suivant l'expression de Diderot, par un protocole de trois mille ans, le théâtre avait, avec les siècles, désappris le mouvement. Faux et maussades, nos comédiens « s'arrangent en rond », « arrivent

a. Plus de vingt-quatre pièces s'inspirent des *Contes moraux* de Marmontel. Voltaire, Rousseau, Laclos, Fielding, Richardson sont, eux-aussi, « mis en action et *assujettis* aux règles du théâtre ». Prévost, en revanche, confectionne son *Homme de qualité* avec le *roman* de deux œuvres dramatiques : *The Conscious Lovers,* de Steele, et *The Orphan,* d'Otway.

b. « Le romancier a le temps et l'espace qui manquent au poète dramatique...» (*A. T.,* VII, 331.) Procédant par digressions et raccourcis, il pourra dire *plus* ou *moins.* La négativité, en particulier, se révèle un atout. Le roman se qualifie comme un art de l'allusion, de la suggestion par l'élision.

à pas comptés et mesurés ». « Ne soyez donc plus symétrisés, raides, fichés, compassés et plantés en rond », écrit Diderot à Mme Riccoboni [11]. Du moins les comédiens italiens ignorent-ils le raide, le pesant, l'empesé. Ils jouent avec passion. Diderot se désole de tout ce qui contrevient au mouvement : le jeu des acteurs, le pédantisme de la démarche, la décoration conventionnelle de nos théâtres, et jusqu'à ces intrigues de soubrettes qui paralysent l'action : « L'action théâtrale *ne se repose point ;* et mêler deux intrigues, c'est les *arrêter* alternativement l'une et l'autre [12]. »

Ce qui le charme le plus, dans le roman anglais, c'est sa leçon de mobilité, cette « peinture des mouvements » dont il entend bien faire bénéficier le théâtre : « Je vois le personnage; soit qu'il parle, soit qu'il se taise, je le vois; et son action m'affecte plus que ses paroles [13]. »

Illusion et vision des personnages. Mirzoza n'aperçoit, dans les chefs-d'œuvre du xviie siècle, qu'un auteur monologuant sous le couvert de ses personnages, Cinna, Sertorius, Maxime, Émilie servant à tout moment de *sarbacanes* à Corneille [14]. Il convient d'éviter, en effet, que le dialogue ne tienne lieu de *sarbacane* ou d'*échafaudage* (Mercier). Nathalie Sarraute [a] note que le vrai dialogue de théâtre « se passe de *tuteurs* », que l'auteur n'y fait pas « à tout moment sentir qu'il est là, prêt à donner un coup de main ». Bref, le dialogue doit permettre d'instaurer une autonomie plénière des personnages et du lecteur par rapport à l'auteur. Celui-ci, en ne se faisant pas voir, feint de ne pas faire voir. Théâtre ou roman, le problème essentiel est celui de la vision des personnages.

C'est dans cette dernière perspective que le roman l'emporterait sur le théâtre. Si tenté qu'il soit de sortir de sa place et « d'ajouter un personnage réel à la scène [15] », le spectateur du *Fils naturel* demeure un spectateur. Si impressionné qu'il soit par le drame, il ne s'y incorpore pas vraiment. Il n'y pénètre pas comme le

a. *Op. cit.,* 112.

lecteur de Richardson dans la maison des Harlowe. C'est que l'œuvre dramatique est chose *vue,* tandis que le roman, chose *imaginée,* requiert pour s'accomplir un regard intérieur : « Je me suis fait une image des personnages que l'auteur a mis en scène... [16] » Le roman nous invite à une participation active, polémique. Il fait naître, de la diversité des jugements, « des haines secrètes, des mépris cachés, en un mot, les mêmes divisions entre des personnes unies, que s'il eût été question de l'affaire la plus sérieuse [17] ». Gabriel Tarde remarque, dans *l'Opposition universelle,* que le théâtre agit sur un public rassemblé, le roman sur un public dispersé. Mais l'on pourrait encore envisager le roman comme un facteur de dispersion. Diderot, en ce sens, compare l'ouvrage de Richardson « à un évangile apporté sur la terre pour séparer l'époux de l'épouse, le père du fils, la fille de la mère, le frère de la sœur [18] ».

Le roman suscite cette pléiade de regards et d'incertitudes en coïncidant, par la vertu de ses possibles, avec nos intimités particulières. Or le romancier, jusqu'alors, avait, dans ses propitiations, trop ménagé le lecteur, alors que l'illusion romanesque ne triomphe irrévocablement que du moment où « vous n'aurez plus la force de retenir vos larmes prêtes à couler, et de vous dire à vous-même : *Mais peut-être que cela n'est pas vrai.* Cette pensée a été éloignée de vous peu à peu; et elle est si loin qu'elle ne se présentera pas [19] ». Le romancier ne nous subjugue que dans la mesure où il cesse de nous viser dans notre extériorité.

L'acteur. L'auteur dramatique ne faisait-il pas trop de cas de l'acteur, comme celui-ci du spectateur ? Diderot félicite les comédiens italiens de garder leurs distances avec le spectateur. Encore ces comédiens sont-ils essentiellement des mimes jouant à l'improvisade. Moins la *commedia* est *sostenuta,* c'est-à-dire étayée par un texte, plus elle s'affranchit à la fois de l'auteur et du spectateur. Car le mime, contrairement au comédien, joue d'une certaine manière *pour lui-même.* Le geste ne s'accommode pas, comme le chant ou la parole, de points d'orgue excessifs. Plutôt que de choisir entre la frigidité de nos acteurs et la séduisante anarchie des Italiens, Diderot prend soin d'écrire la pantomime de ses pièces. Il s'en faut que tous les obstacles soient alors aplanis. La pantomime, qui est déjà une interprétation, fût-elle proposée par l'auteur, appelle une exécution, c'est-à-dire une deuxième interprétation. Si l'auteur dramatique opère, comme tout écrivain, avec des mots, « signes approchés d'une pensée [20] », l'acteur ne juxtaposera-t-il pas des signes aux signes de l'écriture ?

Le dramaturge risque donc d'être trahi : par les acteurs (le grand comédien lui-même pourra subir « l'influence perfide d'un médiocre partenaire [21] »), par les réactions intempestives du parterre, et, surtout, par l'aménagement matériel de la scène :

> Mais, sur de petits théâtres, tels que les nôtres, que doit penser un homme raisonnable, lorsqu'il entend des courtisans, qui savent si bien que les murs ont des oreilles, conspirer contre leur souverain dans l'endroit même où il vient de les consulter sur l'affaire la plus importante, sur l'abdication de l'Empire ? Puisque les personnages demeurent, il suppose apparemment que c'est le lieu qui s'en va. (*O.*, 1237.)

C'est en œuvrant à une réforme du théâtre que Diderot découvre les facilités du genre romanesque. Le roman échappe aux vicissitudes d'une représentation. Il suit le geste et la pantomime « dans tous leurs détails » et se passe d'acteurs. L'adéquation est parfaite du personnage à son rôle, ou plutôt à son action, car le jeu devient conduite, fût-ce conduite de jeu.

Spectateur et lecteur.   Le factice du théâtre ne tient pas seulement aux conventions de la construction dramatique (levers de rideau, liaisons, divisions en actes et en scènes), mais à la réunion des bons et des méchants en une unanimité provisoire. Par-delà le bien et le mal, le spectacle n'ouvre qu'une parenthèse dans l'activité du méchant; il suspend l'exercice du mal sans convertir au bien.

Mais rappelons, une fois encore, les indulgences attachées au mouvement et à la chaleur. Dans la *Lettre à Mme Riccoboni,* Diderot remonte au temps où il n'y avait pas — c'était il y a quinze ans —,

« préposés à droite et à gauche », de « fusiliers indolents » pour freiner les transports de l'admiration :

> On s'agitait, on se remuait, on se poussait; l'âme était mise hors d'elle-même. Or, je ne connais pas de disposition plus favorable au poète. [...] L'engouement passait du parterre à l'amphithéâtre, et de l'amphithéâtre aux loges. On était arrivé avec chaleur, on s'en retournait dans l'ivresse; les uns allaient chez des filles, les autres se répandaient dans le monde; c'était comme un orage qui allait se dissiper au loin et dont le murmure durait longtemps après qu'il s'était écarté. (*Correspondance*, II, 92-93.)

Cette chaleureuse évocation, si satisfaisante pour l'imagination de Diderot, ne trouverait peut-être pas grâce devant le panégyriste de Richardson. Diderot n'ignore pas tout ce que le rituel du spectacle comporte de fascinations contagieuses : disposition par trop favorable au poète, plaisir de retrouver un acteur aimé, virtuelles inconséquences du jugement [a]. Ces spectateurs qui vont chez des filles...

Aux instantanés de l'enthousiasme, il oppose précisément dans l'*Éloge* le cheminement plus secret et plus rare des ouvrages de Richardson : ils « plairont plus ou moins à tout homme, [...] mais le nombre des lecteurs qui en sentiront tout le prix ne sera jamais grand ». Le roman est moins prompt à agir (les « germes de vertu » « y restent d'abord oisifs et tranquilles [22] »), mais ses effets sont plus durables.

Le théâtre dans un fauteuil. Si convaincu qu'il soit de l'absolu mérite des romans de Richardson, Diderot garde un extraordinaire goût du théâtre. Roman et théâtre se réconcilient dans la lecture considérée comme un spectacle. Devant l'imperfection de notre scène, il avait envisagé la lecture de ses pièces : « Si c'est Robbé qui lit, il aura l'air d'un énergumène; il ne regardera pas son papier, ses yeux seront égarés dans l'air [23]. » Il aime, en retour, que la lecture des romans se fasse à haute voix.

a. « ... Nous allons au théâtre chercher de nous-mêmes une estime que nous ne méritons pas, prendre bonne opinion de nous; partager l'orgueil des grandes actions que nous ne ferons jamais... » (*A. T.*, XI, 118.)

Le bonheur, ne serait-ce pas une image de théâtre ? La fraternité, utopique, d'une « assemblée de spectacle » dans une représentation sans fin.

> Pourquoi faut-il qu'on se sépare si vite! Les hommes sont si bons et si heureux lorsque l'honnête réunit leurs suffrages, les confond, les rend uns! (*O. R.*, 820.)

Ainsi théâtre et roman, l'un nous associant davantage aux spectateurs, l'autre aux personnages, nous engagent-ils tous deux dans une expérience de la solitude. Diderot, plongé dans Richardson, voit son bonheur « s'abréger d'une page » : « Bientôt j'éprouvai la même sensation qu'éprouveraient des hommes d'un commerce excellent qui auraient vécu ensemble pendant longtemps et qui seraient sur le point de se séparer. A la fin, il me sembla tout à coup que j'étais resté seul [24]. »

3. LE THÉATRE DE DIDEROT

Comment expliquer les faiblesses du *Fils naturel* ou du *Père de famille* ? Par une crue du roman ? L'on songe aux échecs de Stendhal, de Baudelaire, de Balzac qui, dans une lettre à l'Étrangère, se reproche d'avoir jeté sur la scène un personnage romanesque. Mais le théâtre de Diderot n'est pas un théâtre de romancier. Loin de confondre les genres, il serait tenté d'en accuser trop pompeusement les différences. Ainsi par la voix de Rosalie, dans *le Fils naturel* : « Venez, Constance, venez recevoir de la main de votre pupille le seul mortel qui soit digne de vous [25]. » Aussi bien l'auteur dramatique n'est-il pas assis « au coin de votre âtre », comme le conteur des *Deux Amis de Bourbonne*. « Croyez-vous, écrit encore Diderot dans le *Paradoxe sur le comédien*, que les scènes de Corneille, de Racine, de Voltaire, même de Shakespeare, puissent se débiter avec votre voix de conversation et le ton du coin de votre âtre ? Pas plus que l'histoire du coin de votre âtre avec l'emphase et l'ouverture de bouche du théâtre [26]. »
Diderot aurait-il été victime de son inexpérience de la scène et du public ? On lui reproche de n'avoir pas écrit « plusieurs

pièces expérimentales [a] ». Ne les a-t-il pas écrites ? Qu'eſt-ce que
le Fils naturel, le Père de famille, sinon un théâtre d'intentions originales ? Déjà les indications scéniques du *Père de famille* annoncent
les figures de l'œuvre romanesque : « ... Il s'avance vers l'endroit
où il a entendu marcher... Il se promène un peu... Il cherche du
repos; il n'en trouve point... Il se lève brusquement... [27] » Mais
le projet de mobilité achoppe au projet d'édification. Diderot, à
chaque inſtant, se heurte fondamentalement à lui-même, pour
négliger son propre conseil : « Qu'un auteur intelligent [...] ins-
truise et qu'il plaise, mais que ce soit sans y penser. Si l'on remarque
son but, il le manque; il cesse de dialoguer, il prêche [28]. » Sa
vocation théâtrale s'accomplit en dehors du théâtre, dans les
œuvres que Dieckmann appelle juſtement *dramatiques :* « La forme
essentielle des romans de Diderot, ce n'eſt ni la description, ni la
narration, mais le dialogue dramatique [a]. » Le théâtre se prêtait
trop complaisamment aux sermons, aux monologues. Au contraire,
le dialogue dramatique, queſtionnant, entretient à l'occasion d'une
hiſtoire, une tension qui naît de la réduction du monologue. Véritable ascèse du Verbe, le dialogue devra être inlassablement recon-
quis sur les velléités de monologue, et concilier *moi* avec *moi et lui.*

Théâtre manqué ? Trois ans avant sa mort, Diderot mettait
la dernière main à un indiscutable chef-d'œuvre : *Eſt-il bon ?*
Eſt-il méchant ? Baudelaire, appréciant les « tentatives qu'ont
faites pour rajeunir le théâtre deux grands esprits français, Balzac
et Diderot », recommande en 1854, au directeur de la Gaîté,
la comédie de Diderot. Il tient cet « ouvrage d'une merveilleuse
portée » pour « un des rares précurseurs du théâtre que rêvait
Balzac » : « Cet ouvrage eſt, à proprement parler, le seul ouvrage
très dramatique de Diderot. *Le Fils naturel* et *le Père de famille* ne
peuvent lui être comparés [b]. » Pour la première fois, en effet,
Diderot parvient à traduire sur la scène un insatiable appétit
de mouvement, une phobie du repos qu'exprime admirablement
le besoin de repos. Tous ses personnages sont excédés, morts
de fatigue, accablés d'ennuis. Hardouin, lorsqu'il ne court pas le

a. H. Dieckmann, *Cinq Leçons sur Diderot,* 29.
b. Baudelaire, *Correspondance générale,* éd. J. Crépet, Paris, L. Conard, 1947,
I, 308-311.

monde pour « trois ou quatre femmes à la fois », se voit sollicité sans trêve. Mme de Vertillac fuit devant l'amant de sa fille, Mme Bertrand vient de faire les quatre coins de Paris. Des portes s'ouvrent incessamment, comme dans *la Religieuse,* pour éloigner toute tentation de repos.

VIII. LE RENONCEMENT AU THÉATRE

1. « LE REPOS, LE REPOS [a] ! »

Mais comment se métamorphoser en différents caractères, lorsque le chagrin nous attache à nous-mêmes ? Comment s'oublier lorsque l'ennui nous rappelle à notre existence ? Comment échauffer, éclairer les autres, lorsque la lampe de l'enthousiasme est éteinte, et que la flamme du génie ne luit plus sur le front ? *Que d'efforts n'a-t-on pas faits pour m'étouffer en naissant ?* (*A. T.*, VII, 336.)

La création dramatique est liée aux années terribles, à tout un réseau de contraintes et de persécutions. Quoi qu'il entreprenne, Diderot s'attire « la rage des ennemis de la philosophie », comme l'écrit Voltaire au comte d'Argental. Ce sont les accusations de plagiat contre *le Fils naturel,* la brouille avec Rousseau, l'enfer de l'*Encyclopédie,* la désertion de d'Alembert. Mais déjà *le Père de famille* est sur le chantier. « ... Je vis hier le philosophe travaillant au *Père de famille,* comme s'il n'avait pas bien d'autres embarras », rapporte Deleyre à Rousseau le 25 janvier 1758. Et il ajoute : « Voilà l'Encyclopédie enclouée; elle ne va pas plus que les moulins à eau n'allaient ces jours passés [b]. » Rien ne compte, que ce théâtre de confession et d'affranchissement qui apporterait à Diderot le repos.

Peut-être n'a-t-on pas pris garde que ces drames si ambitieux et si authentiques, *le Fils naturel* et *le Père de famille,* devaient lui permettre de se délivrer, parmi tant d'obstacles, d'une autorité qui lui pesait depuis plus de dix ans. Écoutons plutôt Mme de Vandeul :

a. *Correspondance,* II, 39.
b. Lettres reproduites par Georges Roth, *op. cit.,* II, 28-46.

LES PROBLÈMES DU ROMAN

Violent comme Saint-Albin, il n'eut pas besoin d'autre modèle. Les obstacles que son père mit à son mariage, le caractère sec, dur et impérieux de son frère, voilà le canevas de cet ouvrage; son imagination y a ajouté ce qu'il a cru nécessaire pour lui donner plus d'intérêt. (*A. T.*, I, XXXVIII.)

En 1743, ayant sollicité de son père l'autorisation de se marier, Diderot se voit interné dans un monastère des environs de Troyes :

Mon père avait porté la dureté jusqu'à me faire enfermer chez des moines qui ont exercé contre moi ce que la méchanceté la plus déterminée pouvait imaginer. (*Correspondance*, I, 43.)

Il est en prison et il n'a plus de père. C'est à cette double expérience de la frustration que remonte la rupture de Diderot avec le milieu familial [a]. Cette rupture peut se définir comme une mise à distance par le moyen du langage. Diderot retrouvera en la déformant l'image de son père, pour avoir éprouvé la *poésie* comme un facteur de sécurité. La *poésie,* c'est-à-dire cette œuvre de l'imagination dont René Char, dans *Partage formel,* affirme qu'elle « consiste à expulser de la réalité plusieurs personnes incomplètes pour, mettant à contribution les puissances magiques et subversives du désir, obtenir leur retour sous la forme d'une présence entièrement satisfaisante ».

L'on ne rencontre dans le théâtre de Diderot que des pères éperdus de générosité : Lysimond dans *le Fils naturel,* le Père de famille [b], ou, beaucoup plus tard, significativement inspirés d'une *idylle* de Gessner, ces *Pères malheureux* qui, heureusement, ne furent pas représentés. C'était, rétrospectivement, détourner une menace, garantir l'intégrité de l'œuvre. Diderot père, si sensible à la réussite sociale de son fils, ne semble pas avoir prisé son théâtre. « Qu'y puis-je faire, rétorque le fils, si ce n'est de prendre

a. Cf. *Diderot père et fils, Revue des Sciences humaines,* octobre-décembre 1960.
b. Il ne permettra pas que Cécile quitte sa maison pour un cloître : « Tu n'as pas entendu les gémissements des infortunés dont tu irais augmenter le nombre. Ils percent la nuit et le silence de leurs prisons. [...] Je n'aurai point donné la vie à un enfant; je ne l'aurai point élevé; je n'aurai point travaillé sans relâche à assurer son bonheur, pour le laisser descendre tout vif dans un tombeau... » (*A. T.,* VII, 209-210.)

à l'avenir de telles précautions que la méchanceté, le mauvais esprit, le scrupule même ne puisse trouver à redire à ce que je ferai. C'est ce que je vous promets [1]. » C'est tout ce qu'il promet : d'obscures précautions qui n'engagent pas l'œuvre.

La présence du père n'était qu'implicite dans le *Fils naturel* : Lysimond surgit de captivité pour bénir le mariage de ses enfants. Elle se révèle dans le *Père de famille*. Le père est enfermé dans sa condition au point de ne pouvoir en exercer les prérogatives : « ... vous déchirez mon cœur, et je ne puis vous en chasser. » Il est moins désobéi que négligé. Le commandeur est un tyran, le père une image, un phare : « Mes enfants, pourquoi m'avez-vous négligé ? Voyez, vous n'avez pu vous éloigner de moi sans vous égarer [2]. » Intégrer magiquement le père dans l'œuvre, c'était lui refuser tout droit de regard (le regard suppose la distance), de telle sorte que l'univers littéraire fût vraiment *assurantiel*. Faut-il voir dans cette subversion du père le premier moment d'une sorte de *travail du deuil* [a] à rebours ? On comprendrait mieux les réactions de Diderot devant la mort de son père.

Du *Fils naturel* à *Jacques le Fataliste,* l'image du père, restituée par l'œuvre, résulte, semble-t-il, d'un plaidoyer qui vise à innocenter père et fils, accusé et victime. « Lorsque vous avez voulu ma mère, [...] lorsque mon grand-papa vous appela enfant ingrat, et que vous l'appelâtes, au fond de votre âme, père cruel; qui de vous deux avait raison [3] ? » Les pères ne crient-ils pas plus qu'ils ne souffrent ? « ... mais, de bonne foi, dit Bigre le père au père de Jacques, est-ce que nous avons été plus sages qu'eux à leur âge ? Sais-tu qui sont les mauvais pères ? ce sont ceux qui ont oublié les fautes de leur jeunesse [4]. » Après s'être indirectement disculpé, Diderot excuse un père trop influençable du côté des prêtres : « Les premières années que je passai à Paris avaient été fort dissolues; le désordre de ma conduite suffisait de reste pour irriter mon père, sans qu'il fût besoin de le lui exagérer. Cependant la calomnie n'y avait pas manqué. On lui avait dit... Que ne lui avait-on pas dit ? » « ... ne vous en rapportez pas trop à ceux qui vous environnent », écrit Diderot à son père. « On (c'est-à-dire

a. Daniel Lagache, *Le Travail du deuil, Revue française de Psychanalyse,* 1938, 693-708.

l'abbé Pierre Diderot et le frère Ange) grossit les objets et l'on réussit de cette manière à vous tourmenter et moi aussi [5]. »

Madame de La Carlière (« ... tout le sot public, qui ne manque jamais de prendre le parti des pères contre les enfants... [6] »), *Jacques le Fataliste* font encore écho aux conflits de la jeunesse. Mais les « sermon(s) de deux aulnes plus long(s) qu'à l'ordinaire » y sont réduits à de petits sermons : « C'est l'usage des pères, lorsque leurs enfants partent pour la capitale, de leur faire un petit sermon [7]. »

Dès 1759, pourtant, le recul est acquis. Diderot vient de perdre son père : « Je suis à présent dans une mélancolie que je ne changerais pas pour toutes les joies bruyantes du monde [8]. » S'il est affecté par cette mort, c'est *délicieusement*. Le terme de mélancolie est caractéristique, chez Diderot, du plaisir de lire ou d'écrire, d'une affectivité reliée à la littérature, et particulièrement au roman.

Belle occasion de faire des tableaux, mais qui manifestent l'authenticité de l'écrivain : « Je suis appuyé sur le lit où il a été malade pendant quinze mois. Ma sœur se relevait dix fois la nuit pour lui apporter là des linges chauds pour rappeler la vie qui commençait à s'éloigner des extrémités de son corps. » Le même jour, serrant son style, Diderot récrit cette phrase à l'intention de Grimm qui pourrait en faire usage dans sa *Correspondance littéraire* : « C'est là que ma sœur, dix fois la nuit, les pieds nus, lui portait des linges chauds, afin de rappeler la vie qui commençait à quitter les extrémités de son corps. [9] »

Yvon Belaval s'indigne de ces tableaux intempestifs : « Quoi! au moment où son père vient de mourir, Diderot ne peut-il s'empêcher de peindre et de corriger encore sa toile [a] ? » Mais loin de croire à la mort *actuelle* de son père, Diderot y retrouve le spectacle d'un événement depuis longtemps accepté, bien avant 1759.

S'étonnera-t-on encore qu'il ait délégué Grimm auprès de son père malade ? « Mon père mourra sans m'avoir à côté de lui. [...] Ah! mon ami, que fais-je ici ? Il me désire, il touche à ses derniers moments, il m'appelle, et je reste [10]. »

a. *Nouvelles recherches sur Diderot, Critique*, n⁰ 109, juin 1956, 544.

En 1771 seulement, peut-être sur l'inspiration de Diderot, Grimm rendra hommage à ce père « qui aimait son fils aîné *d'inclination et de passion* ; sa fille, de reconnaissance et de tendresse ; et son fils cadet, de réflexion, par respect pour l'état qu'il avait embrassé [a] ».

Reconsidérons à présent la chronologie de l'œuvre.

1757 : *Le Fils naturel.*

1758 : Diderot répond par *le Père de famille* aux réserves formulées par son père et son frère sur *le Fils naturel.*

En 1759, l'année de la mort de son père, il esquisse des drames qu'il n'écrira jamais, comme si le théâtre eût perdu toute raison d'être.

On ne comprendrait pas ces idylles dramatiques à négliger le contexte familial. « Le repos est ma vie ; les inquiétudes me tuent », écrivait Diderot à ses parents et amis de Langres [11]. Son théâtre recèle, sous bien des faiblesses, des ressources intimes. Il lui confie le soin de son repos.

Sans doute, 1759, c'est aussi l'année, capitale, du premier *Salon.* Mais pour un homme que sa famille avait doublement contesté, dans sa vie et dans son œuvre, la constitution d'une image satisfaisante du père ne paraît pas avoir été de moindre importance que l'entreprise des *Salons* ou la découverte des romanciers anglais. Dans l'*Éloge de Richardson,* Diderot retient parmi les plus beaux moments de *Paméla,* celui où l'on voit « arriver à la porte du lord le vieux père de Paméla, qui a marché toute la nuit... [12] ».

2. LA THÉATRALITÉ

Diderot, apparemment, a renoncé au théâtre, mais le critique ne fait jamais que regarder en arrière. Pour Grimm et les abonnés de la *Correspondance littéraire,* il n'a rien perdu de son prestige d'auteur dramatique : « Nous donnerons la comédie à faire à Diderot, et le roman à Richardson [b]. » Dans *Jacques le Fataliste,*

---

a. *Correspondance littéraire,* IX, 253.
b. *Correspondance littéraire,* V, 233.

il remanie, autre revanche, *le Bourru bienfaisant,* de Goldoni. Renoncement n'est pas rupture ᵃ. Du reste, il ne réservait pas au théâtre l'épithète *dramatique.* Le maître reproche à son hôtesse de n'être pas encore « profonde dans l'art dramatique. [...] Quand on introduit un personnage *sur la scène,* il faut que son rôle soit un [...]. Vous avez péché contre les règles d'Aristote, d'Horace, de Vida et de Le Bossu [13]. » Le conte lui-même suppose un art dramatique, et Diderot n'est grand dramaturge qu'en dehors du théâtre, avec cet appoint d'aisance ou d'ironie que procure le dialogue.

Madame de La Carlière marque bien, à cet égard, un nouveau rapport, fidèle mais apaisé, au genre dramatique. L'assemblée de spectacle qui, dans *la Religieuse,* se pressait derrière les grilles de Sainte-Marie pour la profession de sœur Suzanne, s'est transportée dans le salon où Desroches va épouser Mme de La Carlière. Ne dirait-on pas un « petit théâtre particulier » où les spectateurs seraient « de niveau avec l'acteur » [14] ?

> ... ils touchaient au moment de leur union, lorsque Mme de La Carlière, après un repas d'apparat, au milieu d'un cercle nombreux, composé des deux familles et d'un certain nombre d'amis, prenant un maintien auguste et un ton solennel, s'adressa au chevalier... (*O. R.,* 818.)

Desroches, bouleversé, se jette aux pieds de sa femme. Elle adjure ses témoins de le délaisser impitoyablement le jour où il lui serait infidèle :

> A l'instant le salon retentit des cris mêlés : Je promets! je permets! je consens! nous le jurons! (*O. R.,* 821.)

Comment ne pas évoquer, parmi les jeux de scène du *Fils naturel,* les mots qui « se disent avec beaucoup de vitesse, et sont presque entendus en même temps [15] » ? Rien, dans *Madame de la Carlière,* qui ne soit théâtral à souhait : le décor, le « site » des

---

a. Le romancier n'abjure pas le théâtre; Diderot récupère dans *la Religieuse* certains procédés d'origine scénique, rajeunis, il est vrai, par le roman, et dont il avait insuffisamment tiré parti dans *le Fils naturel* et *le Père de famille* : le dialogue et la pantomime. Grâce aux ressources de l'emploi des temps, à l'alternance des styles direct et indirect, ils acquièrent dans l'univers romanesque un supplément de mobilité et d'efficacité.

personnages, le « maintien auguſte », le « ton solennel » de l'héroïne. Mais, se détachant du théâtre par l'aveu de théâtralité, Diderot se garde d'endosser l'emphase :

> — Je crois avoir entendu dans le temps une parodie bien comique de ce discours.
> . . . .
> — La petite comtesse jouait sublimement cet enthousiasme de sa belle cousine.
> — Elle eſt bien plus faite pour le *jouer* que pour le *sentir*. « Les serments prononcés au pied des autels... » Vous riez ?
> — Ma foi, je vous en demande pardon; mais je vois encore la petite comtesse hissée sur la pointe de ses pieds; et j'entends son ton emphatique.
> . . . .
> — Je vous promets de ne plus rire. (*O. R.,* 819-821.)

L'opposition du *jouer* au *sentir,* la motivation du rire renvoient aux *Observations sur Garrick.* Il eſt curieux que les contes de Diderot, *les Deux amis de Bourbonne* (1770), *Ceci n'eſt pas un conte* (1772), *Madame de La Carlière* (1772) se situent entre les *Observations sur Garrick ou les aſteurs anglais* (1770) et le *Paradoxe sur le comédien.* Des années 1772-1773 dateraient la rédaſtion de *Jacques le Fataliſte,* le premier jet du *Paradoxe,* le remaniement du *Neveu de Rameau.* Bien que n'écrivant plus guère pour le théâtre, Diderot mène conſtamment de front son œuvre romanesque et sa réflexion sur l'art du comédien.

Dans le *Paradoxe* — contemporain, à une ou deux saisons près, du *Neveu de Rameau* —, Diderot raconte avoir balancé, au temps de sa jeunesse, « entre la Sorbonne et la Comédie » : « J'allais, en hiver, par la saison la plus rigoureuse, réciter à haute voix des rôles de Molière et de Corneille dans les allées solitaires du Luxembourg [16]. » Combien avait dû le blesser, en 1758, ce passage de la Lettre de Mme Riccoboni : « Vous avez bien de l'esprit, bien des connaissances; mais vous ne savez pas les petits détails d'un art qui comme tous les autres a sa main-d'œuvre. » « Et je veux être pendu, lui répond-il, si je les apprends jamais. Moi, je sortirais de la nature pour me fourrer où ? Dans vos réduits où tout eſt peigné, ajuſté, arrangé, calamiſtré [17] ? » Déjà il rêve à une comédie qui se jouerait *à la ville :* art de toucher, de séduire, de myſtifier.

IX. LE CODE DES SPECTACLES

1. DÉFINITIONS DU TABLEAU

L'anneau   So bist Du plötzlich unsichtbar und schreitest,
et les masques. Wie Götter in der Wolke, durch die Welt [a].

L'indiscrétion consiste, dans *les Bijoux*, non pas à divulguer une confidence, mais à laisser échapper ses propres secrets sous un regard doublement privilégié : « J'ai oublié de dire qu'outre la vertu de faire parler les bijoux des femmes sur lesquelles on en tournait le chaton, il avait encore celle de rendre invisible la personne qui le portait au petit doigt [1]. » Regarder, c'est donc découvrir unilatéralement, sans courir le risque d'une confrontation. Mangogul, avec sa fureur de démasquer, vole sans relâche de boudoir en alcôve pour dresser impunément l'inventaire incontestable des vertus de son royaume. Plus tard, Diderot, conseiller des peintres, ne voudra pas que les personnages d'un tableau soupçonnent qu'on les observe : « Ce soupçon arrête l'action et détruit le sujet [2]. » Il ne s'agit pas d'éteindre les regards — la Religieuse s'y prête d'autant mieux qu'elle ferme les yeux pour s'abîmer dans sa corporéité —, mais de veiller à ce qu'ils n'opèrent conjointement avec les nôtres. Un regard qui s'allumerait à l'insu des regards n'aurait plus de masque à percer, mais un regard ébloui par les regards ne saurait percer leurs secrets. Comment déceler, sinon abolir la comédie de l'apparence ? Diderot ne laisse pas de s'en inquiéter. L'on se rappelle, dans son premier roman, ces tableaux d'un univers à la Chirico [b] d'où la configuration géométrique des insulaires avait exclu le secret. Il suffit d'aborder

a. Hebbel, *Gyges und sein Ring*, Erster Akt.
b. « Liest man das Buch mit Maleraugen... » Karl August Horst, *Anmerkungen zu den « Bijoux indiscrets » von Diderot. Neue Zürcher Zeitung*, 29 janvier 1956.

les *Salons* pour y retrouver, dans le goût et la critique des tableaux, cette même passion de la clairvoyance. Le tableau ne devrait pas demander à être décrypté; aussi Diderot reproche-t-il souvent aux peintres l'ambiguïté ou l'obscurité de leurs compositions. Notons, au hasard des *Salons,* un *Amour* qui « n'est non plus en état de voler qu'une oie », une *Leçon anatomique* qui ressemble à un banquet romain, une *Innocence* aux regards en coulisse, *Deux enfants* dont on dirait « deux gros boudins étranglés par le bout, pour y pratiquer une tête », un *Petit joueur de basson* qu'on prendrait pour un fumeur si l'on couvrait l'instrument, un Louis XV qui a l'air d'un escroc... [3]

> *Un langage*   Le tableau devrait s'imposer au regard
> *sans équivoque.*   comme un triomphe de l'évidence. Dans
>   l'article *Encyclopédie,* Diderot admire que
la peinture « montre du moins tout ce qu'elle figure ». Innocence de la non-dissimulation, de la mise à découvert :

> Les peintures des êtres sont toujours très incomplètes, mais elles n'ont rien d'équivoque, parce que ce sont les portraits mêmes d'objets que nous avons sous les yeux. Les caractères de l'écriture s'étendent à tout, mais ils sont d'institution; ils ne signifient rien par eux-mêmes. La clef des tableaux est dans la nature, et s'offre à tout le monde : celle des caractères alphabétiques et de leur combinaison est un pacte dont il faut que le mystère soit révélé... (*A. T., XIV,* 434.)

Parmi les signes équivoques du discours, les noms patronymiques sont une source de confusion et de comique dont Diderot semble avoir été des premiers à tirer parti. Comment distinguer entre Jason et Jason, Bigre et Bigre ? L'onomastique de *Jacques le Fataliste* annonce les indiscernables du théâtre de Ionesco : « Ils étaient brocanteurs. Mon grand-père Jason eut plusieurs enfants. Toute la famille était sérieuse; ils se levaient, ils s'habillaient, ils allaient à leurs affaires; ils revenaient, ils dînaient, ils retournaient sans avoir dit un mot [4]. » Tous brocanteurs, comme les Bobby Watson, indistinctement, sont commis-voyageurs dans *la Cantatrice chauve.* Ils choisissent, il est vrai, de vivre confondus, en sorte qu'on ne saurait accuser le nom de ne pas épouser la chose. Tel n'est pas le cas des Bigre : il y en a de plats, de grands, de fiers, et toujours l'on dit Bigre :

> Les descendants de Bigre qui occupent aujourd'hui la boutique s'appellent Bigre. Quand leurs enfants, qui sont jolis, passent dans la rue, on dit : « Voilà les petits Bigre. » Quand vous prononcez le nom de *Boule,* vous vous rappelez le plus grand ébéniste que vous ayez eu. On ne prononce point encore dans la contrée de Bigre, le nom de Bigre sans se rappeler le plus grand charron dont on ait mémoire. Le Bigre, dont on lit le nom à la fin de tous les livres d'offices pieux du commencement de ce siècle, fut un de ses parents. Si jamais un arrière-neveu de Bigre se signale par quelque grande action, le nom personnel de Bigre ne sera pas moins imposant pour vous que celui de César ou de Condé. C'est qu'il y a Bigre et Bigre, comme Guillaume et Guillaume. (*O. R.,* 701-702.)

Mais quand le nom ne nous égarerait pas, il ne signifie rien par lui-même et ne parvient à exprimer la singularité que médiatement. En revanche, deux lignes de *Madame de La Carlière* nous ramènent des ombres de la patronymie aux pouvoirs du tableau. Pour distinguer Desroches d'un parent du même nom, on l'appelle « Desroches-le-Brodequin [5] ». Aussitôt on le revoit apitoyant les juges. Le tableau est tout entier présentation. « La parole, écrira Stendhal, a besoin d'une longue suite d'actions pour peindre un caractère tel que celui de la *Madonna alla seggiola ;* la peinture le met devant l'âme en un clin d'œil [a]. »

Choses tues, Voir d'abord, entendre ensuite. Dans
choses vues. *Jacques le Fataliste,* le romancier s'excuse d'avoir fait parler ses personnages avant de les avoir montrés. Mais au début du *Fils naturel,* l'agitation, la violence, le désespoir s'aperçoivent. Dorval se raconte en se montrant; il se tait. Le jeune Diderot, aussitôt le rideau levé, se bouchait les oreilles. Je veux vous voir au théâtre, réplique-t-il à Mme Riccoboni, « comme un peintre me montre ses figures sur la toile. [...] il faut du silence dans le tableau [6] ». Le rideau de théâtre se lèvera donc sur une toile de peintre, sur un silence. La

a. Cité par Jean Prévost, *La Création chez Stendhal,* Paris, Mercure de France, 1951, 126.

parole obscurcirait le *langage* — mouvements, gestes, coups d'œil, physionomies —, alors que Dorval s'exprime pleinement par l'idéogramme de son inquiétude. Cet art du silence peut surprendre chez un écrivain qui a tant sacrifié à la parole et si souvent avoué son besoin d'un interlocuteur. Mais celui-ci lui permet de s'entendre plus que d'entendre, et le renvoie essentiellement à sa propre présence. Conduite d'écho, l'exercice de la parole le distrait d'autrui. C'est pourquoi mieux vaut parfois regarder que d'écouter. Desbrosses regarde Mlle Dornet « sans mot dire» :

DESBROSSES
C'est mon usage. Je n'écoute jamais, je regarde.

MLLE DORNET
Et pourquoi n'écoutez-vous point ?

DESBROSSES
C'est que le discours ne m'apprendrait que ce qu'on pense de soi; au lieu que le visage m'apprend ce qui en est. (*Mystification*, 35.)

Le peintre-propriétaire. Peu importent les discours et l'agitation du sujet. Le tableau est rassurant par sa complaisance au regard. Cette expérience domaniale qui consacre bourgeoisement le privilège du sujet sur l'objet, du spectateur sur l'acteur, participe de l'esprit encyclopédiste tel que le comprenait Bernard Groethuysen : « C'est l'esprit de possession qui distingue essentiellement l'Encyclopédie de l'*orbi pictus* dans lequel autrefois les voyageurs de la Renaissance notaient ce qu'ils avaient vu de curieux au cours de leurs pérégrinations [a]. » Diderot ne sépare pas la vision de la possession, lui qui volontiers compare l'ouvrage de l'esprit avec « le champ, le pré, l'arbre ou la vigne ». Mais ce domaine n'est pas celui d'un propriétaire terrien peu soucieux de défricher et qui s'enivrerait de la seule contemplation de son bien. Personne, à cet égard, n'est plus distant des Encyclopédistes que le « promeneur » des *Rêveries*. Au plus profond d'une nature sauvage, se regardant « presque comme un autre Colomb », Jean-Jacques perçoit douloureusement le cliquetis d'une manu-

a. Bernard Groethuysen, *L'Encyclopédie,* dans le *Tableau de la Littérature Française,* Paris, Gallimard, 1939, 346.

facture de bas. Détaillant, dans la *Septième promenade,* les « productions spontanées » d'une terre « non forcée par les hommes », il flétrit la contamination de la botanique par les idées médicinales : « Toute cette pharmacie ne souillait point mes images champêtres, rien n'en était plus éloigné que des tisanes et des emplâtres. »

En *forçant* la nature, les Encyclopédistes consacrent sa docilité. Ils se soucient moins — Groethuysen l'a montré — de saisir le monde dans sa réalité profonde, que de le décrire et de se l'approprier par une ordonnance.

Diderot ne procède pas autrement dans les *Salons.* Il aborde le tableau comme un domaine, y pénètre « par le côté droit ou par le côté gauche, et, s'avançant sur la bordure d'en bas », décrit les objets « à mesure qu'ils se présentent [7] ». A la fois présents et inoffensifs, les tableaux s'offrent comme la réplique d'un univers conquis où la beauté, la souffrance, le désordre seraient magiquement tenus à distance par une maîtrise des spectacles :

> A ces mots une pâleur mortelle se répandit sur son visage; ses lèvres se décolorèrent; les gouttes d'une sueur froide, qui se formait sur ses joues, se mêlaient aux larmes qui descendaient de ses yeux; ils étaient fermés; sa tête se renversa sur le dos de son fauteuil; ses dents se serrèrent; tous ses membres tressaillaient; à ce tressaillement succéda une défaillance qui me parut l'accomplissement de l'espérance qu'elle avait conçue à la porte de cette maison. La durée de cet état acheva de m'effrayer. (*O. R.,* 806.)

Tout se passe, dans ces intermittences plastiques, comme si le narrateur-acteur, cessant de participer à l'histoire de Mlle de La Chaux, ne s'intéressait plus qu'aux signes et à la figuration de son désordre. Cependant, dans l'indifférence ou la sympathie, les yeux fermés ou tournés vers le ciel — pour la spontanéité du tableau —, Mlle de La Chaux conspire théâtralement avec le narrateur. Elle feint d'ignorer qu'il l'observe. Il se garde d'intervenir dans le champ de la passion : « ... un torrent de douleurs qu'il fallait abandonner à son cours; ce que je fis : et je ne commençai à m'adresser à sa raison, que quand je vis son âme brisée et stupide [8]. »

Ces personnages repliés sur eux-mêmes, dans leurs silences ou leurs rircs, leurs cris ou leurs mots inarticulés, parlent un langage nouveau qui n'est pas celui des Grâces.

Diderot invite les acteurs à ignorer dorénavant les spectateurs, en leur tournant le dos, en *osant* se regarder en face :

MOI

Mais la décence! la décence!

DORVAL

Je n'entends répéter que ce mot. La maîtresse de Barnwell entre échevelée dans la prison de son amant. Les deux amis s'embrassent et tombent à terre. Philoctète se roulait autrefois à l'entrée de sa caverne. Il y faisait entendre les cris inarticulés de la douleur. (*A. T.,* VII, 95.)

Sans doute, Miss Howe nous apparaît moins échevelée dans Richardson que dans l'*Éloge de Richardson* ; et Xanthippe, dans le *Phédon* de Platon, un peu moins impétueuse que dans la *Mort de Socrate* [9]. Mais Diderot s'est fait, au siècle de Boucher, le gymnasiarque de ses personnages. Ils se désespèrent, se prosternent, s'évanouissent avec souplesse, sans jamais emprunter qu'à leur corps. Leurs gestes, leurs attitudes, leurs violences protestent contre les leçons de maintien et le style mignard. Car c'est l'époque où, au lieu de frapper, l'on gratte doucement aux portes; où, lorsqu'une personne éternue, l'on se découvre en faisant la révérence; où les femmes se servent de fers « pour soutenir la pyramide de leur coiffure, qui est une espèce de bâtiment à plusieurs étages ». Elles ont « tellement enchéri sur cette mode, observe l'abbé de Bellegarde en 1723, qu'il n'y a plus de porte assez élevée [a] ». En février 1776, pour le bal donné par la duchesse de Chartres, Marie-Antoinette « ayant redoublé la hauteur de son panache, il fallut le baisser d'un étage pour qu'elle pût entrer dans son carrosse [b] ». Les « cheveux négligés » de Dorval, les têtes échevelées de concert avec le drame, font offense aux grands coiffeurs : Frison, coiffeur de la marquise de Prie; Dagé, coiffeur de Mme de Châteauroux et de Mme de Pompadour; Larseneur confi-

---

a. Abbé de Bellegarde, *Modèles de conversation pour les personnes polies,* 454. Cf. Alfred Franklin, *La Vie privée d'autrefois. Les soins de toilette, le savoir-vivre,* Paris, Plon, 1887, 132-133.

b. Bachaumont, *Mémoires secrets,* 6 novembre 1778.

dent de Mesdames, filles du roi. « Une tête ébouriffée, écrit Diderot à Sophie Volland, me plaît plus qu'une tête bien peignée [a]. »

Le mur.   Diderot s'affirme par ses tableaux, comme l'y conviait cette *Kultur des Auges* [b], si caractéristique du rationalisme européen au XVIIIe siècle [c]. Bougainville lui-même, délaissant cartes et compas, oubliant la « langue des marins », s'était pris à rêver *Salons* sur le sable polynésien. Les Tahitiens, note-t-il dans son *Voyage,* fourniraient à un artiste de parfaits modèles « pour peindre Hercule et Mars ».

« ... c'est sur un grand mur que je regarde quand j'écris [10]... » Diderot ne se contente pas de parler des tableaux, de converser avec les peintres, de légiférer sur les beaux-arts. Il transporte tout sur la toile : une femme qui passe, une figure qu'il imagine. A Meister il recommandera *la Religieuse* comme un « ouvrage à feuilleter sans cesse par les peintres [11] ». Cette formule sentencieuse est d'un auteur désabusé qui garde le pire souvenir des spectateurs du *Père de famille :* « Je n'ai rien encore entendu louer du *Père de famille,* de ce qui m'en plaît... [12] » C'est pourquoi, dans

a. *Correspondance,* V, 65.
« Le poète dit :
     Il n'est point..... de monstre odieux,
     Qui, par l'art imité, ne puisse plaire aux yeux.
(Boileau, *Art poét.,* chant III, vers 1 et 2.)
J'en excepte les têtes de nos jeunes femmes, coiffées comme elles le sont à présent. » (*Pensées détachées sur la peinture, A. T.,* XII, 104.)
b. « Der europäische Rationalismus des 18. Jahrhunderts ist vorwiegend eine Kultur des Auges. Der Mensch dieses Zeitraumes scheint ein stark visueller Typus zu sein... » (August Langen, *Die Technik der Bildbeschreibung in Diderots Salons. Romanische Forschungen,* 61. Band, 1948.)
c. Sans consentir trop complaisamment à l'esthétique des *Salons,* on peut avancer que le défaut de sens plastique entre pour beaucoup dans l'inintelligence ou le laconisme des jugements portés sur Diderot; que, pour nous en tenir à nos contemporains, ce défaut est particulièrement sensible chez les premiers collaborateurs de la *Nouvelle Revue Française.* « ... second-rank men such as Fontenelle, Diderot, Maupertuis », écrit — en anglais — Valery Larbaud dans son *Journal* de 1917. André Gide ne retient du *Salon de 1767* qu'une formule où il reconnaît un mot d'Oscar Wilde (« L'imagination ne crée rien, elle imite... »). Ce n'est pas un hasard si Gœthe, Balzac, Stendhal, Baudelaire ont distingué Diderot tel qu'il souhaitait l'être : parmi les peintres.

la Religieuse, Diderot s'assure les suffrages d'un amateur éclairé, le marquis de Croismare : « Vous qui vous connaissez en peinture, je vous assure, monsieur le marquis, que c'était un assez agréable tableau à voir [13]. » Mais, le plus souvent, il prévient didactiquement la critique par omission ou les éloges intempestifs. Au commun des lecteurs, il laisse pour viatiques des définitions et des exemples. Qu'est-ce qu'un tableau ? « Une disposition de ces personnages sur la scène, si naturelle et si vraie, que, rendue fidèlement par un peintre, elle me plairait sur la toile... Le beau tableau, car c'en est un, ce me semble, que le malheureux Clairville, renversé sur le sein de son ami... [14] »

Diderot engage écrivain et lecteur à trouver ou à retrouver le motif pictural :

Mangogul au chevet de sa favorite,

Tanié en larmes, lorsque Mme Reymer travaille tranquillement à un métier de tapisserie,

Mlle de La Chaux évanouie, tandis que Gardeil, « froidement assis dans son fauteuil, son coude appuyé sur la table et sa tête appuyée sur sa main, la regardait sans émotion, et me laissait le soin de la secourir [15] »,

Mme de La Carlière au milieu de ses invités,

l'irruption d'une religieuse folle, échevelée, traînant des chaînes de fer et se frappant la poitrine,

sœur Suzanne au clavecin,

les religieuses en récréation dans la cellule de leur supérieure.

2. ORGANISATION DE L'ESPACE

Le site, les portes. Dans sa cellule de Saint-Eutrope, la supérieure est « à moitié levée *sur son lit* », et la Religieuse *assise auprès d'elle* à ne rien faire; « une autre *dans un fauteuil,* avec un petit métier à broder sur ses genoux; d'autres, *vers les fenêtres,* faisaient de la dentelle; il y en avait *à terre assises* sur les coussins qu'on avait ôtés des chaises... [16] » A l'auberge du Grand-Cerf : « Le maître, *à gauche,* en bonnet de nuit, en robe de chambre, était étalé nonchalamment *dans un grand fauteuil* de tapisserie, son mouchoir jeté sur le bras du fauteuil, et sa tabatière à la main. L'hôtesse *sur le fond, en face de la porte,* proche la table, son verre devant elle. Jacques, sans chapeau, *à sa droite...* [17] » Chez Mme d'Épinay : « *Vers la fenêtre* qui donne sur les jardins, Grimm se faisait peindre... M. de Saint-Lambert lisait *dans un coin...* [18] »

Cette organisation de l'espace sur trois côtés — au fond, à droite, à gauche —, c'était au XVIIIe siècle la condition élémentaire d'une réforme du théâtre. « Nous ne pouvons décorer que le fond parce que nous avons du monde sur le théâtre », écrit Mme Riccoboni à Diderot. « ... il n'y faut avoir personne, lui répond-il, et décorer tout le théâtre [19]. » Dans les détails du récit, Diderot se préoccupe encore de la mise en scène, avec ce qu'elle suppose d'économie de l'espace. Aucune démarche n'est laissée au hasard, à l'approximation. Les sites les plus complaisants au plaisir participent d'une rigoureuse géométrie :

> Tout le logement du charron maître Bigre, mon parrain, consistait en une boutique et une soupente. Son lit était au fond de la boutique. Bigre le fils, mon ami, couchait sur la soupente, à laquelle on grimpait par une petite échelle, placée à peu près à égale distance du lit de son père et de la porte de la boutique.
> Lorsque Bigre mon parrain était bien endormi, Bigre mon ami ouvrait doucement la porte, et Justine montait à la soupente par la petite échelle. Le lendemain dès la pointe du jour, avant que Bigre le père fût éveillé, Bigre le fils descendait de la soupente, rouvrait la porte, et Justine s'évadait comme elle était entrée. (*O. R.*, 692.)

Diderot note toujours très exactement l'emplacement des portes. La maison du P. Hudson « avait deux portes, l'une qui s'ouvrait dans la rue, l'autre dans le cloître [20] » (ouvertures justifiées par l'inconduite du moine, et symboliques de sa duplicité). Jamais indifférentes, les portes signifient l'intrusion ou l'exclusion, l'impossibilité ou le malheur d'être seul [a]; elles s'ouvrent le plus sou-

---

a. Ce thème paraît lié à un pénible souvenir de 1759, l'intrusion de Mme Volland dans l'intimité de Diderot et de Sophie : « Nous étions bien pressés de nous retrouver. J'y allai un jour, et par le petit escalier. Il y avait environ une heure que nous étions ensemble, lorsque nous entendons frapper. Eh bien, mon ami, celle qui frappait, c'était elle; oui, elle, sa mère. Je ne vous dirai rien du reste. Je ne sais ce que nous devînmes tous les trois. Nous restâmes debout, Sophie et moi; sa mère ouvrit un secrétaire, prit un papier, et s'en retourna. Depuis, elle parle d'aller à sa terre; et pour cette fois l'enfant est du voyage. On

vent sur le danger ou la mort. C'est le Satellite des Onze avertissant Socrate qu'il est temps de mourir, ou le postillon qui annonce à Tanié le moment du départ. L'on voit en quoi les portes intéressent aussi bien le peintre, soumis à une temporalité tyrannique, que l'auteur dramatique. Une porte qui s'ouvre ou qui se ferme est un instantané dramatique rendu « en récit » par la conjonction *lorsque* : « Desroches écrivait à son amie *lorsque* sa femme entra. » « Mais ce fut *lorsque* Mme de La Carlière s'avança vers la porte, tenant son enfant entre ses bras, qu'on entendit des sanglots et des cris. » « *Lorsque tout à coup* la porte du corridor s'ouvre », la chambre se remplit « d'une foule de gens qui marchent tumultueusement » et le maître est pris en flagrant délit aux côtés de Mlle Agathe. Dans *la Religieuse,* une porte qui s'ouvre interrompt encore le plaisir : « Nous nous amusions ainsi d'une manière aussi simple que douce, *lorsque tout à coup* la porte s'ouvrit avec violence... [21] »

La vérité des portes, c'est la violence : « Je m'étais retournée, elle avait écarté son linge, et j'allais écarter le mien, *lorsque tout à coup* on frappa deux coups violents à la porte. » Le narrateur, dans *Ceci n'est pas un conte,* entend claquer la porte. Sœur Thérèse, laissée pour compte par sa supérieure, « ferma sa porte avec violence [22] ».

Lorsque les portes s'ouvrent ou se ferment doucement, ce ne peut être que par ruse : « ... la supérieure se renferma dans sa cellule, et la sœur Thérèse s'arrêta sur la porte de la sienne, m'épiant comme si elle eût été curieuse de savoir ce que je deviendrais. Je rentrai chez moi, et la porte de la cellule de la sœur Thérèse ne se referma que quelque temps après, et se referma douce-

va l'entraîner là pour la faire périr d'ennui. Quel avenir! » (*Correspondance,* II, 125.)

Cette « aventure » se solde par une punition : le semi-exil de Sophie dans la campagne familiale d'Isle-sur-Marne. La cruauté de la mère se confond, dans le ressentiment de Diderot, avec le goût particulier de Mme Legendre pour sa sœur cadette, Sophie Volland; car, pour surcroît d'humiliation, c'est Mme Volland qui, à mots couverts, en informe Diderot : « Madame votre mère prétend que votre sœur aime les femmes aimables... » (*Correspondance,* III, 74.)

Il est curieux que, dans *la Religieuse,* l'intruse (sœur Thérèse, qui interrompt les ébats de la supérieure et de sœur Suzanne) se jette, repentante, aux pieds de la supérieure, et que l'ingénue sœur Suzanne se déclare convaincue de la culpabilité de l'intruse.

ment. » De même Bigre le fils, pour n'être pas entendu de son père, rouvre doucement la porte [23].

Ainsi, les portes sont beaucoup plus que les ouvertures complaisantes d'un décor. Cette porte refermée doucement n'a de sens que par la jalousie de sœur Thérèse; cette porte discrètement ouverte au plaisir, ne le serait pas sans le consentement tacite de Justine. Toute technique se réfère à une conduite. Portes, fenêtres, cloisons n'existent pas en elles-mêmes. Une porte verrouillée serait encore le moindre obstacle. La Religieuse, envisageant son évasion, propose naïvement à sa supérieure d'y collaborer : « ... je ne dis point que vous m'ouvriez les portes; mais faites seulement aujourd'hui, demain, après, qu'elles soient mal gardées... [24] » L'enfer des portes, ce sont les autres, et dans le jeu brutal de l'intrusion éclate le désespoir de n'avoir pu forcer une conscience. Les portes sont le signe d'irréductibles oppositions.

Un éclairage domestique. Diderot utilise parcimonieusement la couleur. Dans *Jacques le Fataliste,* de rares taches claires : les yeux bleus du P. Hudson, les cotillons rouges d'une paysanne, les jarretières tricolores convoitées par Denise, deux petits points rouges à la tempe droite du capitaine de Jacques, des yeux et des bouches.

Le blanc et le noir dominent et les métaphores s'en ressentent : un derrière blanc comme la neige, des jeunes filles pâles comme la mort, la noirceur d'un monstre ou d'une accusation, l'ombre d'un soupçon, etc. Mais la grisaille des tableaux et la monotonie des éclairages se justifient symboliquement par la permanence du malheur. Chez Diderot, tout cliché témoigne d'un destin. La vie de Desroches se présente comme un « tissu d'événements singuliers », celle de Mlle de La Chaux comme un « tissu de chagrins, d'infirmités et de misère ». Les religieux non appelés — sœur Suzanne et dom Morel — revivent le mythe de Sisyphe : « On nous a chargés de chaînes pesantes, que nous sommes condamnés à secouer sans cesse, sans aucun espoir de les rompre... [25] » Or le pathétique appelle les lumières nocturnes ou artificielles. « J'avoue, note Diderot dans ses *Pensées détachées sur la peinture,* qu'il y a une convenance secrète entre la mort et la nuit, qui nous touche sans que nous nous en doutions [26]. » Aussi le roman de la Religieuse, « rempli de tableaux pathétiques », est-il traité en blanc et noir : murs, vêtements, clair-obscur. Étendue sur son lit, un Christ entre les bras, la bonne supérieure de Moni s'éteint dans un décor de Georges de La Tour : « C'était la nuit; la lueur des flambeaux éclairait cette scène lugubre. » Au couvent de Saint-Eutrope, la supérieure vient d'entrer dans la cellule de la Religieuse : « ... mes rideaux étaient entr'ouverts; on tenait une petite bougie dont la lumière m'éclairait le visage, et celle qui la portait me regardait dormir [a]... »

D'une œuvre à l'autre l'éclairage ne change guère. Diderot marque sa prédilection pour le soir et la nuit, l'automne et l'hiver : « ... c'est mon habitude d'aller sur les cinq heures du soir me promener au Palais-Royal... Le samedi suivant, vers les cinq heures et demie du soir, à la chute du jour... à la chute du jour, il mendiait dans les rues... Le jour commençait à baisser, et je me disposais à regagner le gîte... Un soir, en hiver, qu'il s'en retournait à son couvent... C'était au mois de septembre, sur la fin du jour [27]. » A peine évoqué, le paysage nocturne se convertit en tableau domestique, car la nuit qui tombe, le ciel qui s'assombrit nous ramènent à la maison : « Qu'il s'élève une vapeur qui attriste le ciel, et qui répande sur l'espace un ton grisâtre et monotone, écrit Diderot dans l'*Essai sur la peinture,* tout devient muet, rien ne m'inspire, rien ne m'arrête; et je ramène mes pas vers ma demeure [28]. » Il n'obscurcit le ciel que pour nous ouvrir le chemin de la maison. Ainsi la domesticomanie de Diderot — cible majeure de certains critiques, tandis que d'autres lui reprochent de n'avoir aucun sens du « home » — pourrait-elle être comprise comme un refuge : — contre l'opacité de la nuit où Jacques et son maître se fourvoient; — contre le froid : « C'était en hiver. Desroches et son collègue étaient assis devant le feu... C'était dans l'hiver. Elle était assise dans un fauteuil devant le feu... C'était en hiver. Nous étions assis autour de lui, devant le feu... [29] »;

a. *O. R.,* 264, 353. Même éclairage dans *les Bijoux indiscrets,* pour le coucher de Fatmé : « Fatmé venait de se mettre au lit; ses rideaux étaient entr'ouverts. Une bougie de nuit jetait sur son visage une lueur sombre. Elle parut belle au sultan... » (*O. R.,* 99.) Ou dans *le Père de famille :* « La lueur pâle et sombre d'une petite lampe éclairait cette scène de douleur... » (*A. T.,* VII, 201.)

— contre la pluie : Jacques et son maître sont retenus à l'auberge du Grand-Cerf, « la pluie de l'orage ayant gonflé le ruisseau qui séparait le faubourg de la ville, au point qu'il eût été dangereux de le passer ». Plus tard, l'hôtesse vient leur annoncer que, « quand le temps leur permettrait de continuer leur route, ils risqueraient leur vie ou seraient arrêtés par le gonflement des eaux du ruisseau qu'ils auraient à traverser ». Mme de La Carlière, « malgré ses affaires et les pluies continuelles d'un vilain automne, qui, en gonflant les eaux de la Marne qui coule dans son voisinage, l'exposait à ne sortir de chez elle qu'en bateau », « prolongea son séjour à sa terre jusqu'à l'entière guérison de Desroches [30] ». Moins téméraire, Diderot n'interroge le ciel que d'une fenêtre du Grandval : « Des pluies continuelles nous tiennent renfermés. [...] Je vais à la fenêtre voir le temps qu'il fait; je vois que le ciel fond en eau, et je me désespère. » C'est au Grandval encore, par un ciel inclément, qu'il se félicite d'être à l'abri : « J'aime, moi, ces vents violents, cette pluie que j'entends frapper nos gouttières pendant la nuit; cet orage qui agite avec fracas les arbres qui nous entourent; cette basse continue qui gronde autour de moi. J'en dors plus profondément; j'en trouve mon oreiller plus doux; je m'enfonce dans mon lit; je m'y ramasse en un peloton; il se fait en moi une comparaison secrète de mon bonheur avec le triste état de ceux qui manquent de gîte, de toit, de tout asile... [31] » Tel est le pouvoir de la maison, que la Religieuse évadée regrette, une nuit, son couvent, sa *maison* religieuse.

3. MAITRISE DE DIDEROT

Critique et muse.   Entre le théâtre et la peinture, le roman et le théâtre, la peinture et le roman, Diderot a relevé des impacts, tenté des rapprochements, favorisé des échanges, avec le souci de reconnaître à chacun des arts ses « paliers » ou « hiéroglyphes particuliers ». L'on peut se demander si cette égalité dans la singularité ne se heurte pas à l'idée de hiérarchie, sous-jacente à toute l'œuvre critique de Diderot. Non, si l'on prend soin de distinguer entre la supériorité des genres et la qualité des œuvres. Richardson a produit des chefs-d'œuvre dans un genre inférieur. Si la dignité d'un genre tient à la difficulté de l'exécution, à la limitation des pouvoirs dans le temps et dans l'espace, la peinture et le théâtre apparaissent également d'une suprême dignité. Mais les œuvres dramatiques sont encore loin de pouvoir inspirer le peintre : « Il faut que l'action théâtrale soit bien imparfaite *encore,* puisqu'on ne voit sur la scène presque aucune situation dont on pût faire une composition supportable en peinture [32]. » A mesure qu'il se détache du théâtre, Diderot se persuade de plus en plus de la prééminence de la peinture : « On n'a point encore fait, et l'on ne fera jamais un morceau de peinture supportable, d'après une scène théâtrale ; et c'est, ce me semble, une des plus cruelles satires de nos acteurs, de nos décorations, et peut-être de nos poètes [33]. » En janvier 1766, il se « grippe » avec M. Le Gendre sur une question de peinture : « Je prétendais qu'il ne se passait rien au théâtre qui fût assez vrai pour servir de modèle à aucun autre art d'imitation. Il n'était point de cet avis. Il pense, lui, que Pigalle et Falconet n'ont rien de mieux à faire que d'aller au théâtre étudier la Clairon, la Dumesnil, la petite Arnould. Je pense, moi, que ce ne sont que des copies souvent gauches, toujours froides et maniérées de la nature [34]. » Ni le poète ni l'acteur ne sauraient plus en remontrer au peintre. Dès 1758, Diderot avait incité à la circonspection « nos simples littérateurs », « lorsqu'ils parlent de peinture » : « ... leurs critiques et leurs éloges feraient rire celui qui broie les couleurs dans l'atelier [35]. » En 1767, il propose d'enfouir sous le charnier des Innocents une composition de La Grenée imaginée par un certain M. de La Vauguyon : « ... il est encore plus vrai que *ut poesis pictura non erit*. Ce qui fait bien en peinture fait toujours bien en poésie ; mais cela n'est pas réciproque [a]. »

C'est dans le même *Salon,* que Diderot, avec un extraordinaire luxe d'exemples et d'attestations, s'adjuge une exceptionnelle maîtrise :

---

a. *A. T.,* XI, 72-73. Cf. la différence du théâtre et du roman : « D'où l'on peut conclure que le roman dont on ne pourra faire un bon drame, ne sera pas mauvais pour cela ; mais qu'il n'y a point de bon drame dont on ne puisse faire un excellent roman. » (*A. T.,* VII, 330.)

Chardin, La Grenée, Greuze et d'autres m'ont assuré (et les artistes ne flattent point les littérateurs) que j'étais presque le seul d'entre ceux-ci dont les images pouvaient passer sur la toile, presque comme elles étaient ordonnées dans ma tête.

. . . .

Greuze me dit : « Je voudrais bien peindre une femme toute nue, sans blesser la pudeur; » et je lui réponds : « Faites *le Modèle honnête*. Asseyez devant vous une jeune fille toute nue; que sa pauvre dépouille soit à terre à côté d'elle et indique la misère; qu'elle ait la tête appuyée sur une de ses mains; que de ses yeux baissés deux larmes coulent le long de ses belles joues; que son expression soit celle de l'innocence, de la pudeur et de la modestie; que sa mère soit à côté d'elle; que de ses mains et d'une des mains de sa fille elle se couvre le visage, ou qu'elle se cache le visage de ses mains, et que celle de sa fille soit posée sur son épaule; que le vêtement de cette mère annonce aussi l'extrême indigence; et que l'artiste, témoin de cette scène, attendri, touché, laisse tomber sa palette ou son crayon. » *Et Greuze dit : « Je vois mon tableau »*. (*A. T.*, XI, 74.)

On comprend que Diderot invoque le témoignage des peintres, alors qu'il vient d'enterrer avec M. de La Vauguyon tous ceux de ses confrères qui prétendent s'avancer sur le palier d'un autre art. Il entre cependant moins d'orgueil que de magie dans ce triomphe du seul critique agréé par les peintres. Diderot s'interroge depuis des années sur la légitimité de ses *Salons*. Ce n'est qu'en se tenant pour exceptionnel, en considérant son talent avec une excessive complaisance, qu'il pouvait atténuer ses scrupules. Il passe pour l'un des fondateurs de la critique d'art, et il n'a cessé de la mettre en question. Le souci de la description si exacte qu'elle permette de réaliser les tableaux dans l'espace, d'y poser les objets « à peu près comme nous les avons vus sur la toile [36] », cet artisanat du regard n'empêche ni le doute ni le découragement. « Il est impossible de rendre ses compositions; il faut les voir », note-t-il au *Salon de 1765* devant les tableaux de Vernet. Qui saurait avec des mots rendre l'air « pour ainsi dire sensible », le brouillard « éclairé et palpable » ? Dans le *Salon de 1767*, la critique est tenue en échec par la « disette », l'impropriété, l'évanescence du discours : « A tout moment je donne dans l'erreur, parce que la langue ne me fournit pas à propos l'expression de la vérité. J'abandonne une thèse, faute de mots qui rendent bien mes raisons. J'ai au fond de mon cœur une chose, et j'en dis une autre [37]. »

La critique de la critique vise d'abord « un inſtrument vicieux en lui-même, l'idiome qui rend toujours trop ou trop peu [a] ». Mais au cas même où nous disposerions d'un inſtrument moins imparfait, la description, par le décalage qu'elle suppose, entraînerait un *refroidissement* de l'œuvre : « Il eſt des tableaux dont la première ébauche eſt faite d'un pinceau si chaud, qu'ils ne supportent pas plus l'analyse que certains morceaux lyriques [38]. » « Der Gegensatz des Malens iſt das Beschreiben », écrira Nietzsche [b]. Ainsi la réflexion de Diderot porte-t-elle tant sur la possibilité de la critique que sur sa légitimité, c'eſt-à-dire sur l'irréduċtibilité d'un langage à un autre. Décrire n'eſt pas *rendre,* et il faudrait sinon peindre, du moins reproduire. Le Neveu de Rameau ne parle pas seulement musique : il sait fredonner un allegro de Locatelli. Diderot, pour n'être pas en reſte, refait *le Bourru bienfaisant* de Goldoni. La critique se confond à la limite avec une exécution : « Voici, si j'avais été peintre... Si j'avais eu ce sujet à exécuter... Et voilà ma composition... [39] » Ainsi les conduites hypothétiques d'un écrivain jaloux des peintres nous renvoient-elles une fois encore à la spécificité du langage piċtural.

Diderot ne pouvait prétendre l'emporter que sur d'autres terrains, par d'autres impératifs que ceux du « technique ». C'eſt ainsi qu'il représente aux artiſtes les obligations de l'honnêteté. La morale n'eſt-elle pas aussi essentielle que la perspeċtive ? Il s'insurge contre « tant d'inscriptions infâmes dont la ſtatue de la *Vénus aux belles fesses* eſt sans cesse barbouillée dans les bosquets de Versailles ». Si les peintres et les sculpteurs s'aſtreignaient aux sujets honnêtes, l'on ne trouverait pas de « clef de montre imprimée sur les cuisses d'un plâtre voluptueux » : « Je ne suis pas un capucin; j'avoue cependant que je sacrifierais volontiers le plaisir de voir de belles nudités, si je pouvais hâter le moment où la peinture et la sculpture, plus décentes et plus morales, songeront à concourir, avec les autres beaux-arts, à inspirer la vertu et à épurer les mœurs [40]. »

a. Voir Philippe Garcin, *Diderot et la Philosophie du Style, Critique,* n⁰ 142, mars 1959, 199.
b. *Nietzsches Gesammelte Werke,* München, Musarion Verlag, XVII, 365.

Sous un jour un peu différent, c'est encore à une aliénation de la peinture que conspirent Jacques et son maître. Le maître déclare n'aimer les tableaux qu'en récit, et Jacques raconte celui qui lui a été inspiré par une aventure du P. Hudson :

> Voyez au milieu de la rue un fiacre, la soupente cassée, et renversé sur le côté. [...] Un moine et deux filles en sont sortis. Le moine s'enfuit à toutes jambes. Le cocher se hâte de descendre de son siège. Un caniche du fiacre s'est mis à la poursuite du moine, et l'a saisi par sa jaquette; le moine fait tous ses efforts pour se débarrasser du chien. Une des filles, débraillée, la gorge découverte, se tient les côtés à force de rire. L'autre fille, qui s'est fait une bosse au front, est appuyée contre la portière, et se presse la tête à deux mains. Cependant la populace s'est attroupée, les polissons accourent et poussent des cris, les marchands et les marchandes ont bordé le seuil de leurs boutiques, et d'autres spectateurs sont à leurs fenêtres. (O. R., 683-684.)

Saisi d'admiration, le maître encourage Jacques à confier son sujet à Fragonard : Diderot aura fait du peintre l'obligé du poète en lui offrant le thème et le moment de sa composition.

Peintre en récit. Rien n'importe plus que le choix du moment. Le tableau se définit, en effet, comme une contraction de la durée. « Le poète décrit, sa description embrasse le passé, le présent et l'avenir... » L'artiste n'a qu'un instant, « dont la durée est celle d'un coup d'œil [41] », instant qu'il choisit le plus intense, le plus signifiant, de sorte que nous y découvrions aussi bien les vestiges du passé que les prémisses du futur : « Cependant, comme sur un visage où régnait la douleur et où l'on a fait poindre la joie, je retrouverai la passion présente confondue parmi les vestiges de la passion qui passe; il peut aussi rester, au moment que le peintre a choisi, soit dans les attitudes, soit dans les caractères, soit dans les actions, des traces subsistantes du moment qui a précédé... J'ai dit que l'artiste n'avait qu'un instant; mais cet instant peut subsister avec des traces de l'instant qui a précédé, et des annonces de celui qui suivra. On n'égorge pas encore Iphigénie; mais je vois approcher le victimaire avec le large bassin qui doit recevoir son sang... [42] » Le tableau est à la fois rappel et annonciation; le peintre compense par l'intelligence des signes sa sujétion à l'instant.

Diderot n'en use pas autrement. Une séquence de *Ceci n'est pas un conte* nous propose, parmi d'autres tableaux, en un triptyque de la temporalité où toutes les techniques se mêlent, *le* tableau allusif du peintre, l'instantané emblématique du malheur de Tanié :

> La porte de la chambre s'ouvrit; il releva brusquement la tête; il vit le postillon qui venait lui annoncer que les chevaux étaient à la chaise. (*O. R.*, 799.)

Libre au romancier de rapporter le moment qui précède (« Il était à genoux au bord de son lit, la bouche collée sur sa main et le visage caché *dans* les couvertures ») et celui qui suit (« Il fit un cri, et recacha son visage *sur* les couvertures [43] »). C'est ajouter au mouvement — par le changement de temps et de pré*position* —, non au sens, car le peintre inscrit une image plénière dans la succession temporelle. Ce n'est pas l'événement qui le sollicite, mais la plénitude de l'instant. Ce n'est pas le sacrifice d'Iphigénie, ni le départ ou la mort de Tanié, mais le seuil de leur malheur. Comme dans la catoptromancie grecque, l'avenir est représenté comme présent, mais quel est l'avenir de Desroches ou de Mlle de La Chaux ? L'instant, chez Diderot, n'introduit pas de signification nouvelle. Il se prolonge sans se modifier. Il est dramatique parce qu'il exclut tout recours; original par ce qu'il retient du passé.

Ainsi le tableau porte-t-il témoignage de ce qui vient d'arriver, d'un texte non encore effacé. Diderot qui, dans ses *Entretiens sur le Fils naturel,* distingue entre le tableau et le coup de théâtre, substitue à une conception « événementielle » de l'instant une sémiologie. Dans la composition imaginée par Jacques, la fuite du moine, le débraillé de l'une de ses filles en disent long sur la négociation interrompue. M. Simonin devine à l'émotion de sa femme la scène à laquelle il n'a pas assisté :

> En ce moment, M. Simonin entra; il vit le désordre de sa femme; il l'aimait; il était violent; il s'arrêta tout court, et tournant sur moi des regards terribles, il me dit : « Sortez! » (*O. R.*, 254.)

Ni le narrateur, ni Jacques, ni M. Simonin n'étaient absents. Car l'absence, telle que l'appréhende Diderot, ce serait l'ignorance du signe. Est-ce pour surprendre dans la vie des autres ces instants où, pour diverses raisons, ils négligent de *paraître,* où ils sont encore ce qu'ils étaient, que tant de portes s'ouvrent si soudainement ?

X. LA PRÉSENCE ET LE CORPS

Dans son *Éloge de Richardson,* Diderot s'émerveille : Paméla, Clarisse, Grandisson existent « comme des personnages vivants qu'on aurait connus, et auxquels on aurait pris le plus grand intérêt ». La présence s'attache aux seuls pouvoirs du corps. Subie par le lecteur, elle défie réflexion et critique : « L'intérêt et le charme de l'ouvrage dérobent l'art de Richardson à ceux qui sont le plus faits pour l'apercevoir. Plusieurs fois j'ai commencé la lecture de *Clarisse* pour me former; autant de fois j'ai oublié mon projet à la vingtième page. » L'intérêt suscite les rapports de complicité avec les personnages. Le charme — magie de la présence —, en paralysant toute réflexion sur les moyens, ramène à l'intérêt. Diderot vise dans l'œuvre romanesque un signe absolu qui, par ses qualités d'immédiateté et de durée, déjoue les « procédés froids et austères de la méthode [1] ».

Chaleur, souplesse, clichés. La chaleur apparaît comme l'expression universelle de la création et de la vie. Diderot admire qu'un serpent du Pérou, « desséché à la fumée, se ranime à la vapeur humide et chaude », tandis qu' « un animal gelé ne ressuscite pas [2] ». La chaleur, dans l'imagination du peintre, se conjugue avec la transparence de l'eau, de l'air ou des chairs, la mollesse, la clarté, la vapeur. Si Diderot fait effort pour apprécier la sculpture, « c'est que la matière qu'elle emploie est si froide, si réfractaire, si impénétrable; mais surtout c'est que la principale difficulté de son imitation consiste dans le secret d'amollir cette matière dure et froide, d'en faire de la chair douce et molle [3] ».

Le froid est énigmatique, impénétrable, opaque. La présence est chaleur. Peu enclin « à pardonner le froid à une composition quelconque », Diderot dénonce l'imagination frigorifique et lignifiante, les personnages raides et empesés. Thomas a péché par froideur dans son *Essai sur les femmes,* La Harpe dans son *Éloge de Fénelon,* Watelet dans son *Art de peindre,* Voltaire dans sa tragédie *les Guèbres.* Mais il faudrait bouillonner « comme l'eau thermale qui sort des volcans »! Le *Bélisaire* de Jollain est « raide, ignoble et froid » et l'*Ulysse* de Doyen « droit, raide, froid, sans caractère », un « Ulysse d'osier ». Challe a fait un *Hector* raide et froid, et Roslin un involontaire « jeu de quilles », tant ses personnages sont « durs et secs » : « C'est un cérémonial d'un froid, d'un empesé à faire bâiller. » La soutane d'un prêtre de Lépicié doit être l'œuvre de « quelque mauvais sculpteur en bois ». Le bras gauche d'une *Ariane* de La Grenée est « d'un raide insupportable ». « Raide et tendu » le bras du *Tarquin* de Beaufort [4].

Diderot s'insurge contre les positions académiques, contraintes et apprêtées, contre la démarche des acteurs et la raideur des comportements appris. Pourquoi la femme est-elle debout dans cette estampe de Cochin ? « Les femmes penchées sont si belles [5]. » Mais la supérieure de Sainte-Marie, reprochant à sœur Suzanne de se tenir trop courbée, lui compose « la tête, les pieds, les mains, la taille, les bras; ce fut presque une leçon de Marcel sur les grâces monastiques... [6] » La bête noire de Diderot, c'est Marcel, l'illustre maître à danser, qui ne savait rien de « l'allure franche du sauvage ». « La grâce de l'action et celle de Marcel se contredisent exactement. » Antinoüs ne serait-il pas devenu entre ses mains « le plus insipide petit-maître » ? Telle figure de Perroneau, telle nymphe de Van Loo pourraient être attribuées au maître à danser. Il académise, guinde, redresse, manière, *marcélise* ses sujets. Tout son art se réduit « à la science d'un certain nombre d'évolutions de société [7] ».

Au vrai, la présentation des personnages de Diderot se réduit, elle aussi, à une petite provision de mouvements, d'attitudes, d'images.

C'est par le milieu du corps qu'ils s'embrassent le plus volontiers :

a. « Le froid nous rapetisse, la chaleur nous étend... » (*Le Rêve de d'Alembert,* éd. P. Vernière, Paris, Marcel Didier, 1951, 101.)

« ... d'autres m'entouraient et me tenaient embrassée par le milieu du corps, comme si elles eussent craint que je m'échappasse. » Clairville tient son ami « embrassé par le milieu du corps, comme s'il craignait qu'il ne lui échappât ». Jacques embrasse l'hôtesse par le milieu du corps. Les Tahitiens eux-mêmes, faisant fête aux marins de Bougainville, « les tenaient embrassés par le milieu du corps [8] ».

Mais rien, ici, ne ressortit à l'ordinaire représentation des attitudes. Diderot, pour prendre le contre-pied de Marcel, penche ou renverse ses figures, avec moins de grâce, peut-être, que de souplesse : la grâce se manifeste aussi bien au repos, tandis que la souplesse procède essentiellement du mouvement. La Religieuse se renverse sur une chaise ; la marquise de La Pommeraye pleure, renversée sur son fauteuil. Dans *les Deux Amis*, Olivier mort, Félix se désespère, « la tête renversée en arrière [9] ». Loin de s'inscrire dans une imagination du repos, l'attitude, chez Diderot, suggère un mouvement suspendu ou intercepté, comme il peut l'être par le peintre.

Si tout est grâce du côté de Marcel, tout est mouvement dans la « grâce de l'action ». Il y a du vent, on se décoiffe. On arrive brisé, excédé, impatient. On se précipite, on se jette, on se roule à terre : « J'arrivais, je me jetais dans une chaise... Elle se jeta dans un fauteuil... Quelques-unes des actrices [...] se jetèrent dans les coulisses... mon hôte se jeta sur un sofa... et elle tomba sur un canapé... et Thélis, après le dîner, s'était jetée sur un lit de repos... Je me jetai à leurs pieds... Je me jetterais aux pieds de la divinité... Elle se jeta à ses pieds... Je me jetai encore à ses genoux... je me jetai à genoux... Je me jetais à ses genoux... Le marquis se précipita à ses genoux [10]. » Le corps s'affirme avec insolence, mais suivant un registre fixé par les hantises de Diderot.

Le déshabillé.   Ne parle-t-il pas des figures qui le suivent, qui l'obsèdent ? « Par exemple, ce *Saint Barnabé* qui déchire ses vêtements sur sa poitrine, et tant d'autres, comment ferai-je pour écarter ces spectres-là ? et comment les peintres font-ils [11] ? »

Peu importe le saint ; c'est le geste qu'il faudrait mettre en italique. La supérieure devenue folle déchire ses vêtements, Mlle de

La Chaux arrache son fichu, Félix déchire ses vêtements, Desroches sa robe magistrale.

Ce saint Barnabé se découvre. Si le peintre disposait de plus d'un instant, on verrait le saint nu jusqu'à la ceinture, comme Diderot dans le portrait peint par Mme Therbouche : « Lorsque la tête fut faite, il était question du cou, et le haut de mon vêtement le cachait, ce qui dépitait un peu l'artiste. Pour faire cesser ce dépit, [...] je parus devant elle en modèle d'académie [12]. » « Et pourquoi ne pas débrailler ce saint ? pourquoi n'en vois-je ni la poitrine, ni le cou ? », s'écrie Diderot devant un *Saint Pierre pleurant son péché* au Salon de 1765. Dans *la Religieuse,* il débraille sœur Suzanne par le haut de sa robe : « ... mes cheveux tombaient épars sur mes épaules découvertes ; ma poitrine était à demi nue, et ses baisers se répandaient sur mon cou, sur mes épaules découvertes et sur ma poitrine à demi nue [13]. » Du reste Diderot n'évoque jamais l'Innocence que *prétendue,* c'est-à-dire décolletée. Il y met toute l'amertume d'une confidence sur la jeunesse : « O ma bonne amie, écrit-il à Mme Riccoboni, où est le temps que j'avais de grands cheveux qui flottaient au vent ! Le matin, lorsque le col de ma chemise était ouvert et que j'ôtais mon bonnet de nuit, ils descendaient en grandes tresses négligées sur des épaules bien unies et bien blanches... [14] » Toujours il se préoccupe de concilier la nécessité avec la séduction du geste.

Il se fût passé d'habiller ses personnages, différent en cela de Richardson dont la Paméla se désole de ne rien avoir sur le corps qui réponde à sa condition; et moins richardsonien que Balzac dont la « vestignomonie » fait une telle part à la toilette. Lorsque Diderot revient sur « cette question de nos vêtements », c'est pour s'en prendre, au nom de la nature et de la vérité, à l'accoutrement français, au panier des actrices, au costume mesquin, barbare, ridicule, gothique : « On dirait que de grands événements, de grandes actions ne soient pas faits pour un peuple aussi bizarrement vêtu... [15] » La platitude des révérences n'allait-elle pas de pair avec celle des vêtements : manches retroussées, culottes en fourreau, basques carrées et plissées, jarretières, boucles en lacs d'amour [16] ?

Le déshabillé, la robe de chambre, qui évoquent une simplicité antique, marquent le défi le plus original aux idéaux de Marcel.

Quand le narrateur arrive avec Mlle de La Chaux à la maison de la rue Hyacinthe, nous ne connaissons Gardeil que par les infortunes de sa compagne. Mais le voici « à son bureau, en robe de chambre, en bonnet de nuit. Il me fit un salut de la main, et continua le travail qu'il avait commencé [17] ». Balzac tenait que Diderot, dans *Ceci n'est pas un conte,* avait pris parti pour Gardeil tout en plaignant Mlle de La Chaux. Gardeil en robe de chambre, ce n'est plus un *monstre*. Ni Gousse dans sa prison : « Quand j'entrai, j'avais trouvé Gousse en robe de chambre, assis à une petite table, traçant des figures de géométrie et travaillant aussi tranquillement que s'il eût été chez lui [18]. » La robe de chambre râpée, maculée de poussière et d'encre, annonce « le littérateur, l'écrivain, l'homme qui travaille ». Elle représente un texte lisible dans son historicité : « On y voyait tracés en longues raies noires les fréquents services qu'elle m'avait rendus. » Enfin elle consacre la primauté et l'individualité du corps : « Elle était faite à moi; j'étais fait à elle. Elle moulait tous les plis de mon corps sans le gêner [19]. »

Le vêtement n'est pas, comme chez Balzac, l'expression d'une société, l'indice d'une promotion [a]. Les personnages de Diderot sont sans avenir. Nous n'avons pas à les deviner à la flétrissure de leurs manches, à la dislocation de leurs goussets, à l'ouverture de leurs poches. Où Balzac dresserait un porte-manteau, Diderot se contente de noter, sans décrire : « Que le costume y soit bien observé, j'y consens; mais c'est de toutes les parties de la peinture celle dont je fais le moins de cas [20] » Un adjectif, un adverbe lui suffisent le plus souvent : *bien* vêtu, *richement* vêtu; les *mauvais* vêtements; des mouchards, sous *toutes sortes* de vêtements; des femmes parées *magnifiquement*.

Assurée de l'infidélité de son mari, et s'étant habillée comme pour une cérémonie funèbre, Mme de La Carlière lui apparaît un matin « grande, noble, digne, vêtue du *même habit* et parée des *mêmes ajustements* qu'elle avait portés dans la cérémonie domestique de la veille de son mariage [21] ». Cet habit dont nous ne savons rien, n'a de valeur que symbolique. Toute la noblesse est dans la personne. La d'Aisnon parvient à émouvoir le désabusé marquis parce que belle « à ravir sous ce vêtement simple, qui, *n'attirant point le regard,*

a. Balzac, *Traité de la vie élégante,* troisième partie.

fixe l'attention tout entière sur la personne [22] ». Le vêtement n'a de sens que s'il s'aliène pour se valoriser comme signe : « La supérieure était avec quelques autres religieuses; je m'en aperçus au bas de leurs robes, car je n'osai lever les yeux. » « Au silence de cette femme, à son vêtement, à ses pleurs, [Félix] comprit qu'Olivier n'était plus [23]. » Signe, parmi tant d'autres, de l'émotion ou du désordre, il surgit dans l'aire romanesque comme obstacle ou négativité. Mlle de La Chaux ayant perdu connaissance : « Je lui ôtai son mantelet; je desserrai les cordons de sa robe; je relâchai ceux de ses jupons... [24] » Il semble bien que Mlle de La Chaux se soit « habillée » pour une ultime tentative de reconquête, mais bientôt ses haillons révèleront son délaissement.

Diderot ne s'intéresse aux vêtements, comme au décor, que lorsqu'ils traduisent un mouvement, une modification, ou plutôt lorsque le corps leur imprime son mouvement [a]. Les vêtements, en effet, ne portent pas impunément témoignage. Le corps ému les entraîne dans le désordre : « Mlle de La Chaux répara en un clin d'œil le désordre que cette scène avait mis dans ses vêtements... » « ... je vis que ma robe était en désordre... [...] son vêtement était en désordre, ses yeux étaient troublés... [25] » Quand on immole Iphigénie, comment sa mère pourrait-elle se montrer reine d'Argos ? « ... qu'elle remplisse de cris son palais; que le désordre ait passé jusque dans ses vêtements, ces choses conviennent à son désespoir [26]. » Ainsi *incorporé,* le vêtement perd de son opacité pour se réhabiliter par la violence.

  Le corps ému.   Reconnaissons dans ce désordre la vocation du corps et l'absolu de l'apparence. Le corps ému et défaillant s'affirme comme langage, soit qu'il relaie le discours, soit qu'il y réplique par ses propres moyens : « *A ces mots* une pâleur mortelle se répandit sur son visage... La favorite, *à ces terribles mots,* pâlit... Le pâtissier *lut* et pâlit... La pauvre Isec,

---

a. « ... qu'on ressente toujours le nu sous la draperie [...], que l'homme ne disparaisse jamais sous le vêtement » (*O.,* 1275). En revanche, St. Augustin, pour son apothéose, « devrait monter de lui-même, comme une plume; car il n'y a point de corps sous son vêtement. » (*A. T.,* X, 411.)

décontenancée, pâlit... *Le mot de lettre de change* me fit pâlir... [27] »
Diderot, qui faisait remarquer à Catherine II combien le travail de
la lime était épuisant, « surtout chez une nation [...] où l'on est
blessé de la répétition d'un même mot, quelquefois dans une
page [a] », ne se prive pas de clicher. *Pâleur mortelle, pâle comme la
mort* reviennent incessamment. La supérieure de Saint-Eutrope se
plaint d'être transie de froid à deux reprises en l'espace de deux
pages. Accusera-t-on Diderot de négligence ? « C'est qu'à parler
rigoureusement, quand le style est bon, il n'y a point de mot oisif... [28] »
On ne saurait taxer d'oisiveté des mots si souvent sollicités. Cette
servitude du langage répercute une stéréotypie profonde.

Sans doute, Diderot reconnaît aux passions leur « pouls » particulier, mais, curieux de coexistence, de conspiration, d'unité
vivante, il se préoccupe davantage de l'identité du délire : « La passion varie, le délire est le même. [...] Personne n'a parlé de cette
identité du délire... [29] » Mlle de La Chaux, Desroches, la Religieuse,
si particulières que soient leurs infortunes, se retrouvent dans une
communauté de la déraison.

> Les crises des passions se font par des éruptions, des diarrhées,
> des sueurs, des défaillances, les larmes, par le frisson, le tremblement,
> la transpiration. (*A. T.,* IX, 434.)

Desroches et Mlle de La Chaux sont saisis d'un « tremblement universel », la Religieuse d'une « défaillance générale ». La supérieure
de Saint-Eutrope « avait un tremblement général dans tous les
membres », la d'Aisnon « tremblait de tous ses membres ». Un
« frisson dans lequel mes genoux se battaient et mes dents se frappaient avec bruit, écrit la Religieuse, succéda à cette défaillance ; à ce
frisson une chaleur terrible... » Mlle de La Chaux sera prise d'une
défaillance semblable : « ... ses dents se frappaient comme dans le
frisson de la fièvre ; ses genoux se battaient l'un contre l'autre... »
A dix ans de distance, mais nullement par hasard, Diderot recourt
aux mêmes termes. Lorsque la Religieuse parle d'une *sueur froide*
qui « *se répandit sur tout* [*son*] *corps* », ou la supérieure du « *froid
mortel* [qui] *s'est répandu* [30] » sur elle, ce n'est pas qu'il ne se soit
relu. Au contraire, il préfère à la correction la chaleur et l'exactitude.

a. Voir Charly Guyot, *op. cit.,* 115.

Le corps comme être sexué. Au plus aigu du plaisir, le corps présente tous les signes de la défaillance : frissons, tremblement, pâleur [a]. « ... enfin il vint un moment, je ne sais si ce fut de plaisir ou de peine, où elle devint pâle comme la mort... [31] » La Religieuse, certes, s'applique à retrouver, en-deçà des significations, les hiéroglyphes de l'innocence. Les malaises de la supérieure n'en sont pas moins révélateurs, non seulement — comme on l'a souvent remarqué — de la méthodologie « clinique » de Diderot, mais du sérieux avec lequel ce prétendu libertin s'interroge sur les diverses expressions de la sexualité.

Cependant une critique susceptible a enfermé Diderot dans le destin de ses *Bijoux*. Ainsi, pour Pierre Trahard, les amours de Jacques, « nombreux *(sic)* et faciles, n'ont pas cette qualité qui relève l'amour de Tanié ou celui de Mlle de La Chaux [b] ». Comme si l'alternative était entre le libertinage et l'amour, ou que l'on pût confondre avec les aventures du P. Hudson les rapports faciles de Bigre ou de Jacques avec Justine.

Du moins cette facilité qui ne conteste pas la sensibilité, mais « la réserve pour une meilleure occasion », ne revêt-elle pas le masque de l'amour : on couche avec des femmes qu'on n'aime pas et on ne couche pas avec celles qu'on aime. La sexualité invente à travers ses vicissitudes un domaine et une légitimité. Mlle de La Chaux ferait pour Le Camus, qu'elle n'aime pas, « tout le possible, sans exception » :

> Tenez, docteur, j'irais... oui, j'irais jusqu'à coucher... jusque-là inclusivement. Voulez-vous coucher avec moi ? vous n'avez qu'à dire. Voilà tout ce que je puis faire pour votre service; mais vous voulez être aimé, et c'est ce que je ne saurais [c]. (*O. R.*, 809.)

Le thème *of the last* faveur figure, semble-t-il, pour la première

a. « ... elle défaillit, et je fis semblant de croire qu'elle était morte... » (*O. R.*, 706.)

b. Pierre Trahard, *Les Maîtres de la sensibilité française au XVIIIᵉ siècle*, Paris, 1931-1933, II, 175.

c. « Passé cinquante ans, il n'y en a presque aucun de nous que cette franchise n'embarrassât. Faites-en l'essai dans l'occasion, et vous verrez. J'en excepte cependant les prêtres et les moines, parce qu'il y a des grâces d'état. » (*Correspondance, V,* 228.)

fois dans le récit que fait Diderot à Sophie Volland, de l'aventure de
M. de Margency et de Mme de Verdelin :

> Vous souvenez-vous d'un trait que je vous ai raconté d'un de
> mes amis ? Il aimait depuis longtemps; il croyait avoir mérité quelque
> récompense, et il la sollicitait, comme elle doit l'être, vivement.
> On le refusait, sans en apporter de raisons... Il s'avisa de dire : « C'est
> que vous ne m'aimez pas... » Cette femme aimait éperduement.
> « C'est que je ne vous aime pas ? répondit-elle en fondant en larmes.
> Levez-vous (il était à ses genoux), donnez-moi la main. » Il se lève,
> il lui donne la main; elle le conduit vers un canapé; elle s'assied, se
> couvre les yeux de ses mains sous lesquelles les larmes coulaient
> toujours, et lui dit : « Eh bien! monsieur, soyez heureux. » Vous
> vous doutez bien qu'il ne le fut pas. Non ce jour-là; mais un autre...
> (*Correspondance*, III, 244.)

Il est remarquable que Diderot ait différé une *négociation,* qui
dans la version très sèche de Mme d'Épinay, se conclut sans délai :
« Elle se lève avec sang-froid, le mène dans son cabinet : « Eh bien!
Monsieur, dit-elle, soyez heureux! » Il le fut, ou crut l'être : et voilà
les hommes! [a] » La problématique de la sollicitation, à la fin de
Jacques le Fataliste, marque bien la fidélité de Diderot à son imagerie
des corps, à travers l'étonnante reconduction des mouvements, des
attitudes, de tout l'appareil d'une morale en action :

> Jacques avait tout mis en œuvre pour résoudre Denise à le rendre
> heureux, et Denise avait tenu ferme. Après ce long silence, Jacques,
> pleurant à chaudes larmes, lui dit d'un ton dur et amer : « C'est que
> vous ne m'aimez pas... » Denise, dépitée, se lève, le prend par le
> bras, le conduit brusquement vers le bord du lit, s'y assied, et lui
> dit : « Eh bien! monsieur Jacques, je ne vous aime donc pas ? Eh
> bien! monsieur Jacques, faites de la malheureuse Denise tout ce qu'il
> vous plaira... » Et en disant ces mots, la voilà fondant en pleurs et
> suffoquée par ses sanglots.
> Dites-moi, lecteur, ce que vous eussiez fait à la place de Jacques ?
> Rien. Eh bien! c'est ce qu'il fit. (O. R., 777-778.)

La possession, qui vient couronner le dévouement ou la constance,
est conçue comme salaire, service, bonne action. Dans le *Supplément au Voyage de Bougainville,* Orou lui-même, soit ironie, soit poli-

---

a. Pseudo-*Mémoires* de Mme d'Épinay, 2e partie, chap. VI. — Mme de Verdelin ne pleure que dans le récit de Diderot. Dans celui de Mme d'Épinay,
M. de Margency lui ayant dit : « Vous ne m'aimez pas! », elle « se met à rire de
ce propos comme d'une absurdité ».

tique, se soumettant aux conventions de l'Europe, attache des idées
morales à des actions qui n'en comportent pas, lorsqu'il conjure
l'aumônier de se montrer généreux en honorant une de ses filles.
« ... tu peux, ajoute-t-il, les accepter sans scrupule. Je n'abuse point
de mon autorité... [32] » Le conflit est aussi, pour Jacques et Denise,
entre le désir et le scrupule, entre un corps qui se masque sous une
sensibilité et une conscience qui, devant l'inégalité des sexes, se
refuse au privilège de l'initiative. Le scrupule, c'est-à-dire le discours, triomphera-t-il du désir ? La Religieuse ayant affirmé
qu'elle aimerait mieux mourir que de cesser d'être innocente, la
supérieure « devint sérieuse, embarrassée; sa main, qu'elle avait
posée sur un de mes genoux, cessa d'abord de le presser, et puis se
retira... [33] » C'est toujours au niveau du discours, tantôt par le
refus (Mme de La Carlière, Mme de Verdelin, Denise, qui aiment!),
tantôt par un pseudo-consentement (Mlle de La Chaux), que les
femmes se retrouvent consciences et reprennent l'avantage.
Mlle de La Chaux met, à vrai dire, autant de délicatesse à déguiser
son refus que Le Camus à décliner sa proposition : « Mais, mademoiselle, si le docteur vous eût prise au mot ? » [...] « J'aurais tenu
ma parole; mais *cela ne pouvait arriver ;* mes offres n'étaient pas de
nature à pouvoir être acceptées par un homme tel que lui... [36] »

Assurément les mots font obstacle au désir. Seuls les silences
conspirent au trouble : Jacques ne fut heureux que le jour où Denise,
arrivée à sa porte, « s'arrêta, incertaine si elle entrerait ou non. Elle
entra en tremblant; elle demeura assez longtemps à côté du lit de
Jacques sans oser ouvrir les rideaux. Elle les entr'ouvrit doucement... [35] »

Despotisme du corps. Simone de Beauvoir a opposé cette
expérience du trouble à la froide et
rigoureuse démesure des personnages de Sade. Les compagnons
de Mme de Saint-Ange s'arrangent et se disposent sans relâche,
puisqu'il faut de l'ordre « même au sein du délire et de l'infamie [a] ».
Toutes leurs violences consacrent la primauté du discours. La
parole, chez Sade, fait définitivement obstacle à « l'ordinaire méta-

a. Sade, *La Philosophie dans le boudoir,* Paris, J.-J. Pauvert, 1953, 97.

morphose du corps en chair ᵃ ». Jamais le corps n'éclipse le discours.
Il s'y soumet, tandis que, chez Diderot, l'autonomie du corps ému
se fonde sur la spécificité d'un langage. Le corps se comporte, souverainement, comme un langage en liberté. Sollicité ou non, il
reprend l'autorité : « Saint Augustin était un pauvre anatomiste
lorsqu'il a prétendu que, dans l'état de nature innocente, l'homme
commandait au membre viril comme il commande à son bras;
il ne le pouvait non plus qu'à son cœur [36]. »

Le corps veut quand nous ne voulons pas et ne veut pas quand
nous voulons. Jacques enrage de ne pouvoir s'empêcher de pleurer
ni de rire. Dorval se renverse sur ses amis « pour pleurer. Mais les
larmes se refusent ». Ainsi le corps se manifeste agressivement,
tantôt par ses initiatives, tantôt par sa résistance : Sélim « voulut
se lever, mais ses genoux tremblants se dérobèrent sous lui, et il
retomba dans son fauteuil ». La d'Aisnon « voulut se relever; mais
elle retomba sur son visage... » Mme Simonin « voulait parler,
mais elle n'articula plus; le tremblement de ses lèvres l'en empê-
chait ». Et sœur Thérèse : « ... les lèvres lui tremblaient, elle ne pouvait parler. » Et sœur Suzanne : « ... je voulus crier; mais ma
bouche était ouverte, et il n'en sortait aucun son... » D'autres inhi-
bitions encore (« Je voulus prier, et je ne le pus pas ») semblent,
comme il se doit dans Diderot, réduire l'âme à un ressort « très
subalterne [37] ».

Gardons-nous à présent de compter, comme La Harpe, pour
mieux dénigrer : « Le Père de famille *pleure,* et Saint-Albin *pleure,*
et Sophie *pleure,* et Cécile *pleure* ᵇ. » Cette stéréotypie, qui fait
sourire les écoliers, n'est le fait ni de la sensiblerie, ni de l'indigence. Elle exprimerait plutôt, sous le couvert d'une langue universelle, la hantise d'une indigence fondamentale. Sans doute
Diderot parle-t-il de l'imagination du peintre comme d'un *recueil*
immense; mais tout recueil, tout registre marque des limites à
l'invention. Le corps s'affirme suivant des modes qu'il n'invente
plus : « Il fait, il dit tout ce que le désespoir suggère à un père

a. Simone de Beauvoir, *Faut-il brûler Sade ?, Les Temps Modernes,* déc. 1951.
b. La Harpe, *Lycée, ou Cours de littérature ancienne et moderne,* Paris, chez
Philippe, 1830, XI, 19.

qui perd son fils... [38] » Aussi la Religieuse retrouve-t-elle sans trop d'invraisemblance l'imagerie des désordres anciens :

> Je me remis un peu, je pris la lettre, je la lus d'abord avec assez de fermeté; mais à mesure que j'avançais, la frayeur, l'indignation, la colère, le dépit, différentes passions se succédant en moi, j'avais différentes voix, je prenais différents visages et je faisais différents mouvements. Quelquefois je tenais à peine ce papier, ou je le tenais comme si j'eusse voulu le déchirer, ou je le serrais violemment comme si j'avais été tentée de le froisser et de le jeter loin de moi. (O. R., 242.)

Comme toute pantomime suppose un spectateur, et que le narcissisme même ne saurait négliger le regard d'autrui, force nous est de puiser dans un fonds commun. Diderot tient néanmoins, tout en sauvegardant l'intelligibilité des signes, à préserver ses tableaux de l'académisme et de la vulgarisation : « Ce n'était pas de la plainte; c'était un long cri. » « Elle ne pleurait pas; [...] elle ne parlait pas... [39] » Le silence où l'on s'attendait au cri, le cri au lieu de la plainte, le « ris » plus tragique que les larmes, la violence, évitent au corps de se figer dans les lieux communs de la présence malheureuse [a].

---

a. L'invention personnelle « semble consister d'abord et principalement en une certaine puissance de réalisation, en une énergie dans le jeu, qui donne vigueur et jeunesse à la formule stéréotypée : c'est ce qu'on peut appeler une improvisation traditionnelle, dans laquelle les conventions techniques n'excluent pas la sincérité. » (Marcel Granet, *Études sociologiques sur la Chine*, Paris, P. U. F., 1953, 239.)

XI. LE LANGAGE

1. SIGNES ET DISCOURS

L'impénitent faiseur de romans rend grâces à l'inépuisable complaisance des mots, mais il néglige la présence. Le romancier
modèle, Richardson, imprime des images ; il montre et fait entendre
en faisant voir [a]. C'est une des hantises de Diderot que cette aller-
gie de l'image au discours : « Je ne suis pas venue pour vous entretenir, mais pour vous voir et pour vous écouter », dit Mme de Moni
à la Religieuse [1]. Il instituerait le roman comme une galerie de
tableaux si l'univers romanesque pouvait se soutenir et se révéler
par la génération spontanée de ses images et de ses silences, si
l'écrivain parvenait à s'affranchir absolument du discours.

André parle trop bien   Comment Diderot, si soucieux de l'image
pour un domestique [b].   aurait-il pu individualiser ses person-
                          nages par leur langage oral, leur vocabu-
laire ou la syntaxe de leurs phrases ? Bien au contraire, il charge la
différenciation par le discours, en prêtant à Jacques des termes
pédants : « engastrimute » — déjà raillé dans *les Bijoux indiscrets* —
ou « hydrophobe ». « Ah ! *hydrophobe ?* Jacques a dit *hydrophobe ?*...
Non, lecteur, non ; je confesse que le mot n'est pas de lui. Mais,
avec cette sévérité de critique-là, je vous défie de lire une scène

---

a. Les traducteurs français de Richardson n'ont-ils pas sacrifié l'image au
discours ? « Vous qui n'avez lu les ouvrages de Richardson que dans votre
élégante traduction française, et qui croyez les connaître, vous vous trompez.
Vous ne connaissez pas Lovelace ; [...] vous ne connaissez pas l'infortunée Clarisse ; vous ne connaissez pas miss Howe, sa chère et tendre miss Howe, puisque
vous ne l'avez point *vue*... » (*Éloge de Richardson, O.,* 1095.)
b. *A. T.,* VII, 112, 367.

de comédie ou de tragédie, un seul dialogue, quelque bien qu'il soit fait, sans surprendre le mot de l'auteur dans la bouche de son personnage [2]. » Maîtres, valets, aubergistes, escrocs, tous s'expriment avec une souveraine aisance. Suzanne Simonin s'entend dire par sa servante : « Mademoiselle, puisqu'il ne fallait qu'un mot pour faire le bonheur de votre père, de votre mère et le vôtre, pourquoi l'avoir différé si longtemps [3] ? »

Il n'est pas rare que le romancier se justifie de faire si bien parler son monde. Cervantès, dans une de ses *Nouvelles exemplaires,* explique à son lecteur que Rinconète savait un peu de « beau langage » pour avoir assisté son père dans la vente des bulles. Du côté de Voltaire, un invité de l'abbé de Kerkabon s'étonne avec nous, opportunément : « Je m'aperçois, monsieur l'Ingénu, [...] que vous parlez mieux français qu'il n'appartient à un Huron [a]. »

Ces interventions de l'auteur traduisent-elles le souci de sauvegarder la langue ? Chez Diderot, rien de tel. C'est toujours à l'encontre des mots que ses personnages prennent corps. Tout son effort visera donc non à accréditer le discours, mais à le neutraliser ou à le disjoindre pour affirmer l'expressivité des valeurs corporelles : gestes et mouvements, regard, inflexions de la voix. Cette expropriation du discours nous conduit à une définition nouvelle du langage.

Le discours humilié.   Je désignerai par *langage* [b] toute défaite du discours qui se solde par son élision ou sa mise en tutelle. Privée de son impunité comme de ses « effets », la phrase cesse de se déployer avec la nonchalante suffisance qui étonnait Diderot à la lecture de Fénelon.

Tandis que Voltaire aguerrit la phrase élégamment, Diderot la met à la torture : en la coupant d'expressions « naturelles » (interrogations, exclamations, interruptions, répétitions, points de suspension [c]), en multipliant les cris, les mots inarticulés, les voix

a. Voltaire, *L'Ingénu* (dans *Romans et Contes,* éd. Pléiade), 241.

b. *Langage* — mis en italique — sera toujours entendu dans ce sens.

c. Cette « éloquence naturelle » a eu son héraut, Baculard d'Arnaud, « l'auteur de France qui entend le mieux l'éloquence des points et des tirets; en cinquante pages, l'imprimerie la mieux fournie doit se trouver épuisée ». (*Correspondance littéraire,* VII, 375.)

rompues, les monosyllabes. Jamais, en effet, le discours n'affronte le corps sans dommage. Les phrases hachées, haletantes, sont le tribut payé à l'émotion et au mouvement. Diderot désorganise le discours et il l'humilie, puisque tout, désormais, peut accéder à la dignité d'un *langage :* les silences, l'oubli, la distraction, la disposition des objets, le moindre battement de cils, le désordre du corps et du vêtement. « Je m'approchai de M. Manouri, écrit la Religieuse, je le remerciai des services qu'il m'avait rendus; je tremblais, je balbutiais, je ne savais quelle reconnaissance lui promettre. Mon trouble, mon embarras, mon attendrissement, car j'étais vraiment touchée, un mélange de larmes et de joie, toute mon action lui parla beaucoup mieux que je ne l'aurais pu faire. Sa réponse ne fut pas plus arrangée que mon discours; il fut aussi troublé que moi [4]. » A Langres, en 1759, Diderot réserve le discours à son frère, le *langage* à sa sœur : « Je parlais à l'abbé, mais je ne disais mot à sœurette [5]. » Retrouvant Grimm après huit mois de séparation, il s'exprime d'autant mieux qu'il est incapable de parler : « Nous nous baisions sans mot dire, et je pleurais [6]. »

C'est ému ou troublé, sanctionné par le corps, que le discours ne peut manquer de nous affecter. Il n'a donc de prix que par ce qui l'empêche ou l'embarrasse. Quand bien même il ne nous parviendrait pas entièrement déchargé de son projet, il nous en détourne pour nous présenter d'abord une image du corps.

Fonctions du geste.   D'Alembert, rêvant et marmottant, « avait imité avec sa main droite le tube d'un microscope, et avec sa gauche, je crois, l'orifice d'un vase [7] » : le geste renforce le discours et l'élucide par l'image [a]. Ailleurs il pallie l'usure de la langue en régénérant la formulation du sentiment, en accréditant la protestation de sincérité ou de fidélité; une pression de main suffit à dissiper toute méfiance.

---

a. Dans le passage suivant, l'adjectif est systématiquement « dopé » par une pantomine épithète : « J'étais leur petit Rameau, leur joli Rameau, leur Rameau le fou, l'impertinent, l'ignorant, le paresseux... [...] Il n'y avait pas une de ces épithètes familières qui ne me valût un sourire, une caresse, un petit coup sur l'épaule, un soufflet... » (*Le Neveu de Rameau,* 18.)

Le geste accompagne le discours, à la façon d'une épithète, ou bien il y répond. Mme Desroches accuse « d'un léger mouvement d'indignation [8] » une plaisanterie de son mari. L'abbé Diderot et sa sœur, bouleversés par les propos de leur frère, « se tendirent les mains d'un côté de la table à l'autre », « se les saisirent », « se les serrèrent [9] ». Dorval plaint Rosalie, « mais c'est par *le* geste de commisération [10] ».

Dans les *Entretiens sur le Fils naturel,* Diderot recommande à l'auteur dramatique de toujours associer la pantomime au discours. Dans l'*Éloge de Richardson,* il cite des gestes aussi sublimes que des mots. De son adjection à son autonomie, le geste semble faire carrière tout en ne cessant de cumuler différents emplois d'une inégale dignité. En fait, jamais Diderot ne confierait au *langage* un simple vicariat du discours ; le geste se suffit à lui-même dans cette scène de tendresse muette où la Religieuse s'entretient avec Mme de Moni : « Je me tus, je me penchai sur mon oreiller, je lui tendis une de mes mains qu'elle prit. [...] Elle me serrait quelquefois la main avec force [11]. »

C'est à ce *langage* d'une manifeste autonomie que vont les préférences de Diderot. Devinant que les invités commençaient à s'étonner de la gravité de sa femme, Desroches « portait la main à son front et leur faisait signe que la tête de madame était un peu affectée [12] ». Le même motif revient dans une conversation du maître et de l'hôtesse : « Le maître fit un signe à l'hôtesse, sur lequel elle comprit que Jacques avait la cervelle brouillée. L'hôtesse répondit au signe du maître par un mouvement compatissant des épaules... [13] » Dans la *Lettre sur les sourds et muets,* Diderot a exalté les métaphores, tantôt traduites, tantôt inventées, de la langue des gestes. Un jour, un sourd-muet le regarde jouer aux échecs. Le tenant pour mat ou mort, « il ferma les yeux, inclina la tête, et laissa tomber ses bras [14] ». Peu après, le philosophe s'étant tiré d'affaire, mais grâce aux expédients proposés par d'autres spectateurs, le sourd-muet, par une combinaison de mouvements (doigt, lèvres, bras), lui laisse entendre qu'il aurait eu plus de mérite à ne pas consulter *le tiers, le quart et les passants.*

Cette langue, enfin, a son argot, tel le geste insolite de Gousse dans sa prison : « ... il se lève, pose son bonnet sur le lit, et à l'instant ses trois camarades de prison disparaissent [15]. »

2. JEUX DE MAINS

Il n'y a rien que les mains ne soient capables d'exprimer.

L'indifférence : « Gardeil, froidement assis dans son fauteuil, son coude appuyé sur la table et sa tête appuyée sur sa main... »

La dissimulation : Mme Simonin, la mère de la Religieuse, « pencha sa tête sur ses mains, pour [lui] dérober les mouvements violents qui se passaient en elle ».

La comédie du chevalier de Saint-Ouin : « les coudes appuyés sur la table, les poings fermés sur les yeux... »

La honte : Mme des Arcis, pendant le discours de son mari, « était restée le visage caché dans ses mains... »

La sympathie ou l'amour : « Je ne crois pas, dit Mlle de La Chaux au docteur Le Camus, qu'un cœur puisse tomber en de meilleures mains. [...] Le docteur l'écoutait, lui prenait la main... »

Le contrat de mariage : « Voilà ma main ; donnez-moi la vôtre... »

L'impatience du maître insomnieux : « Dès la pointe du jour, Jacques sentit une main qui le poussait... [16] »

Diderot a voué chacun de ses personnages au geste, mais en privilégiant Mme ***, l'hôtesse du Grand-Cerf et Jacques [a].

*Madame ***, supérieure* *de Saint-Eutrope.* Inquiète, insatisfaite ou ennuyée, elle se gratte et gesticule. Ses mains sont alors en chômage, puisque de nature impérieusement appelées à frôler, dévêtir ou rhabiller : «... elle se promenait autour de la table, posant sa main sur la tête de l'une, la renversant doucement en arrière et lui baisant le front, levant le linge de cou à une autre, plaçant sa main dessus, et demeurant appuyée sur le dos de son fauteuil ; passant à une troisième, et laissant aller sur elle une de ses mains, ou la plaçant sur sa bouche... [17] » Sa langue s'est ajustée à son *langage*. Le volume et la répétition des gestes ont commandé le choix des mots. Elle dit : petites indispositions, petits besoins, petit argent, petite amie, petits

---

a. Mentionnons encore la vieille mère de Mme de La Carlière, dont nous n'apercevons que les « deux mains sèches et tremblantes ». (O. R., 828.)

genoux, petite âme; elle distribue aussi bien de petits reproches que de petites caresses; elle donne à sœur Suzanne « un petit coup sur l'épaule », à moins qu'elle ne préfère prendre une de ses mains pour la frapper « de petits coups avec la sienne [18] ».

Diderot décrit les « doigts en fuseau et tout parsemés de fossettes » de la supérieure, les mains « petites et potelées » de la Religieuse. Il est fasciné par les mains. Elles ne se déplacent d'un pouce, qu'il ne nous en informe aussitôt. On les voit prier, administrer la discipline, broder, caresser, jouer de l'épinette, verser les boissons à la mode, entrouvrir ou claquer les portes. Elles manifestent le désir, la jalousie, l'aliénation même. Dans la communauté la plus dissolue, elles observent encore le vœu d'obéissance; synchronisées qu'elles sont avec les caprices de la supérieure, elles applaudissent le récital de la favorite ou jettent par les fenêtres les bouteilles de liqueur. La douceur et les contradictions de Saint-Eutrope sont entre les mains de sa supérieure.

Roman par gestes, comme l'on parle de romans par lettres, *la Religieuse* est aussi un roman du geste [a]. Sœur Suzanne elle-même, qui attache tant de prix au regard, s'avoue « née caressante » et aimant à être caressée. Pour la supérieure, le regard ne représente qu'un pis-aller ou une anticipation du geste. Le bonheur, c'est la licence de toucher. Qu'un confesseur trop austère y fasse obstacle et voilà Mme *** plongée dans le désespoir et la folie. « Allez... », dit-elle à la Religieuse qui a résolu de fuir ses caresses, « votre P. Lemoine est un *visionnaire* [19]... » Le style monastique reprend ses droits : conduites du regard, malheureux ou malveillant, et de la distance : « ... défense aux religieuses de fréquenter les unes chez les autres; [...] plus d'assemblée chez la supérieure,

a. L'épisode de Saint-Eutrope peut être regardé, du point de vue de sœur Thérèse, comme une intrigue à six mains (les rapports de la supérieure, de sœur Suzanne et de sœur Thérèse), qu'illustre, par exemple, le tableau où sœur Thérèse obtient le pardon de sa jalousie : « La pauvre petite sœur attendait à la porte; [...] elle tenait un long morceau de mousseline attaché sur un patron qui lui échappa des mains au premier pas; je le ramassai; je la pris par un bras et la conduisis à la supérieure. Elle se jeta à genoux; elle saisit une de ses mains, qu'elle baisa en poussant quelques soupirs, et en versant une larme; puis elle s'empara d'une des miennes, qu'elle joignit à celle de la supérieure, et les baisa l'une et l'autre. » (O. R., 361.)

plus de collation [20]. » Saint-Eutrope d'Arpajon est, avec sa supérieure, condamné au regard.

Les mains de l'hôtesse. Coléreuses (« une femme, les deux poings sur les côtés... »), affectueuses (caressant Nicole, la chienne, emmaillottée), autoritaires (« mais l'hôtesse, en posant le doigt sur sa bouche, leur fit signe de se taire »), distraites (elle « porte ses deux poings sur ses deux côtés, oublie qu'elle tient Nicole, la lâche, et voilà Nicole sur le carreau... »), généreuses (« C'est qu'elle se présente avec deux bouteilles de champagne, une dans chaque main... »), belles (« des mains à peindre ou à modeler »), expertes (« ce fut avec une adresse singulière qu'elle en couvrit le goulot avec le pouce »), espiègles (« en écartant son pouce un peu de côté, donne vent à la bouteille, et voilà le visage de Jacques tout couvert de mousse »), séduites (« Et en parlant ainsi, elle souriait, et en souriant, elle passait sa main sur le visage de Jacques, et lui serrait le nez... [a] »). Tiraillée par le désir, l'hôtesse retrouve dans le regard vaporeux de Jacques le souvenir des têtes qu'elle a tournées, et ce sont toujours des mains qui s'offrent à remonter le temps : « ... c'est lorsqu'on m'aurait prise entre les premiers doigts de chaque main qu'il me fallait voir [21]. »

Jacques. Dès le début du roman, l'on soupçonne les mains de Jacques de s'apparenter par leurs options à celles de la supérieure. Elles ne diffèrent que par

---

a. L'hôtesse ne pouvait mieux traduire sa sympathie naissante, qu'en faisant au nez de Jacques la même faveur qu'au museau de sa Nicole. Mais il y a, dans cette perception canine du visage, plus encore que le reflet d'une société où bêtes et gens seraient traités de la même manière. Une sorte d'*eidos* campagnard se fait jour à travers d'autres gestes de la même tonalité : « La femme avait trempé le coin de son tablier dans du vinaigre et m'en frottait le nez et les tempes. » « Et Nanon, de frotter d'eau-de-vie le nez de la chienne... » (*O. R.*, 498, 596.)

S'il est vrai que l'hôtesse parle trop bien pour une femme d'auberge, toute sa pantomime, si différente des manières de Saint-Cyr, l'intègre à son univers d'adoption.

leur approche. Les petits attouchements, les petites tapes de la supérieure, cette façon impressionniste de déguiser le véritable objectif du geste, appartiennent encore à l'étiquette ecclésiastique. Jacques procède par les voies extrêmes, tantôt sans ambages, avec la franchise d'un capitaine (« Après, j'écarte le fichu de Suzon, je lui prends la gorge, je la caresse ; [...] je la pousse sur ce bât [22]. »), tantôt par tâtonnements. Ainsi dans le grenier de Bigre :

> Je monte, je me déshabille, je lève la couverture et les draps, je tâte partout, point de Justine. [...] Justine n'étant pas dans le lit, je me doutai qu'elle était dessous. *Le bouge était tout à fait obscur.* Je me baisse, je promène mes mains, je rencontre un de ses bras, je la saisis, je la tire à moi ; elle sort de dessous la couchette en tremblant. Je l'embrasse, je la rassure, je lui fais signe de se coucher. Elle joint ses deux mains, elle se jette à mes pieds, elle serre mes genoux. Je n'aurais peut-être pas résisté à cette scène muette, si le jour l'eût éclairée ; mais lorsque les *ténèbres* ne rendent pas timide, elles rendent entreprenant. (*O. R.*, 695).

Avec dame Marguerite, il tâtonne encore, mais par feinte ignorance, sous le prétexte de l'instruction :

> Ah ! dame Marguerite, apprenez-moi, je vous prie, je vous en aurai la plus grande obligation, apprenez-moi... En la suppliant ainsi, je lui serrais les mains et elle me les serrait aussi ; je lui baisais les yeux, et elle me baisait la bouche. Cependant *il faisait tout à fait nuit.* [...] Dame Marguerite se tut ; elle reprit une de mes mains, je ne sais où elle la conduisit, mais le fait est que je m'écriai : « Il n'y a rien ! Il n'y a rien ! » (*O. R.*, 708.)

Marguerite ne dit rien. Jacques parle jusqu'à ce que, troublé à son tour, et ne sachant plus ce qu'il dit, il s'écrie, première défaite : dame Suzanne, au lieu de dame Marguerite. Le *langage* est alors tout près de triompher du discours et de la parodie, silencieusement. La comédie s'achève où éclate la vérité du plaisir.

3. L'ŒIL ÉCOUTE

Bruits et voix.   Toux, hoquet, crachements, bâillements, raclements de gorge, ronflements et reniflements, aucun des attributs de la présence ne nous aura été épargné. Nous voyons les gestes et nous entendons les bruits, les voix, les silences. Bruits de foules, de portes, de pas qui se rapprochent ou s'éloignent, tintements de verre et de vaisselle, coups de sonnette, chants et musique, aboiements ou éclats de voix.

Diderot ne s'adresse pas à l'oreille d'un sourd. N'oublions pas qu'il traite son lecteur en *auditeur,* et que narrateur, lecteur, personnages sont également présents : « Lorsqu'on fait un conte, c'est à quelqu'un qui l'écoute; et pour peu que le conte dure, il est rare que le conteur ne soit pas interrompu quelquefois par son auditeur [23]. »

Comme la présence romanesque appelle notre présence corporelle — regard, voix, oreille —, Diderot force notre attention en nous incitant à écouter [a] *avec* ses personnages : « ... je les écoutai sans mot dire... Je vous entends, vous, monsieur le marquis... Le docteur l'écoutait... Mon maître, vous ne m'écoutez pas [24]. » Avec Jacques et son maître, vous entendons « une troupe nombreuse d'hommes et de chevaux qui s'acheminaient derrière eux [25] », avec Justine apeurée nous prêtons l'oreille aux pas des Bigre, avec le narrateur nous entendons le « il ne m'aime plus » de Mlle de La Chaux. Ce que nous percevons alors, ce ne sont plus des suites de mots, mais le cortège violent de l'émotion : cris, sanglots, modulations extrêmes. Mlle de La Chaux passe du « murmure sourd » au « cri aigu », en même temps que ses yeux se ferment, se rouvrent à demi, se referment [26].

Les emportements de la voix ont pour mission première de jeter la perturbation : « ... de la maison où j'étais, rapporte Jacques, j'entendis une femme qui poussait les cris les plus aigus. Je sortis; on s'était attroupé autour d'elle [27]. » La voix puissante du Neveu arrête les passants et suspend les parties d'échecs : « Tous les pousse-bois avaient quitté leurs échiquiers et s'étaient rassemblés autour de lui. Les fenêtres du café étaient occupées, en dehors, par les passants qui s'étaient arrêtés au bruit [28]. » Diderot semble regarder le scandale comme une matière brute offerte à la générosité ou à la réflexion. Hormis les familiers, Jacques, le narrateur, le docteur Le Camus, le monde trahit les significations de la voix. Cette pauvre femme criait misère, mais Jacques est seul à délier

---

a. « S'il est au fond de l'âme du personnage qu'il introduit un sentiment secret, *écoutez* et *bien, vous entendrez un ton dissonant* qui le décèlera. » (*O.,* 1092.)

sa bourse. Le Neveu de Rameau a-t-il cessé de contrefaire l'Opéra entier pour parler, intelligemment, de l'art lyrique, « la foule qui nous environnait, ou n'entendant rien ou prenant peu d'intérêt à ce qu'il disait, parce qu'en général l'enfant comme l'homme, et l'homme comme l'enfant aime mieux s'amuser que s'instruire, s'était retirée; chacun était à son jeu; et nous étions restés seuls dans notre coin [29]. »

Voix et texte.   La voix humaine n'est peut-être assurée de la victoire que dans le ressort de l'amour ou du théâtre. « J'ai pensé quelquefois, écrit Diderot dans les *Entretiens,* que les discours des amants bien épris, n'étaient pas des choses à lire, mais des choses à entendre. Car, me disais-je, ce n'est pas l'expression " je vous aime ", qui a triomphé des rigueurs d'une prude, des projets d'une coquette, de la vertu d'une femme sensible : c'est le tremblement de voix avec lequel il fut prononcé; les larmes, les regards qui l'accompagnèrent [30]. » La présence n'est pas liée, mais reliée au texte. Si telle conversation ne résiste pas à la transcription, c'est qu'il y manque le sel des voix. Si les *Entretiens sur le Fils naturel* paraissent faibles et froids en comparaison des propos de Dorval, c'est que la voix de celui-ci « avait un charme inexprimable ».

Le modèle de l'éloquence humaine? Une belle femme à la *voix touchante.* Peu importent les mots, si « les choses, *même communes,* qu'elle me fait entendre, ont encore de la douceur [31] ». Telle est la prégnance de la voix, son potentiel d'émotion ou de persuasion, qu'elle ravale le texte au prétexte. Ce serait donc lire Diderot à contresens, que de le *lire* seulement, en négligeant son souci de la dimension sonore. Nous savons par bien des témoignages [a], qu'il aimait à s'entendre parler, que le personnage du récitant (image tant émue qu'émouvante, associée aux charmes de la voix) comblait tous ses vœux, et que le roman lui semblait devoir fournir

a. Garat insiste, dans son portrait de Diderot, sur les modulations de la voix : « Il commence à parler, mais d'abord si bas et si vite, que, quoique je sois auprès de lui, quoique je le touche, j'ai peine à l'entendre et à le suivre. [...] Peu à peu sa voix s'élève et devient distincte et sonore; il était d'abord presque immobile; ses gestes deviennent fréquents et animés. » (*A. T.,* I, XXI.)

l'occasion de manifestations vocales : lecture à haute voix ou bien conversation. Diderot ne manque jamais de nous mettre en garde contre une lecture silencieuse, ou qui ne recourrait qu'aux « voix intérieures ». Ainsi le discours de Mme de La Carlière, remarquable exemple de sonorisation du texte, discours fort émouvant à la lecture, est-il pris en charge et comme détourné de sa vocation littérale par l'image solennelle et le ton emphatique. Ce discours doit être entendu, non pas lu. C'est pourquoi Mme de La Carlière est parodiée *oralement* par une de ses cousines. Mais c'est bien cette emphase qui, dans le contexte de théâtralité, subjugue les invités et détermine la cérémonie.

Silences.   Le silence ne peut avoir de vertu que dans un univers sonorisé, comme le repos dans un univers en mouvement. Kant affirme que l'ombre ne se réduit pas à un pur défaut, mais qu'elle résulte d'un obstacle à la transmission de la lumière [a] : de même le silence, chez Diderot, n'est-il jamais oisiveté, mais logorrhée négative, empêchement ou refoulement de la parole [b]. Il est infiniment dur de se taire à ceux qui goûtent, plus que tout au monde, le « plaisir délicieux de pérorer » :

> La passion de l'hôtesse pour les bêtes n'était pourtant pas sa passion dominante, comme on pourrait l'imaginer; c'était celle de parler. Plus on avait de plaisir et de patience à l'écouter, plus on avait de mérite; aussi ne se fit-elle pas prier pour reprendre l'histoire interrompue du mariage singulier; elle y mit seulement pour condition que Jacques se tairait. Le maître promit du silence pour Jacques. (*O. R.*, 597.)

Dans *la Religieuse,* le grave archidiacre, excédé par les interruptions de la supérieure, « lui imposa silence ». Mais enfin, la conversation étant devenue plus générale, « le silence pénible imposé à la supérieure cessa [32] ». Diderot distingue bien entre le silence de

a. Cf. mon introduction à l'*Essai pour introduire en philosophie le concept de grandeur négative,* Paris, Vrin, 1949, 18.
b. Fidèle à l'esprit du siècle, le chevalier de Jaucourt, dans l'*Encyclopédie,* définit le silence comme un *terme relatif :* une valeur opposée au bruit ou à la parole, de signe différent, mais valeur néanmoins.

celui qui écoute et de celui qui ne parle pas, entre le silence attentif et le silence contraint. Ne pas parler, ce n'est pas seulement se taire. Le silence de contrainte marque un assujettissement soit à la voix d'autrui, soit aux forces du corps ému. Jacques parlerait *s'il* n'était bâillonné, le Neveu parlerait *si*...

Tout à l'orée du silence, le bégaiement, le murmure, le hachage de la phrase, la voix forte des moribonds attestent une victoire autant qu'une défaite.

LE MONDE ROMANESQUE

I. INDIVIDU ET GROUPE

Le monde où nous vivons est le lieu de la scène; le fond de son drame est vrai; ses personnages ont toute la réalité possible; ses caractères sont pris du milieu de la société; [...] les traverses et les afflictions de ses personnages sont de la nature de celles qui me menacent sans cesse; il me montre le cours général des choses qui m'environnent. (O., 1090-1091.)

Le monde romanesque se distingue par sa réalité. Entendons par réalité le refus des franchises, des passe-droits, de la grâce qui, tôt ou tard, sur une scène de théâtre, réunit les bons et refoule les méchants. Le romancier *montre,* décrit. Le dramaturge, au contraire, *constitue* un univers clos toujours promis à l'apaisement ou au bonheur.

Ce parti-pris d'optimisme n'a pas échappé à l'abbé Galiani. Les Napolitains, écrit-il à Mme d'Épinay, ne ménagent pas leurs applaudissements au *Père de famille,* ce qui ne les empêche pas de juger que « le père a un peu trop de faible pour ses enfants. Les pères italiens sont infiniment plus durs que les français; et peut-être que M. d'Orbesson est aussi un peu faible pour un Français [a] ».

Bonté des pères et des fils, véracité des amis, isolement des méchants : le paysage théâtral est singulièrement engageant. Dans *le Fils naturel* comme dans *le Père de famille,* le rideau tombe sur la bénédiction du père et les délicieux tourments d'une défaite consentie : « Oh! qu'il est cruel... qu'il est doux d'être père! »

A l'encontre et à l'intention du siècle [b], ce théâtre nous est

a. *Lettres de l'abbé Galiani,* II, 9.
b. « Le père de famille! Quel sujet, dans un siècle tel que le nôtre, où il ne paraît pas qu'on ait la moindre idée de ce que c'est qu'un père de famille! » (O., 1288.) Cf. Henri Lefebvre, *Diderot,* Paris, les Éditeurs Réunis, 1949, 238 s.

présenté comme normatif et positif. En éliminant le Commandeur, *Seccatore* dur et glacé, Diderot prétend assurer par la chaleur la félicité, la fécondité, la cohésion du groupe. Entre la subversion du père, dans le sens de l'indulgence, et la révolte du fils, il choisit la première. Une fois supprimées, comme elles le furent à la représentation, les allusions aux lettres de cachet et le discours sur les infortunées qui gémissent dans le silence des couvents [a], l'auteur des *Bijoux indiscrets* pouvait paraître assagi : « Lorsque je donnai *le Père de famille,* le magistrat de la police m'exhorta à suivre ce genre [1]. »

Hélas ! je n'ai ni père ni mère... [b] Mais le roman commence où s'achève le théâtre. Aussitôt le rideau tombé, la famille, triomphante il y a un instant, se désagrège et se déshonore : c'est Suzanne Simonin, sacrifiée à ses sœurs, séquestrée dans un couvent; Mme de La Carlière, immolée dès l'âge de quatorze ans à un « vieux mari jaloux [2] »; Agathe, livrée par toute sa famille — père, mère, tante, cousins et cousines — au maître de Jacques; Mlle Duquesnoi, la d'Aisnon, promenée par sa mère chez des grands et des prélats.

Diderot n'évoque plus la famille que sous son jour le plus sombre : intransigeante, cupide, possessive. Lorsque Desroches « quitta l'Église pour la magistrature, sa famille jeta les hauts cris; et tout le sot public, qui ne manque jamais de prendre le parti des pères contre les enfants, se mit à clabauder à l'unisson [3] ». Tanié « était un de ces enfants perdus, que la dureté des parents, qui ont une famille nombreuse, chasse de la maison... [4] » Mlle de La Chaux est persécutée par les siens : « On employa et la vérité et le mensonge, pour disposer de sa liberté d'une manière infamante. Ses parents et les prêtres la poursuivirent de quartier en quartier, de maison en maison, et la réduisirent plusieurs années à vivre seule et cachée [5]. » Lorsqu'elle se trouve dans la misère, les portes de sa famille lui demeurent « opiniâtrement fermées ».

Individu et groupe s'affirment irrémédiablement incompatibles.

a. Voir *A. T.,* VII, 210, 252.
b. *O. R.,* 237.

Tout rapatriement signifierait un anéantissement. Mais il n'y a pas non plus, hors du groupe, d'aventure féconde ni d'émancipation heureuse. L'individu isolé est abandonné au destin de l'illicite [a].

La liberté dans le vide. Quelle menace représentent donc *les individus*, lorsqu'ils ne sont pas exaspérés par la misère ? Ils ne lancent d'autre défi à la Société que la pantomime de leur singularité; hostiles parce qu'étrangers, refusant de s'abîmer au sein du groupe. Le Neveu de Rameau mime l'action, la Religieuse s'étonne de n'avoir pas eu, ni d'autres non plus, l'idée de mettre le feu à son couvent. Ils regardent, ils démêlent, on les craint moins pour leurs agissements que pour leur parole et leur lucidité. Le chevalier de Saint-Ouin, de l'aveu d'un commissaire, est de cette espèce d'hommes auxquels la police laisse « la liberté du pavé », parce qu'ils semblent « plus utiles par le mal qu'ils préviennent ou qu'ils révèlent, que nuisibles par celui qu'ils font... [6] » On sanctionne négativement leur négativité : ils sont privés, éconduits, abandonnés. Jacques est bâillonné pendant les douze ans qu'il passe chez son grand-père. Pour n'avoir su tenir sa langue, le Neveu est mis à la porte. Le vide se fait autour de Desroches, de Mme de La Pommeraye : « ... elle serait morte de douleur plutôt que de promener dans le monde, après la honte de la vertu abandonnée, le ridicule d'une délaissée. [...] cet événement la condamnait à l'ennui et à la solitude [7]. »

Ces individus ne sauraient être des conquérants. La carrière d'un Rastignac ou d'un Julien Sorel suppose une organisation sociale toute différente, une hiérarchie stabilisée, l'espoir d'un établissement : mariage, fortune, pouvoir. Chez Diderot le mouvement ne prétend guère qu'à lui-même. Ses personnages sont sans assiette; à l'extrême, ils ne se révèlent que par leur instabilité. Tel l'officieux Hardouin qui, ne pouvant obliger l'un qu'en désobligeant l'autre, se condamne à la *dialectique*. Sont-ils bons ?

---

a. L'amour de Gardeil et de Mlle de La Chaux, commente Balzac, n'aura peut-être péri que « par le fait d'un mariage illicite ». (*Lettres sur la littérature,* dans l'*Œuvre de Balzac,* publiée sous la direction d'Albert Béguin, Paris, Club français du livre, 1952, t. XIV, 1133.)

Sont-ils méchants ? Dès *les Bijoux indiscrets,* Diderot avait aperçu, fourmillant dans les grandes villes, des gens « que la misère rend industrieux. Ils ne volent ni ne filoutent, mais ils sont aux filous, ce que les filous sont aux fripons. Ils savent tout, ils font tout, ils ont des secrets pour tout; ils vont et viennent; ils s'insinuent. [...] ils sont tout ce qu'il vous plaira qu'ils soient... [8] » Dans une société en pleine métamorphose, l'individu ne peut se qualifier qu'au jour le jour, négativement, par ses refus et son errance.

II. LE PRIX DE L'ARGENT

Un écu de six francs pour une nuit de Javotte, cent écus pour un cheval, neuf cent dix-sept livres dans une bourse oubliée : la vie quotidienne est jalonnée de chiffres. Jacques verse à son chirurgien vingt-quatre francs de pension par trimestre ; lorsqu'il ne lui en reste que dix-huit, sensible aux malheurs d'autrui, il offre deux gros écus, soit douze francs, à une pauvre femme qui vient d'en perdre neuf — plus qu'elle ne gagne en un mois — en trébuchant avec une cruche d'huile. Le marquis des Arcis souhaite faire aux d'Aisnon une aumône de vingt louis. Sœur Suzanne et Mlle de La Chaux reçoivent toutes deux cinquante louis, l'une de sa mère, l'autre de Mme de Pompadour. Nous suivons encore dans leur arithmétique les déboires du maître avec le chevalier de Saint-Ouin et la course ruineuse d'une lettre de change signée par un fils de famille. Diderot ne se montre jamais indifférent à l'avoir ou à l'impécuniosité de ses personnages. Gardeil n'a rien, Mlle de La Chaux n'est pas sans argent, Desroches hérite d'une « fortune immense à la mort d'un père avare[1] », M. le Pelletier se ruine pour ses pauvres, le P. Ange quitte son couvent les mains bien garnies. Compte tenu du volume de l'œuvre, les questions d'argent occupent chez Diderot une place relativement plus importante que chez Balzac. Deux romans ont pour moteur l'intérêt le plus sordide, ceux de Tanié et de Suzanne Simonin.

Ne pouvant plus suffire à l'entretien de sa maîtresse, Tanié s'embarque pour Haïti. Il y passe huit ou neuf ans. A son retour doré, la belle Alsacienne n'est encore qu'à demi satisfaite. Il devra repartir, la sérénité de sa vie domestique étant décidément conditionnée par les spéculations lointaines du capitalisme commercial : « Puisque c'est l'or que vous aimez, il faut aller vous chercher de l'or... J'ai été lui chercher la fortune dans les contrées brûlantes de l'Amérique; elle veut que j'aille la lui chercher encore au milieu des glaces du Nord [2]. »

Suzanne Simonin, enfant naturel, est enfermée dans un couvent, de crainte qu'elle ne s'avise de rogner la dot et l'héritage de ses sœurs. Vos parents, lui explique un directeur de conscience, « se sont dépouillés pour vos sœurs, et je ne vois plus ce qu'ils pourraient pour vous dans la situation étroite où ils se sont réduits. [...] Ah! mademoiselle, l'intérêt! l'intérêt! elles n'auraient point obtenu les partis considérables qu'elles ont trouvés. Chacun songe à soi dans ce monde; et je ne vous conseille pas de compter sur elles si vous venez à perdre vos parents; soyez sûre qu'on vous disputera, jusqu'à une obole, la petite portion que vous aurez à partager avec elles [3] ».

C'est par intérêt que le confesseur de la d'Aisnon vendit « le plus chèrement qu'il lui fut possible la sainteté de son ministère » et « se prêta à tout ce que le marquis voulut [4]. » Et c'est encore la cupidité qui gouverne les religieuses, « car il ne faut pas croire qu'elles s'amusent du rôle hypocrite qu'elles jouent, et des sottises qu'elles sont forcées de vous répéter; [...] mais elles s'y déterminent, et cela pour un millier d'écus qu'il en revient à leur maison. *Voilà l'objet important pour lequel elles mentent toute leur vie...* [5] »

La sournoiserie des religieuses s'excuse, au vrai, par un obscur projet de catharsis. L'argent se purifie en bouclant un circuit; ce n'est pas pour elles qu'elles amassent, mais pour leur couvent, pour l'Église, etc. Le pressentiment des maléfices de l'argent entraîne le refus de mendier pour soi, une « manière haute de solliciter la commisération » dont nous trouvons un exemple au début des *Deux Amis de Bourbonne :* « Voilà quatre petits enfants, je suis leur mère, et je n'ai plus de mari [6]. » Dans *Jacques le Fataliste,* le compère dit à l'hôte : « Je ne suis plus en état de nourrir ma fille ni mon garçon... [7] » Si tous ces personnages, légitimement ou non, apitoient à distance, et qu'ensuite ils répondent au don par la stricte politesse, le refus, ou même l'arrogance — toutes conduites de recul —, c'est qu'ils appréhendent la cherté des secours : « Celui qui, dans une cour dissolue, accepte ou sollicite des grâces, ignore le prix qu'on y mettra quelque jour [8]. » L'argent n'est pas, en effet, le terme ou le moyen d'une conquête particulière, mais l'objet de redoutables métamorphoses : il prétend à l'être, il usurpe la valeur.

La promotion à l'être est marquée par le don en nature, le repas, qui symbolise l'argent comme principe de vie. Significativement, on nourrit le pauvre, on se l'approprie en le rappelant à la vie. Déjà Usbek, dans les *Lettres Persanes* [a], aperçoit des poètes que la famine introduit dans les maisons. Le marquis des Arcis s'étonne que Mme de La Pommeraye n'invite pas à manger la jeune fille qu'il convoite. L'on connaît enfin les majeurs soucis du Neveu de Rameau : vivant au jour le jour, il s'inquiète le matin de savoir où il dînera, le soir où il soupera : « L'indigence m'a appris à m'accommoder de tout [9]. »

Disponibilité qui ne concerne le corps qu'accessoirement. Un prêtre se propose d'amener deux femmes à ses vues « par la misère ». Le Neveu de Rameau obtient son couvert sous condition : il n'ouvrira pas la bouche sans en avoir reçu la permission [b]. Il ne doit parler que pour payer son écot : « Insulter la science et la vertu pour vivre, voilà du pain bien cher [10]. » Il lui arrive toutefois, au plus sordide de sa dépendance, d'entrevoir le prix de la liberté : « Et n'est-ce pas pour avoir eu du sens commun et de la franchise un moment, que je ne sais où aller souper ce soir [11] ? » Ainsi, comme le notera Hegel dans la *Phénoménologie de l'Esprit,* la conscience voit-elle « sa personnalité comme telle dépendante de la personnalité contingente d'un autre, du hasard d'un instant, d'un caprice [c] ».

a. Montesquieu, *Lettres Persanes,* éd. Antoine Adam, Genève, Droz, 1954, 122.
b. La « bonne société », sous Louis XV, ne concevait pas la fonction verbale comme un inoffensif succédané de l'action : « C'est qu'il n'y a du danger que pour ceux qui parlent; et je me tais. » (*Jacques le Fataliste, O. R.,* p. 564.) En attendant que la République utilise la chanson ou la caricature comme un exutoire de l'énergie révolutionnaire, Diderot, dans son *Discours sur la poésie dramatique,* a imaginé le gouvernement intelligent qui se préoccuperait de neutraliser les *libertés* à la dérive : « Qu'est-ce qu'Aristophane ? Un farceur original. Un auteur de cette espèce doit être précieux pour le gouvernement, s'il sait l'employer. C'est à lui qu'il faut abandonner tous les enthousiastes qui troublent de temps en temps la société. Si on les expose à la foire, on n'en remplira pas les prisons. » (*A. T.,* VII, p. 319.)
c. Hegel, *Phénoménologie de l'esprit,* trad. Jean Hyppolite, Paris, Aubier, 1939-1941, II, 75.

L'on comprend mieux, dès lors, la vigilance du nécessiteux. Il souhaite être visé dans son indigence (celui qui n'*a* rien), non dans sa disponibilité (celui qui n'*est* rien). C'est en fait dans un univers de la disponibilité que l'argent exerce son omnipotence. « Pourquoi veut-on avoir de l'or, et puis quoi ? encore de l'or ? C'est qu'avec de l'or on a tout : de la considération, du pouvoir, des honneurs, et même de l'esprit [12]. »

Le savant, l'artiste ne sont pas mieux lotis que le Neveu. Le comte de Lauraguais enferme deux jeunes chimistes dans une maison de Sèvres en leur laissant huit jours pour faire une découverte :

> Il revient; la découverte s'est faite. On la lui communique... Il en est tout fier, même vis-à-vis de ces deux pauvres diables à qui elle appartient... (*Correspondance,* III, 324.)

Le peintre dépend d'amateurs « qui font payer au talent la protection qu'ils lui accordent », « qui l'ont condamné secrètement à la mendicité, pour le tenir esclave et dépendant; qui prêchent sans cesse la modicité de fortune comme un aiguillon nécessaire à l'artiste et à l'homme de lettres, parce que, si la fortune se réunissait une fois aux talents et aux lumières, ils ne seraient plus rien [13] ».

L'argent est redoutable par ses maléfices ou fascinant par sa puissance, mais, plus perfidement encore, il s'approprie la valeur (travail, fidélité, honneur, réputation). La femme délaissée pactise à son insu avec le monde d'argent d'où l'excluait sa pureté ou son obstination. Mlle de La Chaux évoque, parmi d'autres sacrifices, celui de sa fortune. Mme de La Carlière, se séparant d'avec son mari, lui abandonne pathétiquement la sienne : « Je n'en réclame qu'une partie suffisante pour ma subsistance étroite et celle de mon enfant [14]. » Si désintéressée que soit la vengeance de Mme de La Pommeraye, son apologie n'irait-elle pas dans le sens contraire ?

> Avez-vous un peu réfléchi sur les sacrifices que Mme de La Pommeraye avait faits au marquis ? Je ne vous dirai pas que sa bourse lui avait été ouverte en toute occasion, et que pendant plusieurs années il n'avait eu d'autre maison, d'autre table que la sienne : cela vous ferait hocher de la tête; mais elle s'était assujettie à toutes ses fantaisies, à tous ses goûts; pour lui plaire elle avait renversé le plan de sa vie. (*O. R.,* 651-652.)

Quelle commune mesure du don de sa fortune au sacrifice de sa liberté ? Ne faudrait-il pas rendre à l'argent son innocence originelle ? « Qu'avec de l'or on n'ait que les choses qui se payent, et que l'on soit privé de toutes celles qui ne s'escomptent pas [15]... »

Mais si la liberté n'est pas de l'ordre de ce qui s'escompte, elle ne s'exerce pas non plus, stoïquement, au mépris du corps : « La voix de la conscience et de l'honneur, est bien faible, lorsque les boyaux crient [16]. » Il n'y a pas de liberté possible dans l'indigence : « On permet à un enfant de disposer de sa liberté à un âge où il ne lui est pas permis de disposer d'un écu [17]. » Dans la *Réfutation*, Diderot rappelle à Helvétius que « les enfants de parents riches se choisissent plus librement un état et sont plus maîtres de suivre leur goût naturel... [18] »

Cette valeur d'émancipation, Diderot la découvre en décembre 1742-janvier 1743, au cours de son malheureux voyage de Langres. Admonesté, menacé, persécuté par sa famille, du moins n'est-il pas sans argent, « et c'est là ce qui achève de les désespérer ». Interné dans un monastère, en février 1743, il ne tarde pas à s'évader :

> J'ai assez mal vécu, parce que, ne pouvant suivre la route ordinaire, dans la crainte qu'on ne me poursuivît, je suis tombé dans des villages où j'ai à peine trouvé du pain et du vin. Mais heureusement j'ai quelque argent, dont j'avais eu soin de me pourvoir avant que de déclarer mes desseins. Je l'ai sauvé des mains de mes geôliers, en l'enfermant dans un des coins de ma chemise. (*Correspondance*, I, 43.)

Nous retrouverons après 1770, appelant des significations et une générosité nouvelles, ce pas incertain dans un paysage de misère : la campagne de *Jacques le Fataliste*. Mais Diderot, en 1743, n'éprouve la *vacance* du monde qu'à l'échelle d'un drame personnel dont il a lui-même précisé l'enjeu dans une lettre à Antoinette Champion :

> Ma mort ou ma vie dépend de l'accueil que tu me feras. Mon père est dans une fureur si grande que je ne doute point qu'il ne me déshérite, comme il m'en a menacé. Si je te perds encore, que me reste-t-il qui puisse m'arrêter dans ce monde ? (*Ibid.*, I, 43.)

III. LE PAYSAGE ÉCONOMIQUE

1. L'ANNÉE 1770

Langres et Bourbonne. Arrivés ensemble de Paris, après trente-six heures de route, Diderot et Grimm s'arrêtent sur la Promenade de Langres : « C'est là, mon ami, s'il vous en souvient, que nous avons passé quelques heures, causant de vous, de moi, de ma bonne sœur, de mon bizarre frère; nous rappelant ma fille et jetant un coup d'œil vers les douces amies que nous allions chercher [1]. » Diderot n'est pas venu en province pour son amusement. Les « affaires déplaisantes » s'accumulent en cet été de 1770. Sa brouille avec son frère, le chanoine : non seulement ils ne se raccommoderont pas, mais « la sœur et le frère, qui étaient bien ensemble, seront brouillés [2] ». Le souci du mariage prochain de sa fille avec Caroillon de Vandeul : *Madame de La Carlière* et le *Supplément au Voyage de Bougainville* y feront écho. Sa passion pour Mme de Maux, une des « douces amies » qui prennent les eaux à Bourbonne : à l'âge de cinquante-sept ans, il se voit préférer un gentilhomme de trente ans, M. de Foissy, « conduit à Bourbonne par une sciatique gagnée au service des grands [3] ». Diderot écrit, pour s'étourdir, *les Deux Amis de Bourbonne,* et l'*Entretien d'un père avec ses enfants* où frères et sœur se réconcilient dans l'imaginaire : « Nous étions assis autour de lui, devant le feu, l'abbé, ma sœur et moi [4]. » Il a mis en chantier son *Voyage à Langres* et son *Voyage à Bourbonne,* et, sinon entrepris, du moins projeté *Jacques le Fataliste. Le Neveu de Rameau* est toujours sur le métier. Mais cette année si féconde et si pénible, ce serait trahir Diderot que de n'en considérer que le labeur et les drames personnels. « Croiriez-vous bien, écrit-il à Sophie Volland (les critiques ne l'ont pas cru!), qu'au milieu de mes soucis, je n'ai pas cessé de souffrir de l'incertitude des récoltes ? Il faisait des pluies continuelles. Je voyais des champs couverts, et je ne savais si l'on recueillerait un épi. Joignez à cette idée le spectacle présent de la misère. Je commence à me rassurer depuis que je vois la terre se dépouiller; et à en juger par le soulagement que j'éprouve, il fallait que la crainte de la disette pour mes semblables entrât considérablement dans mon malaise [5]. »

C'est moi qui ai publié les Dialogues *de l'abbé Galiani...*[a] La critique littéraire néglige allègrement le paysage rural pour le paysage rustique, la misère des campagnes pour le paysage préromantique [b]. Pourtant si l'on oublie que la France comprenait, vers 1750, vingt millions de paysans sur un total de vingt-trois à vingt-quatre millions d'habitants, l'on ne s'expliquera pas que Diderot, dans l'*Encyclopédie,* ait consacré moins d'une demi-page à l'article *Conte,* mais vingt-deux pages à l'*Agriculture,* « le premier, le plus utile, le plus étendu, et peut-être le plus essentiel des arts » : « Nous nous sommes étendu sur cet objet, conclut Diderot, parce qu'il importe beaucoup aux hommes [6]. » Voltaire, dans son *Dictionnaire philosophique* [c], a parlé de la passion avec laquelle la nation française, « rassasiée de vers, [...] de romans, d'histoires romanesques, de réflexions morales plus romanesques encore, et de disputes théologiques sur la grâce et sur les convulsions, se mit enfin à raisonner sur les blés ». De 1749 à 1760, toute une secte d'économistes, les physiocrates, dont plusieurs collaboreront à l'*Encyclopédie,* réclame la liberté du commerce, tant intérieur qu'extérieur, et en particulier le principe de la libre circulation des grains. La déclaration du 25 mai 1763 et l'édit du 19 juillet 1764 semblent leur donner satisfaction, mais surtout au niveau du discours, en réhabilitant sentimentalement agriculture et cultivateur. En fait, l'édit de 1764 avait été promulgué au moment le plus défavorable: après l'abondante récolte de 1763, le cours du blé était tombé à 8 ou 10 livres le setier, « prix auquel le cultivateur ne retirait pas même

a. Diderot, *Apologie de l'abbé Galiani,* éd. Yves Benot, *La Pensée,* mai-juin 1954, 13.
b. Seul Henri Lefebvre a eu l'audace d'ouvrir son *Diderot* par un examen des problèmes agricoles au XVIIIᵉ siècle.
c. Article *Blé* ou *Bled.*

ses frais et ses dépenses ª ». De 1763 à 1770, le prix du setier de blé montera progressivement jusqu'à trente-quatre livres après les mauvaises récoltes de 1767-1768 ᵇ. C'est alors que, chez le baron d'Holbach, l'abbé Galiani médite ses *Dialogues sur le commerce des blés.* Dialogues au sens strict, comme le note Yves Benot, *parlés* avant d'être écrits, et qui marquent l'initiation de Diderot aux problèmes de son temps. « Enfin, écrit-il à Sophie Volland le 22 novembre 1768, l'abbé Galiani s'est expliqué net. Ou il n'y a rien de démontré en politique, ou il l'est que l'exportation est une folie. Je vous jure, mon amie, que personne jusqu'à présent n'a dit le premier mot de cette question. Je me suis prosterné devant lui pour qu'il publiât ses idées. Voici seulement un de ses principes : Qu'est-ce que vendre du blé ? — C'est échanger du blé contre de l'argent. — Vous ne savez ce que vous dites; c'est échanger du blé contre du blé. A présent, pouvez-vous jamais échanger avec avantage le blé que vous avez contre du blé qu'on vous vendra ? Il nous montra toutes les branches de cette loi; et elles sont immenses. Il nous expliqua la cause de la cherté présente; et nous vîmes que personne ne s'en était douté... Je ne l'ai jamais écouté de ma vie avec autant de plaisir. » Diderot est conquis. Galiani, ce trésor des jours pluvieux, fait désormais figure de prophète. Il prédit la famine prochaine, mais en prenant appui sur les détails de l'actualité, car « les théories générales et rien sont à peu près la même chose. Les économistes croyaient qu'avec quatre gros mots vagues et une douzaine de raisonnements généraux, on savait tout; et je leur ai prouvé qu'ils ne savaient rien ᶜ. »

Rappelé à Naples en mai 1769, peut-être pour avoir médit de Choiseul, Galiani laisse à Diderot le manuscrit de ses *Dialogues,* de crainte qu'il ne s'y soit glissé quelques italianismes. Diderot est alors surchargé de besognes, d'autant que Grimm, en voyage, lui a confié sa « boutique », la *Correspondance littéraire* : « L'édition de l'abbé Galiani, mes planches, la corvée de Grimm, le Salon et mes

a. Rapport de L'Averdy, présenté au roi en janvier 1768.

b. L'article VI de l'édit du 19 juillet prévoyait la suspension de la liberté d'exportation des grains et farines partout où, pendant trois marchés consécutifs, « le prix du blé serait porté à la somme de douze livres dix sous le quintal et au-dessus... » (c'est-à-dire trente livres le setier).

c. *Lettres de l'abbé Galiani,* II, 97-98.

petites affaires particulières m'accablent. Le soir, je suis quelquefois si las, que je n'ai pas la force de manger. Cela est à la lettre [a]. »
Les *Dialogues* paraissent tout au commencement de 1770. On se les
arrache comme on avait fait pour *la Nouvelle Héloïse*. Ils sont à tous
les chevets. Lorsqu'il se met en route pour Langres, Diderot est
plein de sa contribution à un ouvrage qu'il a lu, relu, révisé, corrigé
des mois durant. Dans son *Voyage à Langres,* ayant évoqué les
privilèges (affranchissement de toute *taille* et subside) dont jouissent
les habitants de la ville, il ajoute : « Je crains bien que le malheur
des temps ne les en dépouille à jamais [7]. » Autour de Langres, en
effet, les terres « sont affermées et le fermier paye le propriétaire
en denrées ; ce fermier vit au jour la journée ; d'où il arrive que si le
monopole vide les greniers du propriétaire, le fermier sent tout aussitôt toute l'horreur de la disette [8]. » Bourbonne — cinq cents feux pour
trois mille habitants — est pauvre, malgré tout ce qu'y dépensent
les malades : « L'argent ne reste pas où il est déboursé. Les terres
rapportent peu. Celles qui entourent les eaux ne sont pas la propriété
du village, qui est un lieu nouvellement fait. C'est cependant un gros
marché à grains. Je ne m'en suis pas aperçu, parce qu'on ne vend
point de grains, quand il n'y a point de grains [9]. »

En octobre 1770, Diderot s'arrête à La Briche, chez Mme d'Épinay. Sur ce séjour, une seule phrase, laconique, négligée, dans la
lettre à Mesdames et bonnes amies, du 12 octobre 1770 : « J'ai été
à la Briche, où M. Grimm et Mme d'Épinay se sont réfugiés contre
les maçons qui démolissent le pignon sur la rue de la maison
qu'occupe ou qu'occupait rue Sainte-Anne, Mme d'Épinay. » Les
lettres aux dames Volland se font plus rares, plus courtes, plus
graves : « J'ai pris en province et à la campagne, leur écrit Diderot,
un goût de retraite qui m'éloigne de toute société. Je suis là à mon
bureau, travaillant, rêvant, écrivant, pas heureux, mais mieux que je
ne serais ailleurs apparemment, puisque je souffre quand il faut
dépouiller la robe de chambre [10]. »

Il nous reste heureusement la correspondance de Mme d'Épinay
avec l'abbé Galiani, sans quoi nous ne saurions presque rien du
retour de Langres. Mme d'Épinay vient de recevoir différentes

a. Cité par Georges May, « Diderot et l'été 1769 », *Quatre visages de Diderot,*
Paris, Boivin, 1951, 108.

personnes, les unes arrivant de la province, les autres de leurs terres; les unes de la frontière, les autres de l'intérieur : « Elles ne parlent que famine, disette, monopole. Je leur ai fait tout plein de questions, et voici à peu près le résultat de ce qu'elles m'ont dit. » Si l'on regarde d'assez près ces réponses, fidèlement enregistrées par Mme d'Épinay pour le dossier de Galiani, on y reconnaîtra distinctement la voix de Diderot esquissant son *Apologie de l'abbé Galiani* :

Lettre de Mme d'Épinay :

Ces disettes de blé, réelles ou simulées, se montrent subitement, et le remède en est toujours tardif.

. . . .

Le fermier s'acquitte en denrées avec son propriétaire; le fermier paye, il vend le restant de son grain pour fournir à ses besoins; il ne garde pas même de quoi faire la semaille qu'il va chercher dans la saison au prochain marché. Pour la subsistance journalière, il vit presque au jour la journée. Il est si grevé, si pauvre (excepté dans le Béarn), qu'il ne saurait faire autrement. *Diderot m'a assuré* que ce que l'on m'avait dit là des habitants de la campagne, on pourrait, quant à

Apologie de l'abbé Galiani :

D'abord les distances sont quelquefois très considérables. Ainsi le blé sera en Lorraine à 14 livres le septier et à cinquante lieues, à vingt-cinq il sera à 24, à 30, à 36 livres, sans qu'on y en porte, et pourquoi ? C'est que l'alarme ferme les greniers de la province abondante; c'est que le blé pouvant arriver au lieu de la disette d'une infinité de côtés, il ne vient d'aucun, chacun craignant d'arriver trop tard et de perdre; c'est qu'il est très difficile de discerner une disette simulée d'une disette réelle; et que la première cesse tout à coup; c'est que les cris ne s'élèvent qu'à l'extrémité, c'est qu'alors le temps presse, parce que la faim ne souffre pas de délai...

Il y a de l'avantage à affermer tout en grain, parce qu'on a son grain presque immédiatement après la récolte; parce que le paysan paye ainsi plus facilement [...]; ce fermier, son propriétaire payé, vend tout le reste de sa récolte, il n'est pas assez pour emmagasiner; il vit au jour la journée, il achète même quelquefois pour ses semailles, tout le blé est donc dans les villes sur les greniers des propriétaires...

sa province, l'étendre à la plus grande partie des habitants de la ville. [...] D'après ce que je viens de dire, vous voyez que tout le grain des campagnes est dans les greniers d'un petit nombre d'habitants de la ville. Voici donc comment on procède pour faire mourir de faim l'habitant de la campagne, une grande partie du pauvre habitant de la ville, et même ruiner l'habitant riche ou aisé, s'il est avide. On s'adresse à ce dernier, on achète son blé à tout prix; à mesure que les achats se multiplient, le prix hausse : il faut donc acheter promptement et secrètement. Lorsque les achats sont faits, on tient les greniers fermés, et la famine naît de toutes parts; on profite tout de suite de l'effroi, du tumulte, du prix exorbitant de la denrée qui tente l'avidité du riche; on étale du blé en profusion, on le propose à un prix moyen entre celui de l'achat et celui du moment, ce qui a l'air extrêmement honnête; et tout le blé rentre dans les greniers de ceux qui l'avaient vendu. Aussitôt l'abondance reparaît, et le blé revient à son premier bas prix; on l'y laisse un moment, après lequel les achats multipliés et furtifs recommencent. Les greniers se referment, et la disette revient; et puis la répétition de la même manœuvre, en conséquence de laquelle on a vu cette année dans plusieurs villes trois disettes et trois abondances se succéder; d'où il est arrivé une chose assez singulière, c'est que des propriétaires ont été ruinés après avoir vendu trois fois de suite leur même blé à un très haut prix... [a].

. . . .
Comment la liberté illimitée remédiera-t-elle au désordre de ces effrayants monopoles ? Il a eu lieu sous mes yeux. L'enharrement [le stockage] se fait le plus rapidement et le plus secrètement qu'il est possible, on enharre à tout prix; à très bas prix d'abord, puis à un prix un peu plus haut, ensuite à un prix très haut, parce que jamais la célérité ne peut être assez prompte, ni le secret assez gardé pour que le citoyen ne profite des demandes réitérées. La disette naît, le prix du blé est extrême; alors le monopoleur expose son blé à un prix moyen entre celui de son plus haut achat et du prix extrême du marché. Les particuliers qui ont vendu, attirés par l'appât d'un gain, rachètent, le blé revient sur les mêmes greniers et la disette cesse avec le haut prix du blé; même manœuvre des monopoleurs après que l'abondance ait subsisté quelque temps : rachat, disette renouvelée, revente, et c'est ainsi que des particuliers ayant vendu leur blé jusqu'à trois fois un assez haut prix ont été presque ruinés et qu'au milieu de la lutte des cupidités du propriétaire et du monopoleur, le petit peuple a souffert des maux infinis... [b].

a. *Lettres de l'abbé Galiani*, I, 162-163.
b. *Apologie de l'abbé Galiani*, 18, 19, 20, 21.

Misère des campagnes, famine, souffrances infinies du petit peuple : telles sont donc les préoccupations de Diderot à son retour de province [a]. Il n'est pas d'œuvre, dorénavant, qui n'y fasse écho. Chômage, cherté du blé, fléchissement du salaire monétaire, âpreté au gain des propriétaires et des créanciers : *Jacques le Fataliste* offre un témoignage si peu romancé des années de misère et de la crise économique de 1770, que l'économiste même pourrait en faire son profit. L'évolution de Diderot atteste un approfondissement de l'actualité. Les allusions de l'*Apologie* à l'esthétique dramatique, ou de *Jacques* à des questions d'économie et de démographie, le flux et le reflux des mêmes préoccupations, transposées d'un livre à l'autre, abolissent l'étroite notion d'œuvre « littéraire », tout en éclairant d'un jour nouveau le « réalisme » de Diderot, son obsession des chiffres, sa passion de l'exactitude.

2. LES HABITANTS DES CAMPAGNES

Paysans.   Jacques blessé est recueilli dans une pauvre chaumière. Ses hôtes couchés, à travers la mince paroi de sa chambre il entend le paysan reprocher à sa femme une charité hors de saison : « L'année est mauvaise; à peine pouvons-nous suffire à nos besoins et aux besoins de nos enfants. Le grain est d'une cherté! Point de vin [b]! Encore si l'on

a. De toutes les misères, les plus décentes sont celles du paysan. Il bénéficie, comme le remarque Robert Mauzi, « du mythe de l'agriculture, de toutes les notions ou images de fécondité qui s'y cristallisent » (*L'Idée du bonheur dans la littérature et la pensée française au XVIIIᵉ siècle*, 166). Mais Diderot fait éclater le mythe du paysan satisfait : « Qui est-ce qui forme la population des champs ? Est-ce un petit nombre de fermiers aisés ? ou la multitude infinie de salariés misérables ? Il serait aussi absurde de juger des campagnes par les premiers que de juger de la ville par les fermiers généraux. [...] l'abbé Morellet voit toujours l'agriculture enrichir, tandis qu'elle ne met à l'aise que trois hommes pour en laisser trois cents dans la peine, les petits fermiers, les petits laboureurs et les salariés de tous. Vouloir représenter une campagne par quatre fermiers, c'est oublier la misère trop réelle de la multitude. » (*Apologie de l'abbé Galiani*, 26.)

b. Ces doléances, apparemment anodines, d'où une critique impressionniste conclurait à l'ivrognerie du pauvre, requièrent en fait une lecture attentive de l'importante *Apologie*. Combattant (*op. cit.*, 20) les « principes généraux que les Économistes avancent avec la plus belle intrépidité », Diderot se réclame des

trouvait à travailler; mais les riches se retranchent; les pauvres gens ne font rien; pour une journée qu'on emploie, on en perd quatre. Personne ne paye ce qu'il doit; les créanciers sont d'une âpreté qui désespère... [11] » Autre type de paysan : ce *compère,* maltraité puis renfloué par l'hôte du Grand-Cerf, l'un de ses créanciers. Il possède une charrue, des chevaux, des bœufs, des ustensiles. Nous avons affaire, cette fois, non plus à un prolétaire, comme le premier bienfaiteur de Jacques, mais à un de ces innombrables cultivateurs grevés de dîmes et de droits, qui se sont endettés par suite d'une mauvaise récolte. Victimes du « cercle » décrit par Labrousse [a], ayant récolté moins de grains, ils sont obligés d'acheter davantage, et à plus haut prix, pour combler le déficit de leur production domestique : « Tu es dans la misère, dit l'aubergiste au paysan, tu ne sais où prendre de quoi ensemencer tes champs; ton propriétaire, las de te faire des avances, ne te veut plus rien donner. Tu viens à moi; [...] je te prête; tu promets de me rendre; tu me manques dix fois [12]. »

Le paradoxe de ces années malheureuses, c'est la poussée démographique. La crise de 1770, contrairement à celles de 1693-1694 et de 1709, laisse un large excédent de naissances [b]. Diderot remarque dans la *Réfutation* : « Lorsque je repasse en revue la multitude et la variété des causes de la dépopulation, je suis toujours étonné que le nombre des naissances excède d'un dix-neuvième celui des morts [13]. » De cette *inconséquence* des miséreux Jacques avait été, malgré lui, le témoin, la cloison de sa chambre faisant un sort non seulement aux mots, mais aux silences :

JACQUES
Il est certain que ce mari n'était pas trop conséquent; mais il était jeune et sa femme jolie. On ne fait jamais tant d'enfants que dans les temps de misère.

---

observations suivantes : « *... on mange deux fois plus de pain en Champagne, en Bourgogne dans les disettes que dans les abondances de vin ;* en Normandie, en Picardie on en mange un tiers de plus dans les disettes que dans les abondances de fruits à cidre. Concluez de là combien l'année moyenne en blé est difficile à apprécier, puisqu'il y faut faire entrer la disette ou l'abondance des vignes, des fruits, etc. »

a. C.-E. Labrousse, *La Crise de l'économie française à la fin de l'Ancien Régime et au début de la Révolution,* P. U. F., 1944, I, 174.

b. C.-E. Labrousse, *op. cit.,* I, 183 (diagramme IX).

LE MAÎTRE

Rien ne peuple comme les gueux.

JACQUES

Un enfant de plus n'est rien pour eux, c'est la charité qui les nourrit. Et puis c'est le seul plaisir qui ne coûte rien; on se console pendant la nuit, sans frais, des calamités du jour... (*O. R.,* 511.)

Il semble que Diderot, ici et ailleurs, ait voulu discréditer certaine poésie de l'indigence, qui l'offusquait dans l'ouvrage posthume d'Helvétius. Il avait pris connaissance du livre *De l'homme* au cours de son séjour à La Haye, chez le prince de Galitzin. Plus d'une page de *Jacques le Fataliste* pourrait avoir été écrite ou retouchée parallèlement à cette lecture. Diderot, par exemple, n'affirmerait pas, avec Helvétius, qu'un ouvrier fût aussi ardent entre les bras de sa femme qu'un oisif entre les bras de sa maîtresse. « Presque tous les enfants des gens de peine, note-t-il dans la *Réfutation,* ne se font que le matin d'un dimanche ou d'une fête [14]. » Ainsi se font les enfants des hôtes de Jacques. L'hôtesse, tout près de céder, argumente encore, distraitement (« Laisse donc, l'homme; est-ce que tu es fou ? tu t'en trouveras mal ») : « Non, non, proteste l'homme, cela ne m'est pas arrivé depuis le soir de la Saint-Jean [15]. »

Mendiants et malfaiteurs. L'individu ne peut survivre qu'en s'aliénant : professionnellement, socialement, géographiquement. Demeurer, c'est mourir de faim. L'on change donc de métier, de province, de pays. Le cultivateur abandonne son champ, Tanié s'embarque pour les îles. Si l'aubergiste du Grand-Cerf n'avait fini par écouter son cœur, le *compère,* réduit à la besace, s'en serait allé mendier; son fils se serait engagé, sa fille aurait servi. Rousseau, dans son *Discours sur l'origine de l'inégalité* [a], montre « les grands chemins inondés de malheureux citoyens devenus mendiants ou voleurs » et Diderot, dans l'*Entretien d'un père avec ses enfants,* les « gens pauvres et dispersés sur les grands chemins, dans les campagnes, aux portes des églises où ils mendiaient leur vie [16] ».

a. Jean-Jacques Rousseau, *Œuvres complètes,* Paris, Hachette, 1909, I, 137.

Les uns s'endettent ou mendient, les autres échappent à la misère par le vol ou le crime. Anonymes ou notoires, les malfaiteurs sévissent dans les villes et les campagnes. Jamais les convois n'ont été si hasardeux. Jacques est assailli par trois bandits et, à la fin du livre, enrôlé de force dans la troupe de Mandrin. Tandis que La Mettrie se défend d'être un nouveau Cartouche, le banditisme fournit à l'*Entretien* un sujet de casuistique : le docteur Bissei accepterait-il de soigner Cartouche ou Nivet ? Mais surtout, Diderot distingue bien la corrélation de la misère au crime et découvre à côté d'une criminalité professionnelle une criminalité « physiologique », pour reprendre l'expression de Louis Chevalier [a].

Braconniers et contrebandiers. Il arrive que les philosophes soient aussi bien les responsables que les victimes d'une mauvaise administration [b]. Aux eaux de Bourbonne, Diderot écoute avec beaucoup d'attention le récit que lui fait Mme de Nocé des infortunes de son voisin, Helvétius, l'homme le plus malheureux à la campagne : sa terre de Voré, vingt-quatre fusils ne suffisent pas à la garder. « Ces hommes ont un petit bénéfice par chaque braconnier qu'ils arrêtent, et il n'y a sorte de vexations qu'ils ne fassent pour multiplier ce petit bénéfice. [...] Ce sont ces actes de tyrannie réitérés qui lui ont suscité des ennemis de toute espèce... [17] » Et contre qui s'exerce cette tyrannie ? « La lisière de ses bois était peuplée de malheureux retirés dans de pauvres chaumières. » « A la place d'Helvétius, ajoute Diderot, j'aurais dit : On me tue quelques lièvres, quelques lapins ; qu'on tue. Ces pauvres gens n'ont d'asile que ma forêt, qu'ils y restent [18]. »

Dans *Jacques le Fataliste,* en revanche, les braconniers sont les bienvenus, mais non par philanthropie. Jacques et son maître, mourant de faim après un long carême — eau de mare, pain noir et vin tourné — font halte le quatrième jour dans l'auberge la plus miraculeusement approvisionnée : côtelettes et canards, poulets,

a. Louis Chevalier, *Classes laborieuses et classes dangereuses à Paris pendant la première moitié du XIXe siècle,* Paris, Plon, 1958.
b. Jacques et son maître traversent « une contrée peu sûre en tout temps, et qui l'était bien moins encore alors que la mauvaise administration et la misère avaient multiplié sans fin le nombre des malfaiteurs » (O. R., 499).

pigeons, râble de lièvre, lapins, oiseaux de rivière, vin de Champagne. « J'espère, leur dit l'hôtesse, que vous aurez un bon dîner; le braconnier vient d'arriver; le garde du seigneur ne tardera pas... [19] » Le garde du seigneur, sans doute un de ces « braconniers salariés » dont il est question dans le *Voyage à Bourbonne*.

Avec *les Deux Amis de Bourbonne,* éloge de l'amitié silencieuse et agissante, Diderot écrit son martyrologe des hors-la-loi. La postérité des *Deux amis* ou des *Deux pigeons* de La Fontaine, ce sont les *Deux amis* de Saint-Lambert, de Beaumarchais, de Sellier de Moranville, de Diderot enfin. Mais à quoi bon voyager ? C'est aux *Deux amis, conte iroquois,* de Saint-Lambert, que Diderot se propose de donner la réplique. Il a trouvé à Bourbonne son Monomotapa ou son village d'Ontario. Ses personnages ne s'appellent pas Tolho et Mouza, mais tout simplement Félix et Olivier. Agacé moins par l'intrigue que par les prétentions à l'exotisme — géographique et onomastique — de Saint-Lambert, Diderot, ostensiblement, insère son histoire dans la plus immédiate modernité. Point de « grand esprit », ni de Cheriko, « sage vieillard », mais un romanesque tempéré par des noms et des emplois familiers : Coleau, le juge; M. Papin, docteur en théologie et curé de Sainte-Marie à Bourbonne; le subdélégué Aubert; M. Leclerc de Rançonnières, seigneur de Courcelles; M. Fourmont, conseiller au présidial de Chaumont; et des pauvres anonymes, comme dans les forêts d'Helvétius.

Félix et Olivier aimaient la même fille. Le jour du mariage d'Olivier, Félix « se précipita dans toutes sortes de métiers dangereux; le dernier fut de se faire contrebandier [20] ». Bourbonne, chef-lieu de délégation, frontière de la Champagne, de la Lorraine et de la Franche-Comté, était — le paysage s'y prêtait — un centre de contrebande extrêmement actif. Il y avait alors en France quatre tribunaux spécialisés dans le procès des contrebandiers : Caen, Reims, Valence, Toulouse.

> ... le plus sévère des quatre, c'est celui de Reims, où préside un nommé Coleau [a], l'âme la plus féroce que la nature ait encore formée. Félix fut pris les armes à la main, conduit devant le terrible

a. Celui-ci figure également dans le *Plan d'un Opéra comique*. On vient de découvrir, dans la boutique de Richard, des marchandises prohibées : « A la

Coleau, et condamné à mort, comme cinq cents autres qui l'avaient précédé. (*O. R.*, 782.)

Mais Olivier surgit pour délivrer Félix. Il assomme le juge, s'enfuit, est blessé à mort. La grandeur d'âme, conclut Diderot, est de toutes les conditions, et « tel meurt obscur, à qui il n'a manqué qu'un autre théâtre [21] ».

Poésie et vérité.   Wieland, Herder, Gœthe, sont sous le charme lorsque paraît, en allemand, dans le même volume que les *Idylles* de Gessner, l'édition originale des *Deux Amis de Bourbonne* et de l'*Entretien d'un père avec ses enfants.* « Les *Idylles* de Gessner sont belles, les *Contes* de Diderot plus beaux encore », écrit Herder à sa fiancée, Caroline Flachsland; celle-ci lui envoie en retour le « baiser de l'amitié fidèle ». Plus sensible au « naturisme » des *Deux Amis* qu'à la dialectique de l'*Entretien,* cette jeunesse est déjà passée de l'*Aufklärung* au *Sturm und Drang.* Son esthétique de l'enthousiasme implique un conformisme plein de suffisance, religieux et politique. L'*Encyclopédie* la fait bâiller. Les idées, la modernité de Diderot lui sont indifférentes. Peu lui chaut la férocité du juge ou la casuistique de l'abbé : « Les querelles des philosophes français avec le clergé n'avaient aucun intérêt pour nous [a]. » Les forêts de Bourbonne deviennent l'asile d'une liberté anarchiste, le lieu pittoresque d'une misère joyeusement assumée. « Ses hardis braconniers et contrebandiers nous ravissaient », écrira Gœthe dans *Dichtung und Wahrheit.* Organe du *Sturm und Drang,* les *Frankfurter gelehrte Anzeigen* du 2 juin 1772 annoncent les *Idylles* et les *Contes* comme un ouvrage indispensable « aux poètes et aux artistes, et à tous les connaisseurs du beau [b] ». Déjà l'on dissocie le philosophe d'avec le dramaturge ou le critique d'art. Un Diderot paysagiste est né. On ne méconnaît pas la modernité de l'œuvre, on l'ignore de propos délibéré. Mais alors, cette fameuse lettre de

---

douleur d'être volé se joint une frayeur mortelle d'être pris comme contre-bandier. Il voit le juge Coleau; il voit des archers. » Cf. Yves Benot, *Le Rire de Diderot, Europe,* nº 111, mars 1955.

a. Gœthe, cité par Yvon Belaval, *Le « Philosophe » Diderot, Critique,* nº 58, mars 1952, 233-234.

b. Roland Mortier, *Diderot en Allemagne,* Paris, P. U. F., 1954, 186-187.

Gœthe à Zelter — « Diderot est un individu unique... ᵃ » —, ne conviendrait-il pas d'en préciser la portée ? Aussi bien Gœthe privilégie-t-il le plan esthétique pour n'admirer en Diderot qu'une extraordinaire maîtrise. Contre les Philistins qui crient au désordre, il reconnaît dans *le Neveu* ou dans *Jacques* « une ferme volonté d'art » « un dessein très réfléchi », mais il ne se fait jamais que l'avocat des parties, sans les rapporter à l'unité de l'œuvre entière : unité de réflexion, de témoignage, de protestation ᵇ.

3. LE CHÂTEAU

Lorsque tant de ses contemporains chantent le « bonheur sous le chaume », Diderot se refuse au mythe de la campagne comme refuge. Je ne vois d'asile supportable, dans le paysage de *Jacques,* que le château, et parfois le presbytère, encore qu'il faille compter avec les curés à portion congrue. Le château apparaît comme un abri où l'on participe de la rusticité d'alentour, sans devoir renoncer à la sociabilité ni au confort. Diderot sait gré à Mme d'Holbach de lui réserver le meilleur appartement du Grandval : « Je tiens à mes aises partout, mais plus encore à la campagne qu'ailleurs ²². » Lieu délicieux, parce qu'il vous épargne la contrainte de paraître, mais scandaleux par ses privilèges. Ainsi le châtelain n'aperçoit-il le monde environnant qu'à travers l'ennui ou la lassitude du riche ᶜ : dans les regards brouillés par les excès de la veille, l'indi-

---

a. *Ibid.,* 224.

b. M. de Sartine n'est-il pas plus fidèle à Diderot lorsqu'il s'inquiète, en 1773, de l'édition française des *Contes moraux et nouvelles idylles de D*** et Salomon Gessner ?* « Le succès de vos nouvelles, écrit Meister à son compatriote Gessner, n'a pu fléchir la sévérité du censeur en faveur des Contes de notre ami. Il y a trouvé des choses fort répréhensibles et surtout fort dangereuses à lire pour les contrebandiers. Nous n'avons donc pu obtenir de M. de Sartine que la permission de vendre les exemplaires de la grande édition, en nous engageant même à ne le faire qu'avec la plus grande discrétion. Quant à la petite, il a fallu promettre de la supprimer ou de vous la renvoyer. » (Cf. Edward J. Geary, *The Composition and Publication of « Les Deux Amis de Bourbonne »*, *Diderot Studies,* I, 36.)

c. C'est le château qui procure au romancier de *Jacques* l'allégorie de l'inégalité des conditions. Jacques et son maître découvrent au frontispice d'un

gence se convertit en sobriété. Il arrive à Diderot lui-même d'envier, l'estomac excédé, le bonheur de l'ouvrier qui travaille sous sa fenêtre, mange du pain noir et se désaltère au ruisseau. Dans la *Réfutation,* c'est à Helvétius qu'il reprochera de tenir ce langage. Voyez, lui dit-il, sur la route de Versailles, d'une part des courtisans soucieux jetés dans un coin de leur voiture, d'autre part, au bord de la route, des scieurs de pierre qui chantent et mangent du pain bis : « Donc, me direz-vous, ce dernier était plus heureux que le premier ? Oui, dans ce moment-là, ce jour-là peut-être. Mais nous ne parlons ni d'un moment, ni d'un jour. Le scieur de pierre sciait la pierre tous les jours et ne chantait pas tous les jours [23]. » Pour qu'un fermier général, qui n'a jamais été en peine de son dîner, pût saisir cette vérité, ne faudrait-il pas qu'il se fît scieur de pierre ? Huit ou dix heures de scie ne manqueraient pas d'adoucir, par comparaison, les peines du courtisan. « Je sais très bien, note Diderot, que chaque état a ses disgrâces. Je lisais à quinze ans, je relisais à trente, dans Horace, que nous ne sentons bien que les peines du nôtre, et je riais et de l'avocat qui envie le sort de l'agriculteur, et de l'agriculteur qui envie le sort du commerçant, et du commerçant qui envie le sort du soldat... [24] » Le maître ne peut connaître la douleur de Jacques qu'en butant du genou contre un caillou pointu : « ... croyez, lui dit Jacques, que nous ne plaignons jamais que nous [25]. » Comment Jacques, à son tour, pourrait-il comprendre Mme de La Pommeraye ? « Jacques, vous n'avez jamais été femme, encore moins honnête femme, et vous jugez d'après votre caractère qui n'est pas celui de Mme de La Pommeraye [26] ! » Nous prétendons approcher les autres dans leurs vicissitudes sentimentales ou matérielles, alors que nous sommes si réticents à nous

---

immense château l'inscription suivante : « Je n'appartiens à personne et j'appartiens à tout le monde. Vous y étiez avant que d'y entrer, et vous y serez quand vous en sortirez. » « Ce qui choqua le plus Jacques et son maître, ce fut d'y trouver une vingtaine d'audacieux, qui s'étaient emparés des plus superbes appartements, où ils se trouvaient presque toujours à l'étroit; qui prétendaient, contre le droit commun et le vrai sens de l'inscription, que le château leur avait été légué en toute propriété; et qui, à l'aide d'un certain nombre de vauriens à leurs gages, l'avaient persuadé à un grand nombre d'autres vauriens à leurs gages, tout prêts pour une petite pièce de monnaie à pendre ou assassiner le premier qui aurait osé les contredire... » (*O. R.,* 513-514.)

souvenir des nôtres. Comment le riche comprendrait-il le pauvre, lorsque le philosophe « cossu » ne se rappelle que de mauvaise grâce le temps où il trottait sur le pavé en redingote de peluche grise ?

Autrui n'existe pas comme une évidence que l'on saisirait d'un regard. Vers les années 1770, Diderot substitue la *situation* à une participation affective qui ne saurait entamer l'injustice et les privilèges. La compréhension, à supposer qu'elle fût possible, consisterait non dans un élan de l'imagination, mais dans un échange de situations. Le pauvre serait mis au régime du riche, le riche au régime du pauvre. Mais Diderot ne se propose rien de plus que de faire éclater par l'absurde, la mauvaise foi du langage ou du sentiment. Une interversion réelle des destins ne rétablirait, en effet, qu'une justice vengeresse et instantanée qui ne modifierait aucunement l'équation de l'inégalité. Il ne s'agit pas de perpétuer, fût-ce aux dépens des oppresseurs d'aujourd'hui, l'antinomie entre le travail et l'oisiveté. Ce n'est pas l'âge d'or que Diderot souhaite ramener : « Une vie consumée à soupirer aux pieds d'une bergère n'est point du tout mon fait », affirme-t-il dans sa *Satire contre le luxe*. « Je veux que l'homme travaille. Je veux qu'il souffre. Sous un état de nature qui irait au-devant de tous ses vœux, où la branche se courberait pour approcher le fruit de sa main, il serait fainéant; et, n'en déplaise aux poètes, qui dit fainéant dit méchant [27]. » C'est pourquoi il faudrait généraliser, et, *en attendant,* humaniser le travail : « ... c'est qu'il y a beaucoup d'états dans la société qui excèdent de fatigue, qui épuisent promptement les forces et qui abrègent la vie, et quel que soit le salaire que vous attachiez au travail, vous n'empêcherez ni la fréquence ni la justice de la plainte de l'ouvrier. Avez-vous jamais pensé à combien de malheureux l'exploitation des mines, la préparation de la chaux de céruse, le transport du bois flotté, la cure des fosses causent des infirmités effroyables et donnent la mort ? [...] Les mines du Hartz recèlent dans leurs immenses profondeurs des milliers d'hommes qui connaissent à peine la lumière du soleil et qui atteignent rarement l'âge de trente ans. C'est là qu'on voit des femmes qui ont eu douze maris. [...] Combien d'ateliers dans la France même, moins nombreux, mais presque aussi funestes [28]! »

Dans cette page d'une exceptionnelle lucidité, Diderot brise deux

lances contre Rousseau. La première pour engager son procès :
« Ah! Jean-Jacques, que vous avez mal plaidé la cause de l'état
sauvage contre l'état social! » La deuxième pour l'instruire : « Si
Rousseau, au lieu de nous prêcher le retour dans la forêt, s'était
occupé à imaginer une espèce de société moitié policée et moitié
sauvage, on aurait eu, je crois, bien de la peine à lui répondre [29]. »
De fait Rousseau n'avait pas manqué de dénoncer le scandale.
Dans une note du *Discours sur l'origine de l'inégalité* [a], il énumère
« cette quantité de métiers malsains qui abrègent les jours ou
détruisent le tempérament, tels que sont les travaux des mines,
les diverses préparations des métaux, des minéraux, surtout du
plomb, du cuivre, du mercure, du cobalt, de l'arsenic, du réalgal;
ces autres métiers périlleux qui coûtent tous les jours la vie à
quantité d'ouvriers, les uns couvreurs, d'autres charpentiers,
d'autres maçons, d'autres travaillant aux carrières... » Il reste
que sa description se conclut en utopie, par l'impossible retour
à la forêt primitive.

Aux rêveries de Rousseau, à son inconséquente « participation »
verbale et sentimentale, Diderot oppose une démarche rigoureuse
où l'on distingue trois moments : révolte, enquête, remèdes.

Tout d'abord une révolte de la conscience devant le scandale des
privilèges et de l'inégalité sociale. Dans les *Salons* aussi bien que
dans les romans ou les contes, il proteste, chiffres à l'appui, contre le
poids des impôts — en particulier de ceux qui frappent les héri-
tages [b] — contre les frais de justice [c], la cupidité de l'État et des
particuliers [d], l'exploitation de l'homme « occupé ».

---

a. Jean-Jacques Rousseau, *op. cit.*, 136.

b. « Vous ne croirez pas cela, lecteur. Et si je vous disais qu'un limonadier,
décédé il y a quelque temps dans mon voisinage, laissa deux pauvres orphelins
en bas âge. Le commissaire se transporte chez le défunt; on appose un scellé.
On lève ce scellé, on fait un inventaire, une vente; la vente produit huit à neuf
cents francs. De ces neuf cents francs, les frais de justice prélevés, il reste deux
sous pour chaque orphelin; on leur met à chacun ces deux sous dans la main, et
on les conduit à l'hôpital. » (*O. R.*, 729.)

c. « Les frais de justice furent si énormes, qu'après la vente de la montre
et des boîtes, il s'en manquait encore cinq ou six cents francs qu'il n'y eût de
quoi tout payer. » (*O. R.*, 728.)

d. « ... pour doubler son revenu on oublie ses proches. A-t-on crié dans les
rues un édit qui promette un intérêt décuple à un capital, l'enfant de la maison

La découverte du scandale se prolonge en information. Diderot profite de son voyage à Langres pour se livrer à une enquête sur les besoins du monde agricole. C'est sur place qu'il s'informe, à Langres, à Saint-Dizier, ou encore à Deuil, en Seine-et-Oise, non loin de la Chevrette. Prenant ensuite le parti de Galiani contre l'abbé Morellet, il répudie les principes généraux témérairement avancés, les connaissances spéculatives, les difficultés théoriquement aplanies. Qu'est-ce que les raisonnements, les idées systématiques, au regard de l'expérience, des cas particuliers, des « détails infinis » ? Si Diderot se rendait à Genève, il irait interroger le syndic Pieter sur les greniers à blé : « Je croirai le syndic Pieter et j'enverrai promener le Licencé Économiste avec ses cent syllogismes. L'ouvrage d'un raisonneur n'est pas toujours l'ouvrage d'un homme qui a raison [30]. » En un mot, l'abbé Morellet s'est repu d'abstractions, alors que « pour parler pertinemment de boulangerie, il faut avoir mis la main à la pâte » : « C'est la longue expérience qui instruit, et tout homme qui écrit du commerce sans avoir acheté ou vendu une épingle, tout homme qui écrit du commerce des blés sans en avoir vendu ou acheté un grain; du commerce d'argent sans avoir possédé un pouce de terre [...], s'expose à dire quelque sottise [a]. »

Toujours le monde paysan se présente à l'orée de la réflexion, car le bien-être de l'agriculture consacrerait la fortune de la nation tout entière. Mais Diderot qui découvre aussi le monde ouvrier, à une époque où la bourgeoisie ne reconnaissait que des pauvres, affirme la solidarité de l'agriculture, du commerce et de l'industrie. Dans l'*Apologie,* il va jusqu'à décrire, ce que n'avaient fait ni Morellet ni Galiani, le passage d'une civilisation rurale à une civilisation industrielle :

> Les manufactures ne donneront pas sans doute la première naissance à l'agriculture, car il faut être et manger avant que de s'industrier; mais une fois l'industrie produite, c'est elle qui fortifiera, étendra la manufacture.

---

pâlit; l'héritier frémit ou pleure; ces masses d'or qui lui étaient destinées vont se perdre dans le fisc public, et avec elles l'espérance d'une opulence à venir. » (*A. T.*, XI, 92-93.)

a. *Apologie de l'abbé Galiani,* 14-15. Diderot avait lui-même hérité de son père quelques terres et vignobles.

. . . .

Manufacture, agriculture, mouvement circulaire, où la première impulsion est venue presque conjointement de l'agriculture et de l'industrie, mais qui est accéléré non plus par l'agriculture, mais par la manufacture, qui pousse sans cesse en détruisant, et dont c'est là tout l'effet. Point de valets s'il n'y a point de maîtres. Si la manufacture ne détruisait pas, quel besoin aurait-on de réparations ? (*Ibid.*, 29.)

Il n'est pas vrai, enfin, qu'il ne tire aucune conséquence politique ni sociale [a] de la situation historique nouvelle. Tout au plus s'exprime-t-il avec une prudence extrême, de crainte de se laisser entraîner, comme Jean-Jacques, en marge de l'Histoire, par une conviction intime trop enveloppée de poésie. La circonspection de Diderot est d'un disciple de Galiani : elle se traduit curieusement par la manie des petites réfutations [b] :

(Helvétius) *dit :* L'éducation fait tout. *Dites :* L'éducation fait beaucoup. *Il dit :* L'organisation ne fait rien. *Dites :* L'organisation fait moins qu'on ne pense. (*A. T.*, II, 356.)

Dans tous les domaines Diderot multiplie les nuances, à l'encontre, parfois, de ce qu'il avait lui-même soutenu, soit qu'il ait depuis approfondi son époque, soit que les temps aient changé. Dans l'essai *Sur les femmes,* il observait : « La femme, hystérique dans la jeunesse, se fait dévote dans l'âge avancé... [31] » Helvétius confirme : « Nos femmes atteignent-elles un certain âge... ? elles se font dévotes », et Diderot de remarquer : « Il me semble que cet usage commence à tomber... [32] » Dans une lettre de 1762, à Sophie Volland, il se résignait à la mort « comme après avoir bien travaillé on désire la fin de la journée [c] ». « A mesure que la vieillesse approche, note Helvétius, l'homme est moins attaché à la terre. » « Cela est-il bien vrai ? » se demande Diderot [33]. Il

a. « Toute condition qui ne permet pas à l'homme de tomber malade sans tomber dans la misère est mauvaise.

Toute condition qui n'assure pas à l'homme une ressource dans l'âge de la vieillesse est mauvaise.

Si le petit peuple perd la perspective effroyable de l'hôpital ou s'il la voit sans en être troublé, c'est qu'il est abruti. » (*A. T.*, II, 440-441.)

b. Discussion « intérieure à Diderot lui-même », remarque Henri Lefebvre (*op. cit.,* 181).

c. Voir Charly Guyot, *op. cit.,* 177.

serait trop facile, à partir de ces exemples, de le taxer de contra-diction. Certains n'y ont pas manqué : se situant au niveau d'une opposition *logique,* pour reprendre la terminologie kantienne, tantôt ils logicisent les voix du dialogue — de sorte que la fugue paraisse contradictoire —, tantôt ils s'évertuent à faire coïncider deux moments discontinus de la pensée, et l'évolution devient inconséquence.

IV. LES PRÊTRES

Je n'aime pas les prêtres [a]. Bramines apercevant le doigt de Brama dans le caquet des « bijoux », moines de *Jacques* ou missionnaires du *Supplément,* Diderot décoche aux prêtres les épithètes les plus désobligeantes : hypocrites, cruels et implacables, inutiles et rapaces. « Le meilleur, affirme Jacques, ne vaut pas grand argent [1]. » Au contraire de l'*Aufklärer,* le philosophe des lumières se montre résolument anticlérical : « Et si vous daignez m'écouter, je serai de tous les philosophes le plus dangereux pour les prêtres, car le plus dangereux des philosophes est celui qui met sous les yeux du monarque l'état des sommes immenses que ces orgueilleux et inutiles fainéants coûtent à ses États; celui qui lui dit, comme je vous le dis, que vous avez cent cinquante mille hommes à qui vous et vos sujets payez à peu près cent cinquante mille écus par jour pour brailler dans un édifice et nous assourdir de leurs cloches... [b] » La plaidoirie de M. Manouri va dans le même sens : « Les couvents sont-ils donc si essentiels à la constitution d'un État [2] ? » Notons qu'il s'agit au premier chef d'une affaire politique, et que Diderot s'adresse au souverain en lui représentant un double manque à gagner, moral et matériel. D'une part, l'Église affaiblit l'autorité de l'État, d'autre part elle réclame immunité et privilèges, se soustrait à l'impôt et puise dans le Trésor sans jamais l'alimenter. Les chanoines de Langres, rapporte Diderot dans son *Voyage,* sont d'autant plus riches que les années sont mauvaises; leur bénéfice varie entre 2.400 et 5.000 livres de revenu, celui de l'évêque entre 95 et 100.000 livres [3].

a. *O. R.,* 712.
b. *A. T.,* IV, 35.

Bref, le prêtre a tout du pur consommateur; oisif et onéreux, il montre jusque dans ses passions un lucide appétit de conquête. C'est ainsi qu'il règne chez les Prémontrés une « politique singulière » : « On vous permet la duchesse, la marquise, la comtesse, la présidente, la conseillère, même la financière, mais point la bourgeoise; quelque jolie que soit la marchande, vous verrez rarement un prémontré dans une boutique [4]. » L'appareil religieux est si étroitement associé au monde du pouvoir et de l'argent qu'on ne s'étonne pas de voir le jeune Diderot faire rendre gorge à un carme, ce fameux frère Ange qui, ensuite, le dénonce à sa famille [a]. Dans *Jacques le Fataliste,* l'écrivain s'est vengé. Avant d'aller disparaître, comme c'était écrit, dans le tremblement de terre de Lisbonne, Ange, en fuite, jette le masque aux environs de Langres :

> Un soir que nous étions tous endormis, nous entendîmes frapper à notre porte : nous nous levons; nous ouvrons au Père Ange et à mon frère déguisés. Ils passèrent le jour suivant dans la maison; le lendemain, dès l'aube du jour, ils décampèrent. Ils s'en allaient les mains bien garnies; car Jean, en m'embrassant, me dit : « J'ai marié tes sœurs; si j'étais resté dans le couvent, deux ans de plus, ce que j'y étais, tu serais un des gros fermiers du canton... » (*O. R.,* 534-535.)

En vérité frère Ange était très heureusement parvenu, et Mme de Vandeul confirme, dans ses *Mémoires,* qu'il avait fait de son couvent la plus florissante maison de banque. Du reste Diderot lui-même, pour consommer sa vengeance, le ressuscite en un paragraphe d'économie politique consacré aux maisons de commerce :

> Vous alliez aux carmes déchaux du Luxembourg qui ont des couvents dans presque toutes les bonnes villes de l'Europe, et vous disiez au vice-procureur, le frère Ange, mon parent : « Mon frère, je voudrais faire toucher vingt mille francs à Rome, à Florence, à Madrid, à Lisbonne, à Marseille, etc.; combien me prendriez-vous ? — Tant. — Voilà mon argent. — Voilà ma lettre. » On partait avec la lettre du frère Ange, on arrivait, on était payé [b].

---

a. Mme de Vandeul, *Mémoires, A. T.,* I, xxxvi.
b. Voir Maurice Tourneux, *Diderot et Catherine II,* Paris, Calmann-Lévy, 1899, 215.

L'homme est né pour   Lorsqu'en 1765 une kyrielle de bénédic-
la société.   tins tentent d'obtenir leur sécularisation,
                  Diderot peste contre le ministère qui les
éconduit, alors que « cet exemple aurait encouragé les carmes, les
augustins à solliciter le défroc ; et sans aucune violence, la France en
moins de vingt ans aurait été délivrée d'une vermine qui la ronge,
et qui la rongera jusqu'à son extinction [5] ». Sécularisés, ces religieux se seraient rendus utiles ; car leur inutilité tient essentiellement
à leur célibat, cet « attentat contre la nature ». Le mariage n'est-il
pas « une dette que chacun doit payer à la société » ? Apprenant
que l'aumônier de Bougainville avait fait vœu de chasteté, Orou
s'étonne qu'il y ait des magistrats pour souffrir « cette espèce de
paresseux, la pire de toutes [6] ». Depuis l'*Encyclopédie* où il est rappelé
qu'aucune loi divine ne défend aux prêtres de se marier, ni aux
hommes mariés de devenir prêtres, Diderot n'a cessé de dénoncer
l'absurdité du célibat ecclésiastique. Chez les Nambouris, écrit-il à
Sophie Volland, les premières nuits d'une nouvelle mariée
reviennent aux prêtres. En août 1765, il s'entretient avec un moine
du « mal politique du célibat [7] ».

Les vœux monastiques désorganisent la cité en y légitimant le
vol, la paresse, l'esclavage. De plus ils font injure au penchant
général de la nature [8]. Pâleur, maigreur, mélancolie : les reclus
portent les stigmates de la nature outragée. Dans *la Religieuse,*
quatre nonnes perdent la raison. La réclusion se solde si communément de la sorte que, pour se débarrasser du P. Ange,
on le déclare fou [9]. Diderot dénombre tous les méfaits de
l'institution monastique : déformation des corps, aliénation
des esprits, triomphe de la cruauté et de la complicité sur
l'amour. Jamais il n'évoque de communauté religieuse sans y
associer l'idée de faction. De vieux moines tiennent conseil pour
se défaire à tout prix d'un cadet qui les humilie. De jeunes religieux,
dont Richard, l'actuel secrétaire du marquis des Arcis, jurent la
perte du P. Hudson. Ajoutons à ces exemples les factions de
Longchamp et celles de Saint-Eutrope, les unes liées à l'imagerie
du pouvoir, les autres au décousu des passions. La sainte
Mme de Moni elle-même ne parvient pas à les empêcher, tant il
est vrai que tous ces défauts sont imputables, plus qu'aux personnes,

au milieu qui les inspire. Il y a de ces aventures « qui n'arrivent que dans les couvents [10] ». Pourquoi, demande Jacques, les moines sont-ils si méchants ? « Je crois, répond le maître, que c'est parce qu'ils sont moines... [11] » Ils sont coupables quoi qu'ils fassent : criminels, s'ils observent leurs vœux; parjures, s'ils ne les observent pas : « La vie claustrale est d'un fanatique ou d'un hypocrite [12]. » Il ne suffit pas, en effet, d'un rituel ou d'une cérémonie pour suspendre comme par magie les fonctions animales : « Au contraire ne se réveillent-elles pas dans le silence, la contrainte et l'oisiveté avec une violence inconnue aux gens du monde, qu'une foule de distractions emporte? » La nature « jette l'économie animale dans un désordre auquel il n'y a plus de remède [13]. » Parjure et maladies galantes ne sont pas rares dans l'Église. Les bramines, qui fréquentent volontiers les alcôves, redoutent que des « bijoux » indiscrets ne dévoilent leur hypocrisie [14]. Parmi les religieux, les prémontrés emportent la palme : « Si ce n'était pas l'usage des amours d'aller tout nus, ils se déguiseraient en prémontrés [15]. » L'un débauche sa pénitente, l'autre la prépare aux desseins d'un soupirant. Le P. Hudson, qui a séduit une petite confiseuse de son quartier, force la porte de l'abbatiale pour prendre son plaisir dans le lit du général de l'ordre.

L'âge de la mélancolie. De ce gaspillage d'énergies et de masques Diderot tire la leçon : « ... entrer difficilement en religion, et en sortir facilement [16] ». Interdire l'état monastique avant l'âge de vingt-cinq ans, de sorte que l'on ne puisse « aliéner sa liberté avant l'âge où l'on peut aliéner son bien [17] ». Richard, sur l'ordre de son père, avait dû éprouver sa vocation et, deux ans durant, ronger son frein [a]. Est-ce trop attendre ? Richard n'a que dix-sept ans, Suzanne seize ans et demi. Dans l'admirable préambule à l'histoire du P. Hudson, le marquis des Arcis a décrit avec les accents de *René,* cet âge où une certaine

---

a. Dans *la Religieuse,* la « dureté » d'un père se manifeste dans le meilleur sens : une jeune fille doit attendre six années l'autorisation d'entrer dans les ordres. (O. R., 311-312.)

lassitude prématurée s'offre à l'adolescence comme le signe d'une
vocation :

> Il vient un moment où presque toutes les jeunes filles et les jeunes
> garçons tombent dans la mélancolie; ils sont tourmentés d'une
> inquiétude vague qui se promène sur tout, et qui ne trouve rien qui
> la calme. Ils cherchent la solitude; ils pleurent; le silence des cloîtres
> les touche [...]. Ils prennent pour la voix de Dieu qui les appelle
> à lui les premiers efforts d'un tempérament qui se développe [...].
> L'erreur ne dure pas; l'expression de la nature devient plus claire :
> on la reconnaît; et l'être séquestré tombe dans les regrets, la langueur,
> les vapeurs, la folie ou le désespoir... [a]. (O. R. 672.)

L'erreur ne dure pas, ou plutôt elle surgit d'une confrontation.
La *profonde* et factice mélancolie du cloître ne fait plus aucunement
écho à cette *douce* mélancolie où l'adolescent pouvait s'émouvoir
de sa jeunesse.

La plus cruelle satire.   Moyennant beaucoup d'ironie, de générosité ou d'aveuglement, l'on peut tou-
jours considérer Diderot comme un pionnier du roman sacerdotal
et justifier, avec toute l'onction requise, par l'inachèvement de
la *Religieuse,* la « décevante insuffisance » de ses « bons prêtres ».
Ainsi fait l'abbé Sage dans une thèse consacrée au *Bon Prêtre dans
la littérature française* [b]. Il lui suffisait pour cela de ne s'attacher qu'à
ce seul roman tout en ignorant le sens que lui prête Diderot en

a. « Le rêve des jeunes personnes dans l'état d'innocence, écrit Diderot à
peu près à la même époque, vient de l'extrémité des brins qui portent à l'origine des désirs obscurs, des inquiétudes vagues, une mélancolie dont elles
ignorent la cause; elles ne savent ce qu'elles veulent, faute d'expérience, elles
prennent cet état pour de l'inspiration, le goût de la solitude, de la retraite et de
la vie monastique. » (*Sommeil, Éléments de Physiologie, A. T.,* IX, 362.)
   La physiologie explique que la Religieuse, vocation forcée, se soit, à certains
moments, sentie appelée : « Cependant il approchait, ce temps que j'avais quelquefois hâté par mes désirs. » (O. R., 240.)
   Le 20 septembre 1760, Diderot avait écrit à Sophie Volland : « On disait
hier au soir deux choses qui m'ont frappé. La première, c'est qu'assez communément à l'âge de dix-huit ans, temps fixé pour les vœux religieux, les jeunes
personnes des deux sexes tombaient dans une mélancolie profonde. »
   b. Pierre Sage, *Le « Bon Prêtre » dans la littérature française,* d'Amadis de
Gaule *au* Génie du Christianisme, Droz, 1951, 308.

1770 comme en 1780 : « Je ne crois pas qu'on ait jamais écrit une plus effroyable satire des couvents ª. » Une satire qui n'eût pas porté si Diderot eût consenti à la caricature ᵇ. « On m'a fait de terribles menaces, écrivait-il de Langres en janvier 1743, je ne te le cèle point. Mais je t'avouerai en même temps qu'elles sont si grandes qu'elles ne m'effraient point. [...] Mais leur emportement va plus loin, et c'est là ce qui me rassure. » Pour plus d'efficace, Diderot introduit dans son roman des *résistances* : humanité de certains prêtres, sainteté d'une supérieure. Il insiste également sur la piété de sœur Suzanne : personne ne remplit plus exactement ses devoirs, elle demande à son avocat de ménager l'état religieux. Une fois seulement, il force le ton, dans une digression manifestement dirigée contre Jean-Jacques [18]. Partout ailleurs, très habilement, il charge par procuration. Mme de Moni avoue sa lassitude et son incapacité de prier. Le grand vicaire, M. Hébert, témoigne, bouleversé, de la cruauté des religieuses : « Cela est horrible. Des chrétiennes! des religieuses! des créatures humaines! cela est horrible [19]. » Ce sont des prêtres enfin qui connaissent ou reconnaissent le malheur de n'être pas appelé.

Le jardin d'acclimatation. Diderot ne s'accommode des ecclésiastiques que s'ils se rachètent par leur expérience, leur psychologie, ou qu'ils se rabattent tout bonnement sur la ligne commune, tel ce gros prieur de l'*Entretien,* qui « se connaissait mieux en bon vin qu'en morale ». Le P. Séraphin est une vocation tardive, le grand vicaire un « homme d'âge et d'expérience ». Mme de Moni « connaissait le cœur hu-

a. Lettre à Meister, citée par Georges May, *Diderot et « La Religieuse »,* 170.
b. Sartre note dans le même sens, à propos du *Silence de la mer :* « Une œuvre qui leur eût présenté les soldats allemands en 41 comme des ogres eût fait rire et manqué son but. » (*Situations,* II, 121.)
Cependant, lorsqu'il en a le loisir, Diderot pousse son anticléricalisme jusqu'au sadisme. Ainsi dans l'histoire de Jacques, de Suzon et du vicaire. Jacques, qui, d'un coup de fourche, s'est défait du vicaire, caresse Suzon sous ses yeux : « Toutes les fois que je me rappelle le petit homme criant, jurant, écumant, se débattant de la tête, des pieds, des mains, de tout le corps, et prêt à se jeter du haut du fenil en bas, au hasard de se tuer, je ne saurais m'empêcher d'en rire. » (O. R., 709.)

main [a] ». Un moine qu'il entraîne malicieusement vers un éloge de la paternité, lui paraît « galant homme et d'un esprit assez leste et point du tout enfroqué [20] ». Diderot apprécie le curé de la Chevrette pour des qualités qui ne tiennent pas précisément à son état : la franchise de sa physionomie, la mobilité de son nez, la liberté de ses propos ; il n'est, ajoute-t-il, « déplacé dans aucun sujet », pas même l'histoire d'un prêtre apostat [21]. Toutefois ce curé, c'est l'exception : ni riche, ni paillard, ni fanatique, tolérant [b]. Aussi l'hôtesse boitelle, avec Jacques, à la santé de son vieux curé, « qui n'est pas curieux, et qui n'entend que ce qu'on lui dit. [...] car c'est un bon homme qui, les dimanches et jours de fête, laisse danser les filles et les garçons... [22] » Un père plein d'indulgence au milieu de ses enfants. Mais Diderot ne veut pas de nos « stupides bigots » de prêtres, et sans doute le curé serait-il seul à obtenir sa grâce dans cet évangile imaginaire où, « aux noces de Cana, le Christ entre deux vins, un peu non-conformiste, eût parcouru la gorge d'une des filles de noce et les fesses de saint Jean, incertain s'il resterait fidèle ou non à l'apôtre au menton ombragé d'un duvet léger... [c] »

a. O., 769. — O. R., 248, 296, 258.
Il en va de même, dans *l'Ingénu* (238), de l'abbé de Kerkabon, « déjà un peu sur l'âge », « très bon ecclésiastique, aimé de ses voisins, après l'avoir été autrefois de ses voisines ».
b. Le curé est incompatible avec le moine : « It is clear that the *curé* is to Diderot the most acceptable of the Church's representatives. This is natural when one reflects that the *curé* is usually a simple, unpretentious person, not overly blessed with wealth, and that his duties, with or without insistence on points of dogma, are very close to the people. » (John Robert Loy, *Diderot's Determined Fatalist*, New York, King's Crown Press, 1950, 81.) Cf. le bon curé de Langres (*Le Rêve de d'Alembert*, 121).
c. *Essai sur la peinture*, O., 1173-1174.

V. LES MÉDECINS ET LA MÉDECINE

« Pas de livres que je lise plus volontiers que les livres de médecine... [1] » Tout Diderot atteste cette curiosité, depuis la traduction — à laquelle il assure avoir été « employé près de trois ans » — du *Dictionnaire universel de médecine et de chirurgie* de Robert James, jusqu'à *Jacques le Fataliste* et aux *Éléments de physiologie*. Non seulement il a lu et relu, la plume à la main, les huit volumes — parus à Lausanne de 1757 à 1766 — des *Elementa physiologiae corporis humani* d'Albrecht von Haller, mais il a suivi les cours de Verdier et de Mlle Biheron, « femme distinguée par son mérite anatomique ». Les maladies des autres (sa femme, Mme Legendre — sœur de Sophie Volland —, Damilaville) l'intéressent prodigieusement. A l'intention de Bordeu et de Tronchin, il dresse « une histoire suivie de moments en moments » de la maladie de Mme Legendre, « y ajoutant tout ce [qu'il savait] du tempérament et de la vie de la malade ». La correspondance de Diderot est pleine de rapports médicaux, d'ordonnances [a]. Il se tâte lui-même avec complaisance et technicité. « J'ai au-dessus du sternum, écrit-il à Grimm en mai 1759, une sensation de la largeur d'un écu, qui ressemble à la brûlure d'un fer chaud. » A Sophie Volland il décrit ses débauches de table, à Tronchin ses maux d'estomac.

« ... pas d'hommes, poursuit-il, dont la conversation soit plus intéressante pour moi que celle des médecins... [1] » A la veille du voyage de Russie, il envoie au docteur Petit une question d'anatomie et de physiologie dont la solution lui fournira « les matériaux d'un discours académique pour Pétersbourg »; « je me proposerai de démontrer aux artistes qu'ils ont besoin d'une connaissance de

a. Cf. l'introduction de Paul Vernière au *Rêve de d'Alembert*, VIII-X.

l'anatomie beaucoup plus que superficielle [2] ». Il fréquente et consulte les grands médecins de son temps : Bordeu, Tronchin, Petit, Le Camus. Il présente Bordeu à Tronchin et se félicite de leur accord sur une ordonnance délivrée à Mme Legendre. Il leur rend hommage dans son œuvre, tout en distinguant entre le talent et la générosité. Hommage parfois insolite, comme cette allusion au chirurgien Jean-Louis Petit dans *les Bijoux indiscrets : «* Le viol était sévèrement puni dans le Congo... Le coupable était condamné à perdre la partie de lui-même par laquelle il avait péché, opération cruelle dont il périssait ordinairement; celui qui la faisait y prenant moins de précaution que Petit [3]. » « C'est un grand homme que Tronchin! » d'après le marquis des Arcis. Le docteur Le Camus, sur la thérapeutique de qui Diderot fera quelques réserves dans les *Éléments de physiologie,* paraît humainement exemplaire dans *Ceci n'est pas un conte.* Bien que sans fortune, il a recueilli Mlle de La Chaux et il s'explique de sa passion pour elle « avec toute l'honnêteté, toute la sensibilité, toute la naïveté d'un enfant, toute la finesse d'un homme d'esprit [4] ». Au contraire, Gardeil, qui exercera la médecine à Toulouse, jouira, « dans la plus grande aisance, de la réputation méritée d'habile homme, et de la réputation usurpée d'honnête homme [5] ». De même Bouvard qui, dans *la Religieuse,* est médecin du couvent de Longchamp : « Cet homme est habile, à ce qu'on dit, mais il est despote, orgueilleux et dur [6]. » C'est Bouvard qui avait fait rayer Bordeu de la liste des médecins de Paris.

Bons et mauvais médecins. « Ce que je vois tous les jours de la médecine et des médecins ne me les fait pas estimer davantage », écrit Diderot à Sophie Volland en septembre 1762. Les mauvais docteurs sont des bavards [7]; ils discourent et délibèrent sans se soucier du malade, lorsqu'ils ne se targuent pas d'une guérison à laquelle ils n'ont aucune part. Mangogul ayant tourné sa bague, le bijou de Zélaïs se met à suffoquer dans sa muselière :

> Des pages coururent au palais et revinrent, les docteurs s'avançant gravement sur leurs traces; Orcotome était à leur tête. Les uns opinèrent pour la saignée, les autres pour le kermès; mais le péné-

trant Orcotome fit transporter Zélaïs dans un cabinet voisin, la visita et coupa les courroies de son caveçon. [...] Cependant le gonflement était excessif, et Zélaïs eût continué de souffrir si le sultan n'eût eu pitié de son état. [...] Zélaïs revint, et Orcotome s'attribua le miracle de cette cure. (*O. R.*, 75).

C'est précisément en 1748, l'année des *Bijoux indiscrets,* que Diderot, souhaitant réconcilier médecins et chirurgiens, lesquels formaient alors deux corporations distinctes et rivales, écrit à M. de Morand, maître en chirurgie : « ... et quand j'appellerai le Chirurgien et le Médecin, ce qui sera bientôt, je désirerai très sincèrement que, laissant à part toute discussion étrangère à mon état, ils ne soient occupés que de ma guérison. Eh quoi! n'est-ce donc pas assez d'être malade ? Faut-il encore avoir autour de soi des gens acharnés à ne se point entendre et à se contredire [8] ? » Le thème du charlatanisme reparaît dans *Jacques le Fataliste.* Des chirurgiens palabrent autour du lit de Jacques, l'un voulant lui couper la jambe, l'autre la lui conserver.

La plupart des médecins ne traitent que les maladies. Le bon médecin — disciple de Tronchin [a] — traite le malade; d'où l'importance du regard et du toucher : « On juge la maladie aux gestes, à la couleur, aux regards, au pouls, à l'état de la peau, aux urines, aux traits de la main, quand on peut la toucher, aux rêves, quand on peut les savoir [9]. » Bordeu consacre le moins de mots possible à d'Alembert malade. Il lui prend le pouls et lui tâte la peau, il le regarde : « Ce ne sera rien. [...] J'en réponds. Le pouls est bon... un peu faible... la peau moite... la respiration facile [10]. » La Religieuse raconte ainsi la visite du docteur Bouvard : « ... il me tâta le pouls et la peau; [...] Il fit quelques questions monosyllabiques sur ce qui s'était passé; il répondit : « Elle s'en tirera. » Et regardant la supérieure, à qui ce mot ne plaisait pas : « Oui, madame, lui dit-il, elle s'en tirera; la peau est bonne, la fièvre est tombée, et la vie commence à poindre dans les yeux [11]. »

a. Au sujet de Tronchin, on lit dans la *Correspondance littéraire :* « La plupart de nos médecins ne traitent que les maladies : il traitait le malade, et sa méthode avait autant de formes différentes qu'il se présentait de circonstances différentes pour en faire l'application. Peu de médecins ont vu comme lui l'influence du moral sur le physique... » (XIII, 46.)

D'inspiration hippocratique, cette médecine est d'une extrême prudence quant aux remèdes. A plusieurs reprises, Diderot s'élève contre « l'appareil de l'art de guérir » et les *remèdes absurdes*. Les grands médecins en sont économes, note-t-il dans ses *Éléments de physiologie* [a].

> « N'y a-t-il rien à lui faire ? » demande Mlle de Lespinasse à Bordeu.
> BORDEU : Rien.
> MADEMOISELLE DE LESPINASSE : Tant mieux, car il déteste les remèdes.
> BORDEU : Et moi aussi. Qu'a-t-il mangé à souper ?
> *(Le Rêve de d'Alembert, 38.)*

Jacques soignera son mal de gorge en ingurgitant au coin du feu une tisane coupée de vin blanc, thérapeutique conforme à l'*Avis au peuple sur sa santé* (1761), du médecin suisse Simon-André Tissot. Tous plus ou moins tronchinistes, les médecins de Diderot revalorisent les exercices corporels et les saines fatigues, que leurs malades *s'exténuent* dans leur jardin, ou qu'ils *tronchinent* [b], c'est-à-dire se promènent. Bordeu [c] conseille à une de ses malades « de prendre l'habit de paysanne, de bêcher la terre toute la journée, de coucher sur la paille et de vivre de pain dur [12] ». Desbrosses prescrit à Mlle Dornet « un régime propre à rétablir une machine usée par la peine et par le plaisir, [...] des aliments sains, de la distraction, de l'exercice... [13] » Le docteur Bissei, dans l'*Entretien d'un père avec ses enfants,* se contente d'ajouter et de retrancher au régime du coutelier de Langres. On ne peut, conclut Diderot, avoir confiance qu'en quelques remèdes généraux : le régime, les exercices, le temps, la nature, le sommeil. Le marquis des Arcis, s'ennuyant auprès de son ancienne maîtresse, se réclame des mêmes principes pour se retirer de bonne heure [14].

a. En mars 1760, cependant, Diderot bat en retraite devant une indigestion plus forte que de coutume : « ... il a fallu en venir aux médicaments malgré toute ma répugnance et mon tronchinisme. » (*Correspondance*, III, 26.)

b. « Puis on s'habilla à l'anglaise sans être nourrice. C'est la robe qu'on mettait pour « tronchiner », c'est-à-dire pour faire les longues promenades à pied, recommandées par le docteur Tronchin comme l'une des règles essentielles de l'hygiène. » (J. Quicherat, *Histoire du costume en France*, Paris, Hachette, 1877, 601.)

c. Cette régimomanie de Bordeu aurait, d'après Rousseau, fait plusieurs victimes, parmi lesquelles le fils de Mme de Montmorency : « ... le Médecin triompha, et l'enfant mourut de faim. » (*Œuvres complètes*, éd. Pléiade, I, 550.)

VI. LES FEMMES

Son bonheur, sa tranquillité, l'emploi de son temps lui seraient rendus : Diderot rêve à l'âge qui le délivrera des femmes. Épris de Mme de Puisieux, il envie, en 1747, dans la *Promenade du sceptique,* la sérénité de la cinquantaine : c'est Cléobule à qui les passions ne demandent plus rien. Mais l'âge serait insuffisant s'il ne s'alliait à la philosophie, ou, plus commodément encore, aux impératifs de la physiologie : « Vers la cinquantaine plus de pollution nocturne », note-t-il dans les *Éléments* [1]. Amoureux alors de Mme de Maux, Célimène vieillissante partagée entre un écuyer et un philosophe, Diderot approche de la soixantaine : « La saison du besoin est bien loin... [2] » Ne souffre-t-il vraiment pas ? Il l'affirme, mais proteste tout aussitôt de sa lassitude. Cependant les « logogryphes » adressés à Grimm attestent un douloureux désarroi devant les secrets de la féminité : « Y a-t-il une conduite pour les femmes et une conduite pour les hommes ? » « Dites-moi donc ce qu'elle est [3]. »

Différente et lointaine. En réponse à ces questions, l'essai *Sur les femmes* et les *Éléments de physiologie* [a] présentent un inventaire des particularités de la femme. Comme le remarque Henri Lefebvre [b], Diderot s'est attaché non à la diviniser, mais à la comprendre dans son organisation et ses rythmes, ses malaises [c] et ses échecs : « Plusieurs femmes mourront sans avoir

a. Voir en particulier les articles : *Fonctions animales, Feuillets et sinus gras, Matrice, Génération, Conception, Terme de l'accouchement, Fœtus, Mamelle, Action de la mère sur le fœtus* (*A. T.*, IX).
b. *Op. cit.*, 215 s.
c. Il écrit à Sophie Volland : « Et ce sein, vous laisse-t-il en repos ? [...] Et

éprouvé l'extrême de la volupté. [...] Le souverain bonheur les fuit entre les bras de l'homme qu'elles adorent. [...] Organisées tout au contraire de nous, le mobile qui sollicite en elles la volupté est si délicat, et la source en est si éloignée, qu'il n'est pas extraordinaire qu'elle ne vienne point ou qu'elle s'égare [4]. » D'où résultent, jusqu'à Tahiti, ces mésaventures du couple : « ... il arrive que la volupté se répand, se consomme et s'éteint d'un côté, lorsqu'elle commence à peine à s'élever de l'autre, et qu'ils en restent tristes tous deux [5]. »

Mais ici encore le mythe délivre ses assurances. Ni mésentente ni contretemps dans l'île [a] où le rapport de chaleur et la figure géométrique des « bijoux » décident souverainement de l'assortiment des conjoints. Pour le bonheur du couple et le bien de la société, les « bijoux » insulaires « sont de toute éternité destinés à s'agencer les uns avec les autres [6]. » L'écrou se marie avec la vis, le carré avec le parallélépipède, le cercle avec le cylindre.

Sur le continent, l'homme et la femme s'associent encore, avec plus ou moins de bonheur, comme deux êtres complémentaires. La femme n'est ni inférieure à l'homme, ni, surtout, d'une autre espèce. Ses organes correspondent aux nôtres dans leur spécificité même, et Diderot note minutieusement les indices de leur dignité :

> Érection simultanée des papilles du sein et du clitoris.
> Clitoris a des artères profondes et superficielles, telles que celles de la verge de l'homme.
> L'excrétion ou la sortie du lait demande attention de la mère comme l'émission de la semence... (*A. T.*, IX, 391, 301.)

Autre curiosité : durant la période d'allaitement, la femme, non sans plaisir, s'affranchit de l'homme, et c'est l'enfant qui joue le rôle de partenaire :

> Le nourrisson la chatouille par le téton. De là la tendresse des nourrices pour les enfants qui les chatouillent bien. [...] Toutes les mères, femmes ou animales, ne nourrissent qu'à la condition d'y trouver leur plaisir. [...] Le téton, à la longue, cesse de s'ériger pour un nourrisson, comme la verge pour une femme. Alors deux sortes de sevrages. (*A. T.*, IX, 301-302.)

---

cette indisposition périodique qui s'en va et qui reparaît ? [...] Un mot sur tout cela, s'il vous plaît. » (*Correspondance,* IV, 54-55.)
a. Il s'agit de l'île visitée par les voyageurs de Mangogul.

Ces textes ne sont pas sans rapport à l'œuvre dite littéraire, si l'infidélité de Desroches trouve sa raison suffisante dans un élément de physiologie ᵃ. Sa femme occupée à ses fonctions de nourrice, ce « fut un long et périlleux intervalle pour un jeune homme d'un tempérament ardent, et peu fait à cette espèce de régime ᵇ ».

Les pouvoirs, les bizarreries, les défauts de la femme ont pour moteur « l'organe propre à son sexe [7] ». Elle est plus fragile, et, de nature, continuement sollicitée par son corps. Pourquoi, se demande Helvétius, les femmes ont-elles si rarement du génie ? C'est, répond Diderot, à cause de leur « organisation délicate », de « leur assujettissement à une maladie périodique, à des grossesses, à des couches [8] ». Aussi méditent-elles avec moins de persévérance. Nous avons plus de raison, elles ont plus d'instinct. Diderot imagine-t-il une femme qui ne fût pas enfermée dans ces limites, mais capable à la fois de philosophie et de féminité, il n'en voit qu'une : Sophie Volland ᶜ. C'est à la campagne, au Grandval, qu'elle lui manque le plus : « Nous aurions bien des femmes, mais nous n'en voulons point, parce qu'il est trop rare que ce soient des hommes [9]. » La voici pourtant qui, à l'âge de quarante-quatre ans, s'agite pour un colifichet : « O femme, lui écrit Diderot, serez-vous toujours

a. J'ai déjà signalé (Première partie, chap. V) les digressions où Diderot saisit un prétexte biographique pour s'élever à une *vérité*. Ainsi le récit de la mort de Sénèque (*A. T.*, III, 143) fait-il écho à ce passage des *Éléments de physiologie* : « La mort par l'hémorragie des veines est rare; elles s'affaissent et le sang cesse de couler. La chaleur du bain les relâche et l'effusion reprend. Pourquoi ne pas couper les artères ? » (*A. T.*, IX, 294.)

b. *O. R.*, 822. — Commentant cette phrase (*Supplément*, CXVII), Dieck-mann s'étonne de l'observation de Diderot, qui ne lui « semble pas très bien convenir » au portrait du chevalier : « Suivant le conte, Desroches à cette époque n'était ni si jeune ni si ardent. » Notons d'une part que Desroches avait investi dans le mariage le meilleur de son tempérament (« Desroches et sa femme furent les épous les plus unis, les plus heureux », *O. R.*, 821), d'autre part qu'il pouvait fort bien être un jeune homme, c'est-à-dire un homme jeune : dans une lettre à Sophie Volland, de décembre 1765, il est question d'un jeune homme de trente ans. Or Diderot insiste sur la précocité de Desroches : il quitte l'Église pour la magistrature, « entre conseiller au Parlement *très jeune* : des circonstances favorables le conduisent *rapidement* à la grand'chambre ». Comme Jacques le Fataliste, il participe ensuite à la campagne de 1745.

c. « Homme et femme quand il lui plaît. » Voir l'introduction d'A. Babelon aux *Lettres à Sophie Volland*, 9.

femme par quelque endroit ? Jamais la fêlure que nature vous fit
ne se reprendra-t-elle entièrement [10] ? »

Femmes,   Si cruellement traitée par la nature, la
que je vous plains [a]! femme ne trouve dans la Société aucun
dédommagement à ses maux. L'homme,
en effet, s'occupe à la distraire non de sa corporéité, mais de ses
craintes et de ses appréhensions. Le galant n'envisage que la reddi-
tion d'un corps. Refusée comme conscience, la femme s'illustre à
peu de frais; elle est essentiellement ce qu'il nous plaît qu'elle soit :
« Vous mourez toutes à quinze ans [11]! » Réduite à son expression
physique (« La seule chose qu'on leur ait apprise, c'est à bien porter la feuille de figuier qu'elles ont reçue de leur première aïeule [12]. »),
ornement ou objet de jouissance, la femme n'est ni propriétaire de
son corps ni maîtresse de ses inclinations. Sa vie se déroule sous
le signe d'une contrainte et d'un assujettissement permanents.
Aliénation par la Nature : « C'est par le malaise que Nature les a
disposées à devenir mères; c'est par une maladie longue et dangereuse qu'elle leur ôte le pouvoir de l'être [13]. » Aliénation par la
Société : de l'âge de l'obéissance filiale à celui de l'obédience
conjugale, la femme ne fait que changer de tutelle sans espérer
atteindre l'âge de raison.

« On lui choisit un époux. Elle devient mère [14]. » Les parents sont
particulièrement matinaux, au xviiie siècle, pour l'établissement de
leurs filles : « ... nous sommes dans l'usage de marier des enfants
à qui l'on devrait donner des poupées [15]. » La fille aînée de
Mme de Genlis est mariée à douze ans avec M. de la Woestine; la
marquise de Mirabeau est à l'âge de treize ans veuve du marquis
de Sauvebœuf; Mme de La Carlière n'a guère que quatorze ans.
Diderot a nommé toutes les souffrances du mariage forcé :

La soumission à un maître qui lui déplaît est pour elle un supplice. J'ai vu une femme honnête frissonner d'horreur à l'approche

a. O., 986.
b. Edmond et Jules de Goncourt, *La Femme au XVIIIe siècle,* Paris, Flammarion-Fasquelle, édition définitive, I, 20.

de son époux; je l'ai vue se plonger dans le bain, et ne se croire jamais assez lavée de la souillure du devoir. (*O.*, 980.)

Et Jacques s'amuse au récit des infortunes de la d'Aisnon, obligée par sa mère d'accepter un nouvel amant tous les soirs. « Ne riez pas, lui dit l'hôtesse, c'est la plus cruelle chose. Si vous saviez le supplice quand on n'aime pas... [16] »

Toute conjugalité, chez Diderot, est promise au malheur. Du moins les veuves sont-elles encore assez jeunes pour n'envisager qu'avec répugnance un nouveau mariage. Le marquis des Arcis avait bien proposé à Mme de La Pommeraye de l'épouser, « mais cette femme avait été si malheureuse avec un premier mari, [...] qu'elle aurait mieux aimé s'exposer à toutes sortes de malheurs qu'au danger d'un second mariage [17] ». Mme de La Carlière se souvient également « des peines qu'elle avait endurées sous la tyrannie d'un premier époux [18] ». Leur situation initiale est la même : les deux femmes ont honnêtement vécu leur infériorité, et l'on comprend qu'elles hésitent à prononcer de nouveaux serments, d'autant que leurs prétendants ont jusqu'ici rivalisé d'inconstance. Le marquis s'est signalé par son « goût efféminé pour la galanterie », le chevalier par d'innombrables aventures.

La femme masquée.   Ignorée ou désirée, épousée ou délaissée, la femme semble vouée, physiquement et socialement, aux expériences de la réclusion. Elle réagit à son malheur, mais en pure perte, car ses révoltes ne lui ouvrent que les portes du rêve ou de la vengeance. Diderot a souligné parmi ces faux départs :

— La fuite dans l'imaginaire et la poésie : extases, visions, hystérisme. Dans l'extase mystique, dont les symptômes sont ceux de l'orgasme, la femme donne l'illusion d'abdiquer son corps, alors qu'elle y adhère plus intensément que jamais : « ... son essence se mêle à l'essence divine; elle se pâme; elle se meurt; sa poitrine s'élève et s'abaisse avec rapidité; ses compagnes, attroupées autour d'elle, coupent les lacets de son vêtement qui la serre [19]. »

— Les métamorphoses compensatrices : en se faisant dévote

dans l'âge avancé, la femme sublime sur le mode religieux ses disgrâces physiques.

— Les velléités insurrectionnelles dont la violence est proportionnelle à la profondeur du dépit.

— La vengeance. Mlle de La Chaux elle-même songe un instant à démasquer Gardeil en présence de son employeur, M. d'Hérouville :

> Et à quoi cela servira-t-il ? — A rien, me répondit-elle; vous avez raison. — Demain vous en seriez désolée. Laissez-lui tous ses torts... (O. R., 808.)

Le narrateur parvient à l'apaiser en lui représentant une vengeance moins spectaculaire, mais plus digne d'elle.

Blessée dans son honneur ou sa vanité, la femme est capable des plus féroces extravagances et d'un ressentiment éternel : « Qu'une femme irritée est à craindre [20] ! » Enfermée dans une *incompréhensible* souffrance, la femme trompée ou délaissée tente d'infliger à son bourreau une souffrance d'égale intensité [a]. Lorsque Mme de La Carlière « put articuler quelques paroles, elle dit : *Serait-il possible qu'il souffrît autant que moi* [21] ! » Afin de ne pas souffrir seule, Mme de La Pommeraye décide de se venger « d'une manière cruelle, d'une manière à effrayer tous ceux qui seraient tentés à l'avenir de séduire et de tromper une honnête femme [22] ».

L'embuscade s'organise entre deux pôles explosifs, sous des dehors sereins ou indifférents. Mme de La Pommeraye se conduit sur le rythme binaire qui nous était suggéré dans l'essai *Sur les femmes* : dissimulation-explosion-dissimulation-explosion.

> Plus la dame s'était contrainte en sa présence, plus sa douleur fut violente quand il fut parti. Il n'est donc que trop vrai, s'écria-t-elle, il ne m'aime plus !... (O. R., 613.)

Elle se libère, attendant pour se renfermer, que ses premières fureurs se calment, comme si le masque avait pour fonction de recouvrir l'impassibilité d'un visage. Elle simulera dès lors génialement jusqu'au jour où, son œuvre accomplie, elle pourra enfin recevoir le marquis « avec un visage où l'indignation se peignait dans toute sa force [23] ».

a. « Je souffre, mais je ne souffre pas seule. » (O. R., 633.)

Comment La Grenée, dessinant si gauchement son Armide, a-t-il pu oublier ces leçons de coquetterie ou d'artifices [24] ? Les femmes opèrent en secret. Ainsi Mme de La Carlière. Après la découverte des lettres fatales, elle « se recueillit : elle rappela ce qui lui restait de raison et de force. [...] elle mit dans ses procédés tant de réserve et d'adresse... [...] Desroches continuait donc de vivre à côté de sa femme, dans la plus entière sécurité sur le mystère de sa conduite [25] ».

Pourquoi les femmes se masquent-elles ? Par esprit de conquête ou de vengeance. Par nécessité : lorsque tout conspire contre la simplicité et l'innocence, une seconde nature se constitue dans un univers hérissé de pièges. Habile à simuler ou à deviner les autres, la femme met tous ses soins à n'être pas devinée. Mais ses masques, après tout, sont d'institution [a], comme les pièges qu'ils affrontent, et qu'ils reflètent. L'homme poursuit la femme telle qu'il l'a apprêtée, compromise entre Nature et Société, et il ne cherche pas tant à la démasquer qu'à s'assurer de la plénitude de son mystère. Car la « fausseté » des femmes n'est qu'une lettre de change tirée sur leur faiblesse ou leur dépendance, le gage le plus réconfortant de leur soumission [b].

La femme au travail. Mlle de La Chaux traduit les *Essais* de Hume, Mlle Biheron fabrique des pièces d'anatomie, Mlle Pigeon s'occupe de philosophie et de mathématiques. D'autres se font lingères ou marchandes de mode. Thérèse Levasseur est lingère et Mme Champion, veuve sans fortune, tient

a. « Tous les défauts qu'on peut leur reprocher sont l'ouvrage des hommes, de la société, et surtout d'une éducation mal entendue. Doit-on s'étonner, en effet, de les voir artificieuses, hypocrites et rusées, lorsque tous nos soins tendent à leur inspirer et à nourrir en elles des sentiments que les injustes lois d'une bienséance chimérique leur ordonnent de cacher ? » (*Correspondance littéraire*, III, 239.)

b. « Les femmes ont de la fausseté », note Montesquieu. « Cela vient de leur dépendance : plus la dépendance augmente, plus la fausseté augmente. Il en est comme des droits du Roi : plus vous les haussez, plus vous augmentez la contrebande. » Cité par Jean Starobinski, *Montesquieu par lui-même*, Paris, Éditions du Seuil, 1957, 124.

avec sa fille un commerce de dentelle et de linge. Parmi les visiteurs du *Père de famille,* Mme Papillon et sa suivante, un petit carton sous le bras. Cependant que le père magnanime accorde un délai à l'un de ses débiteurs,

> Madame Papillon et sa fille de boutique déploient sur des fauteuils, des perses, des indiennes, des satins de Hollande, etc. Cécile, tout en prenant son café, regarde, approuve, désapprouve... (*A. T.,* VII, 207.)

Le xviiie siècle faisait la part belle aux arts ménagers. On s'en convaincra en lisant les articles d'économie domestique de l'*Encyclopédie (Blanchir, Blanchissage du linge, Lingères).* Que de blanchisseuses dans la peinture et le roman : celle de Greuze — une « coquine », assure Diderot, à qui l'on ne se fierait pas —, Mme Dutour, Toinon et Marianne dans Marivaux, et la Cunégonde de *Candide* blanchissant contre son gré le linge d'un capitaine bulgare. La Religieuse évadée entre, elle aussi, au service d'une blanchisseuse :

> Je reçois le linge et je le repasse; ma journée est pénible; je suis mal nourrie, mal logée, mal couchée, mais en revanche traitée avec humanité. Le mari est cocher de place; sa femme est un peu brusque, mais bonne du reste. Je serais assez contente de mon sort, si je pouvais espérer d'en jouir paisiblement. (*O. R.,* 390.)

Certain critique [a], voyant « broder, coudre et blanchir » la Religieuse, en conclut euphoriquement à un emprunt précis : la Paméla de Richardson ne prétend-elle pas aux mêmes talents (« to flower and draw too, and to work fine with my needle ») ? Considérons plutôt le choix d'un métier comme un fait social nouveau [b], un espoir d'émancipation de la femme par le travail. « Vous ne savez pas ce que c'est que la peine, le travail, l'indigence. » « Je connais du moins le prix de la liberté », répond Suzanne Simonin au P. Séraphin [26]. Antoinette Champion, la future Mme Diderot, plutôt que d'épouser le commerçant qui demande sa main, « préférait son

a. René Taupin, Richardson, *Diderot et l'art de conter, The French Review,* vol. XII, janvier 1939, 182.
b. « Fait social nouveau ou presque nouveau : les veuves, les orphelins, les filles et les femmes abandonnées prennent un métier et ce métier peut être honnête, alors qu'auparavant elles tombaient à la charge de leur famille ou du cloître et devenaient servantes ou bien nonnes. » (Henri Lefebvre, *op. cit.,* 33.)

travail et sa liberté à un époux qu'elle n'aurait pu aimer [a] ». La femme ne peut échapper que par le travail à la réclusion familiale, conjugale ou monastique. Même mariée, elle jouit alors d'une relative liberté. Dans l'*Encyclopédie*, il est rappelé que les *Lingères* « contractent sans le consentement de leurs maris ». Craignons toutefois pour la lingère, car elle est aimante et soumise : tout le contraire de la blanchisseuse. Turcarès, le vaniteux, vient d'être dépouillé par un « bijou titré » : « Ah! s'écria-t-il douloureusement, que ne m'en tenais-je à ma petite lingère! cela m'aimait comme une folle : je la faisais si aise avec un taffetas [27]! » Et Saint-Albin, dans *le Père de famille,* s'émeut au souvenir d'une « toile dure et grossière... entre les doigts tendres et délicats de Sophie ».

La bourgeoise. La bourgeoise triomphe dans *les Bijoux indiscrets,* du jour où le caquet des « bijoux » guérit les femmes de la morgue du rang : l'utilité l'emportant sur le préjugé (modicité du prix et roture des muselières), la bourgeoise et l'aristocrate se fournissent qui chez Frénicol, qui chez Eolipile. Mais la bourgeoise trouve d'autres occasions de s'affirmer ou bien de séduire, dans la mode, la conversation ou l'amour. Pour être de bon ton, les bourgeoises de Banza se donnent des amants; l'une d'entre elles profite d'un bal masqué pour se proposer à son sultan. Encore ne s'agit-il là que de promotions particulières. C'est plus généralement à l'argent que la bourgeoise doit son admission dans le monde. Carrosses bourgeois à la porte des bals. Mariages bourgeois ou caricatures du faste. La vanité des familles multiplie les signes de la richesse. Le mariage de M. Trudon, un fabricant de chandelles, n'a d'égal que celui du duc de Chartres avec Mlle de Penthièvre. Rue Saint-Jacques, Restif de la Bretonne voit une fille de boulanger dépenser huit mille livres en robes et en bijoux. Les Simonin sont à l'étroit pour avoir trop richement doté leurs filles. L'une épouse un notaire de Corbeil, l'autre un M. Bauchon, marchand de soieries rue Quincampoix [b].

Il ne suffit pas de remarquer le chiffre d'une dot, l'ampleur d'un

a. Mme de Vandeul, *Mémoires, A. T.,* I, xxxviii.
b. *O. R.,* 237.

trousseau, le prix d'une parure. Plus révélateurs que les desseins et l'avoir de la bourgeoisie, sont l'énergie et l'appétit, les moyens et le contexte de l'ascension. Lors même qu'elle imite gauchement le beau monde, la bourgeoisie se constitue des habitudes, une manière d'être, des contradictions originales. Courtisane bourgeoise, la Reymer peut se montrer à la fois cupide et avare, « tourmentée de l'amour du faste » et humiliée d'aller à pied...[28] Déjà la bourgeoisie désigne une certaine manière d'être autant qu'un portefeuille. Fatigué des dames de qualité, Sélim encourt de temps à autre, du côté de la rue Saint-Denis, « tout le ridicule d'une aventure bourgeoise » : « ... je vis des bourgeoises que je trouvai dissimulées, fières de leur beauté, toutes grimpées sur le ton de l'honneur et presque toujours obsédées par des maris sauvages et brutaux ou certains pieds-plats de cousins qui faisaient à jours entiers les passionnés auprès de leurs cousines et qui me déplaisaient grandement : on ne pouvait les tenir seules un moment ; ces animaux survenaient perpétuellement, dérangeaient un rendez-vous et se fourraient à tout propos dans la conversation [29]. »

La femme-spectacle. Le goût pour les femmes se traduit par un petit nombre de représentations. Une étude de leur fréquence serait d'excellent enseignement ; sans jouer à l'augure ni au pédant, il s'agirait de relever tout prosaïquement les images dont Diderot lui-même se dit obsédé.

Dans l'ordre des instantanés de la fascination, les brunes l'emportent : « une brune de dix-huit ans, vive comme un petit démon... une jeune brune fort aimable... une grande brune... [30] » Et cette autre brune, à l'insoutenable tempérament, qui se voit reléguée sans appel dans la classe des courtisanes, la liqueur du thermomètre sacré étant montée jusqu'à cent quatre-vingt-dix degrés.

Pour les unes notre désir s'allume avec impatience, pour d'autres il ne s'éveille que progressivement, sur la foi d'un regard insistant et expert. Jacques, en un curieux monologue intérieur, se convainc des mérites de l'hôtesse :

L'hôtesse n'était pas de la première jeunesse ; c'était une femme grande et replète, ingambe, de bonne mine, pleine d'embonpoint, la bouche un peu grande, mais de belles dents, des joues larges, des yeux à fleur de tête, le front carré, la plus belle peau, la physionomie ouverte, vive et gaie, les bras un peu forts, mais les mains superbes, des mains à peindre ou à modeler. *Jacques la prit par le milieu du corps, et l'embrassa fortement...* (O. R., 611.)

Pas de beauté sous le boisseau. La vivacité, la santé sont requises, comme le rappelle Mme de La Pommeraye en faisant l'article au marquis des Arcis : « Voyez la *belle santé* dont elles jouissent [31]. » Le critère principal des charmes et de la santé, c'est l'embonpoint, mais il n'en faut pas trop, et Diderot regarde sans indulgence les Grâces de Boucher. Zulica a de l'esprit, « mais elle est maigre, elle n'a point de gorge, et la cuisse si décharnée, que cela fait pitié [32]. » Le souci, les vapeurs, la maladie font maigrir. La supérieure de Saint-Eutrope perd son embonpoint, Mlle de La Chaux sa santé et ses charmes. Un jour, « la belle Mme de La Carlière ne présenta plus que son squelette [33] ». Mlle Dornet, selon les redoutables prédictions de Desbrosses, risque de passer bientôt des « vapeurs à la maigreur; plus de tétons, plus de cuisses, plus de fesses. Des os, et puis encore quoi ? Des os... » Déjà le médecin turc la compare à ce qu'elle fut : « Comme cela était ferme! comme cela était rond [34]! »

Ne perdons pas de vue ces deux qualités. La rondeur du bel embonpoint n'a rien à voir, selon le Neveu de Rameau, avec « le volume de madame Bouvillon », un ornement du *Roman comique* de Scarron. « J'aime les chairs, quand elles sont belles; mais aussi trop est trop; et le mouvement est si essentiel à la matière [35]! » La beauté est faite au tour, d'où, sans doute, les embrassements répétés « par le milieu du corps ». Diderot distingue bien entre les chairs potelées et les chairs flasques. L'Agathe du maître de Jacques « est jeune, vive, blanche, grasse, potelée [a] », avec « les chairs les plus fermes ». Le *ferme* conjure aussi bien le *mou* que le *dur*. Le dur, c'est l'osseux, le lignifié, l'opaque. Mais trop d'embonpoint et de mou provoquerait une égale opacité. Or l'essentiel est de préserver la transparence. Diderot décrit les chairs belles comme une enveloppe sensible, l'écran où se projette l'incarnat du sang, le bleuté des veines et des artères.

Il n'attache pas moins d'importance au galbe des bras, à la finesse

a. O. R., 743. Dans *les Bijoux indiscrets,* ces attributs se succèdent dans le même ordre : « Ce derrière, blanc comme la neige, gras, ramassé, arrondi, joufflu, potelé... » (O. R., 44.)

et à l'expressivité des mains. En septembre 1767, dans un restaurant où il s'est fait chèrement traiter au sortir du Salon, le fameux restaurant de la rue des Poulies, ne regrette-t-il pas que l'hôtesse, si remarquable de visage, de taille et d'embonpoint, n'ait à offrir que de vilains bras et de vilaines mains ? Les bras un peu forts de l'hôtesse du Grand-Cerf ne sont pas dignes non plus de ses mains. Notons encore les « plus belles mains du monde » de la dame au cabriolet, la compagne du P. Hudson. Si toutes ces mains ont quelque chose en commun, ce n'est assurément pas l'innocence : « Ah! mon maître, les jolies mains!... C'est que ces mains-là... [...] C'est que vous les avez prises et tenues plus d'une fois à la dérobée, et qu'il n'a dépendu que d'elles que vous n'en ayez fait tout ce qu'il vous plairait. » « J'ai renoncé à l'usage de ces mains-là », déclare le P. Hudson avant de jeter le masque [36].

Les mains sont à la fois texte, activité, promesse du corps entier : Ériphile « lui tendait une main que l'impertinent Orgogli baisait comme par manière d'acquit [37] ». Le désir et la curiosité trouvent également à s'y satisfaire : Desbrosses regarde longuement *dans* la main de Mlle Dornet. Aussi Diderot ne pardonnera-t-il jamais à La Grenée la main de son Apollon. C'est en rectifiant ce mauvais tableau du Salon de 1769 — Psyché qui visite l'amour endormi —, qu'il compte, parmi tant de mains, les *mains du désir*.

VII. LE DÉSIR ET L'AMOUR

I. LA LUCIDITÉ

L'éducation du désir. Ce n'eſt pas par hasard que Diderot regarde la femme d'un œil de peintre et qu'il préfère ne conserver qu'une petite provision d'images. Le peintre, qui crée l'illusion, possède les moyens de la reconnaître et de s'en préserver le cas échéant [a]; il eſt sinon immunisé, du moins mieux armé contre les guets-apens de l'amour et les sophismes du plaisir. Diderot a indiqué, dans les *Éléments de physiologie,* ce prolongement d'une technique en hygiène :

> Je crois que les illusions de l'amour viennent de l'arbitraire des formes qui conſtituent la beauté. Plus les idées de beauté sont déterminées, moins ces illusions sont fortes. *Un peintre y eſt moins sujet que nous.* (*A. T.,* IX, 352.)

C'eſt pourquoi Montesquieu [b], lorsqu'il souhaite se déprendre, imagine les jolies femmes « comment elles seront quand elles seront laides ».

Sur le thème du désir précautionneux, Diderot raconte, et brode, l'aventure de John Wilkes. Aussitôt débarqué à Naples, Wilkes,

a. Prouſt, dans *Un amour de Swann,* décrit la démarche contraire : l'aneſthésie par l'image. Swann, dont le désir s'oriente immanquablement « dans un sens opposé à ses goûts eſthétiques », s'emploie non à déteċter ou à assumer cette incompatibilité, mais à en perdre conscience. Alors, regardant Odette de Crécy, il l'aperçoit transfiguré dans le langage d'une œuvre florentine : « Et, tandis que la vue purement charnelle qu'il avait eue de cette femme, en renouvelant perpétuellement ses doutes sur la qualité de son visage, de son corps, de toute sa beauté, affaiblissait son amour, ces doutes furent détruits, cet amour assuré, quand il eut à la place pour base les données d'une eſthétique certaine... »

Le peintre, selon Diderot, eût lucidement affronté Odette, sinon tâché d'orienter son désir à meilleur escient.

b. Voir Jean Starobinski, *op. cit.,* 42.

par les soins de ses « grisons », se met en quête d'une courtisane, italienne ou grecque, qui, par un ensemble de qualités, réponde à l'image la mieux circonscrite, la plus « diderotique » (légèreté de la mise, don de souplesse) de la beauté, voluptueux objet dans une voluptueuse demeure. C'est là qu'il la trouve, « *femme belle par admiration,* sous la parure la plus élégante et la plus légère, négligemment couchée sur un canapé, la gorge à demi nue, la tête penchée sur une de ses mains, et le coude appuyé sur un gros oreiller ». Comme Wilkes, subjugué, lui adresse les discours les plus galants, « deux bras d'albâtre viennent se reposer sur ses épaules, et une bouche vermeille comme la rose se presser sur la sienne [1] ».

Les attraits de Cypria. Lucide impitoyablement, habile à retrouver les qualités premières sous les appropriations passionnelles, le regard du peintre sait dissocier l'amour d'avec le désir, la beauté d'avec le plaisir, le sentiment d'avec ses alibis. De la beauté d'une Alsacienne à la passion d'un Tanié, qui oserait affirmer qu'il y a relation de cause à effet ? La beauté est souvent négligeable. Écoutons à ce propos, ou plutôt regardons la leçon de Cypria. Avec quels attraits n'est-elle pas parvenue à ensorceler son mari : « ... elle avait les yeux gros, la vue basse, la taille courte, le nez effilé, la bouche plate, le tour du visage coupé, les joues creuses, le front étroit, point de gorge, la main sèche et le bras décharné [2]. » Comment Gardeil a-t-il pu séduire Mlle de La Chaux ? « Un petit homme bourru, taciturne et caustique; le visage sec, le teint basané; en tout, une figure mince et chétive; laid, si un homme peut l'être avec la physionomie de l'esprit [3]. » La Deschamps n'est pas belle non plus :

> Elle a donc bien de l'esprit ? — C'est une sotte. — Ce sont donc ses talents qui vous entraînent ? — Elle n'en a qu'un. — Et ce rare, ce sublime, ce merveilleux talent ? — C'est de me rendre plus heureux entre ses bras que je ne le fus jamais entre les bras d'aucune autre femme. (*O. R.,* 801.)

L'appétit de Wilkes et l'exemple de Cypria pourraient inspirer une double hygiène de l'amour-passion. Une hygiène *préventive* : refus du hasard, quête gouvernée par une image de la beauté. Une hygiène *d'état,* toute négative, isolerait éventuellement l'admiration de l'amour. Surpris par la passion, l'on se garderait de donner dans ses sophismes.

Du reste les sophismes sont inconséquents en ceci qu'ils reviennent à superposer un langage à la déraison qui est elle-même langage. En 1766, Diderot écrit à Damilaville : « J'ai été quelquefois dans votre position. Je trouvais bien dans ma tête les mêmes sophismes que vous. Je me les proposais à moi-même et aux autres, comme vous faites ; mais je ne pouvais m'empêcher d'en sentir le faux et d'en rire. Ce qui me dépite, c'est que vous donniez sérieusement dans toutes ces subtilités-là, qui n'ont besoin que d'être traduites en d'autres termes pour devenir d'un ridicule comique. [...] Ce qui me déplaît est cet état, mi-parti de raison et de folie, c'est son incompatibilité avec le bonheur [4]. »

La lucidité du passionné, ce serait de recouvrer un suffisant d'ironie pour s'avouer son extravagance et l'assumer.

2. LA PASSION

Comment elle naît.   Ni la beauté, ni la laideur, ni l'intelligence, ni la bêtise n'entrent vraiment en jeu. Indifférente et arbitraire, valorisant ou dévalorisant selon ses propres décrets, la passion se légitime souverainement par sa seule existence. Redoutable par sa violence et son mystère, elle tombe sur nous comme l'étincelle sur un baril de poudre. Qui sait ? « Le doigt prêt à secouer sur vous ou sur moi cette fatale étincelle est peut-être levé [5]. » Mlle Dornet en fait la remarque : la passion s'introduit inopinément sur un « souris, un mot, un regard, un geste, un tour de tête, un clin d'œil, un je ne sais quoi [6] ». Un objet même, fût-ce une chemise laissée sur un meuble. C'est ainsi que s'éveille, bizarrement, l'amour de Henri III pour la princesse de Clèves, au milieu d'un bal donné par Catherine de Médicis. La princesse, incommodée par la chaleur, vient de passer une chemise fraîche. A peine a-t-elle quitté la garde-robe de la reine, que le duc d'Anjou y entre pour se recoiffer ; et de s'essuyer le visage avec le premier linge qu'il aperçoit : la chemise de Mme de Clèves. Une fois rentré dans le bal, le duc d'Anjou regarda Mme de Clèves « avec autant de surprise que s'il ne l'avait jamais vue. Son émotion était d'autant plus étonnante, que depuis six jours qu'elle était à la cour, il avait paru assez indifférent pour ces charmes qui, dans ce moment, faisaient sur son âme une impression si vive et qui dura si longtemps [a]. »

Après le hasard, l'obstacle [b]. Il suffit de refus et de délais habilement échelonnés pour que l'*intérêt* du marquis des Arcis se transforme en passion. Aussi bien toute l'activité des d'Aisnon se borne-t-elle à ne pas répondre et à se replier sur leur prétendue vertu. L'on voit également comment cette constante fin de non-recevoir dénature les propositions, de plus en plus alléchantes, du marquis. Peu importe, en effet, leur contenu particulier. Elles n'ont de valeur que par ce qui les freine, et la passion se fortifie, sans bourse délier, à chaque obstacle nouveau. Tout commence au Jardin du Roi, lorsque les deux femmes refusent de communiquer leur adresse. Lointaines ou inabordables, elles s'occupent à cultiver les qualités les plus rares, qualités observées par le marquis ou rapportées par Mme de La Pommeraye : bienséance, dignité, honnêteté, prudence, dévotion, « délicatesses scrupuleuses des âmes timorées [7] ». Dans l'espoir d'un regard ou d'une parole, en vain se plante-t-il sur leur chemin : «... elles ne m'ont seulement pas aperçu [8]... » Avec les mois, la passion s'exaspère, selon la logistique de Mme de La Pommeraye. Alors qu'il n'envisageait tout d'abord qu'une conquête au rabais — une aumône de vingt louis —, le marquis tente d'offrir aux d'Aisnon une somme considérable et les plus riches pierreries, avant d'en venir aux grands sacrifices : le partage de sa fortune et deux maisons, l'une à la ville, l'autre à la campagne. Peine perdue!

Il descendit à la porte de Mme de La Pommeraye. Elle était sortie. En rentrant elle trouva le marquis étendu dans un fauteuil, les yeux fermés, et absorbé dans la plus profonde rêverie. Ah! marquis, vous voilà ? La campagne n'a pas eu de longs charmes pour vous.
— Non, lui répondit-il, je ne suis bien nulle part, et j'arrive déterminé à la plus haute sottise qu'un homme de mon état, de mon âge et de mon caractère puisse faire. Mais il vaut mieux épouser que de souffrir. J'épouse. (O. R., 641.)

a. *Correspondance littéraire*, X, 311. Cette aventure fascinait le siècle. Balzac y fera allusion dans sa *Théorie de la démarche*.
b. Diderot distingue aussi des *terrains* favorables : l'ennui (le cœur blasé du marquis), les « âmes chaudes et les imaginations ardentes » (telle la « nature méridionale » de Gardeil, pour reprendre la définition de Balzac).

Comment elle disparaît. Une jeune femme aperçoit une pièce à la chemise de l'homme qu'elle aime, et déjà son amour s'en est allé ᵃ. D'une fenêtre complaisante, Diderot regarde s'habiller une danseuse de l'Opéra, la Lionnais, dont il était épris : « ... elle mit ses bas, prit de la craie, et effaça avec les taches de ses bas. [...] Chaque tache enlevée diminuait ma passion, et à la fin de sa toilette mon cœur fut aussi net que sa chaussure ᵇ. » Plus communément encore la passion nous quitte sans référence ni avertissement. Pourquoi Gardeil n'aime-t-il plus Mlle de La Chaux ? Il l'ignore : « Je vous ai dit que je ne vous aimais plus; [...] eh bien, mademoiselle, je ne vous aime plus. [...] tout ce que je sais, c'est que j'ai commencé sans savoir pourquoi; que j'ai cessé sans savoir pourquoi; et que je sens qu'il est impossible que cette passion revienne ⁹. » Qu'a fait Clairville pour perdre l'amour de Rosalie ? Rien : « Je l'aimais; j'ai cessé... ¹⁰ » Les mots, le langage, le remords n'y peuvent rien changer. Rosalie, désolée, s'accable de reproches et voudrait être morte. Gardeil se frapperait la tête contre les murs « qu'il n'en serait ni plus ni moins ¹¹ ». La Silvia de Marivaux ne s'observe pas différemment : « Lorsque je l'ai aimé, c'était un amour qui m'était venu; à cette heure je ne l'aime plus, c'est un amour qui s'en est allé; il est venu sans mon avis, il s'en retourne de même ᶜ. »

La passion est objet non de compréhension, mais de protocole. Elle nous surprend, on la constate, on n'entend rien à son départ.

Protocole d'innocence : « Je ne crois pas être blâmable », plaide Silvia. De même Mme de La Pommeraye, feignant de s'être détachée du marquis, prend-elle le ciel à témoin : « ... Cela s'est fait sans mon consentement, à mon insu, par une malédiction à laquelle toute l'espèce humaine est apparemment assujettie, puisque moi, moi-même, je n'y ai pas échappé ¹². » Ainsi l'innocence nous est-elle rétrospectivement assurée, en vertu soit de notre passivité, soit de notre aliénation. La passion qui nous quitte, nous rend en quelque sorte à nous-mêmes. Le Gardeil que nous apercevons

a. *Correspondance littéraire*, X, 311-312.
b. Mme de Vandeul, *Mémoires, A. T.*, I, LXI.
c. Marivaux, *Théâtre complet*, éd. Pléiade, 257.

à sa table de travail n'a rien de commun avec l'amant passionné que nous devinons à travers les souvenirs et le réquisitoire de Mlle de La Chaux : « A qui diable en veut cette créature ? » s'écrie-t-il avec la muflerie de celui qui n'aime plus [13].

Protocole d'impuissance. Dans son commentaire de *Ceci n'est pas un conte*, « un des plus grands morceaux du cœur humain », Balzac note : « L'amour est l'amour, il est ingrat et cruel, il s'en va comme il est venu, sans qu'on puisse savoir pourquoi. Ce n'est le plus prisé de tous les sentiments que parce qu'il est involontaire [a]. » Il demeure étranger à la valeur. On ne choisit ni d'aimer, ni de ne pas aimer, ni de n'aimer plus.

« L'amour croît s'il s'inquiète », chante le Devin du village [b]. Toute réflexion sur les échecs comme sur les progrès de l'amour débouche sur une décourageante évidence : l'amour appelle non la certitude de l'amour, mais le renouvellement de l'obstacle. En se reprochant d'avoir *trop* aimé Rosalie, Clairville proclame toute l'absurdité de son innocence. La feinte seule semble pouvoir dès lors proposer ses secours : l'ingénuité coquette, les encouragements chiffrés. Si Mme de La Pommeraye se prête au jeu de l'indifférence, c'est qu'elle ne désespère pas absolument d'y rallumer la passion du marquis. Par d'autres voies, Mlle de La Chaux tente l'impossible : « Qui sait ce que ma douleur et votre présence pourront faire sur lui [14] ? » Elle n'est pas plus capable que Tanié d'interpréter, de supputer, de simuler. C'est de la bouche même de son amant qu'elle apprend son inexplicable disgrâce. Elle a trop la passion de la valeur pour se résigner à la passion comme au critère de la valeur. Aurait-elle commis la moindre faute qu'elle se sentirait rassurée. Mais non : elle a été « la femme la plus constante, la plus honnête, la plus tendre qu'un homme pût désirer [15] ». Moins parfaite, peut-être eût-elle retenu Gardeil plus longtemps... Mais ne se résignant ni à la comédie ni à la déraison, Mlle de La Chaux, en un geste romain, préfère imputer à sa propre modification la modification de Gardeil :

---

a. Balzac, *Lettres sur la littérature,* 1131.
b. Jean-Jacques Rousseau, *Œuvres complètes,* éd. Pléiade, II, 1102.

« La *cause* de son dégoût, il n'ose l'avouer; mais vous allez la connaître. » A l'instant elle arrache son fichu; elle sort un de ses bras de sa robe; elle met son épaule à nu; et, me montrant une tache érysipélateuse : « La *raison* de son changement, la voilà, me dit-elle, la voilà... » (*O. R.*, 807.)

3. INCONSTANCE ET SERMENTS

Fragiles attachements.   Diderot envisage divers modes d'inconstance. Celle, conquérante, de la supérieure qui délaisse sœur Agathe pour sœur Thérèse, sœur Thérèse pour sœur Suzanne. L'inconstance par extinction : Gardeil ne remplace pas Mlle de La Chaux (« L'amour est un sentiment éteint dans mon cœur pour vous; et j'ajouterai, si cela peut vous consoler, pour toute autre femme [16] »). La lassitude et l'ennui comme mise en disponibilité : ainsi du marquis des Arcis. L'inconstance, commandée par le tempérament, du chevalier Desroches. L'inconstance tolérée par le mari, et celle provoquée par la cupidité d'une famille.

Les infidèles tantôt avouent leur faute, tantôt la trahissent. Mme de La Pommeraye ne se déchaîne qu'après la confession du marquis. Quelques lettres convainquent Mme de La Carlière de la « perfidie » de son époux [a]. Le drame est alors irrémédiable et si Diderot, comme Voltaire dans *la Princesse de Babylone,* imagine des amours réconciliées, ses contes n'offrent pas d'exemple d'une

---

a. L'incident du coffret indiscret (*Madame de La Carlière, O. R.*, 823), ou la découverte de preuves irréfutables, devait satisfaire pleinement la *jurismanie* de la bourgeoisie au xviiie siècle. Diderot se sera souvenu, dans son conte, tant d'un commerce de lettres entre Vialet et Mme Le Gendre, que de *Clarisse* « dont tous les malheurs avaient commencé par un pareil commerce ». « Par exemple, je vous prédis (puissé-je être un prophète menteur), écrit-il à Sophie Volland en octobre 1759, que ce commerce de lettres perdra votre sœur. Je ne sais ni quand ni comment cela se fera; mais le temps amène presque tout ce qui est possible [...] Encore si elle aimait... » Huit ans plus tard, dans une lettre à Vialet, Diderot revient sur « cette ressource si dangereuse et si nécessaire aux amants séparés » : « Je prétendis que le temps qui combinait sans cesse les événements amenait à la longue tout ce qui pouvait arriver, et qu'un hasard au-dessus de toute humaine prudence jetait tôt ou tard un de ces papiers fatals entre les mains de celui à qui il n'était pas adressé; qu'il y en avait dix mille exemples connus, cent mille

Formosante pardonnant à son Amazan la rencontre d'une « fille d'affaire ». Mais en deçà du flagrant délit, Diderot s'interroge sur les moyens de prévenir l'inconstance.

Dans *les Bijoux indiscrets,* il ne prétend pas seulement démasquer l'infidélité — ou son apparence : la vertu coquette —, mais fonder la fidélité biologiquement, religieusement, légalement, par « une longue suite d'observations sur des cocus bien constatés ». Des cocus, il en subsiste, parce que la liberté consiste à pouvoir désobéir, mais il n'y en aurait assurément pas si l'on se conformait strictement aux lois. Celles-ci sont inscrites en nature (forme et température des « bijoux »); la hiérarchie ecclésiastique en contrôle l'application; aussitôt prononcée la validité du mariage, les époux courent « se conjoindre à la maison paternelle [17] ». Individu, famille, église, société se réconcilient dans le mythe des insulaires.

C'est encore le problème de la fidélité qui se pose dans *Ceci n'est pas un conte, Madame de La Carlière,* le *Supplément au Voyage de Bougainville, Jacques le Fataliste.* Mais, en dehors du mythe, la nature, loin de garantir la constance, ordonne le changement :

> Rien en effet te paraît-il plus insensé qu'un précepte qui proscrit le changement qui est en nous, qui commande une constance qui n'y peut être, et qui viole la nature et la liberté du mâle et de la femelle en les enchaînant pour jamais l'un à l'autre; qu'une fidélité qui borne la plus capricieuse des jouissances à un même individu; qu'un serment d'immutabilité de deux êtres de chair, à la face d'un ciel qui n'est pas un instant le même, sous des antres qui menacent ruine, au bas d'une roche qui tombe en poudre, au pied d'un arbre qui se gerce, sur une pierre qui s'ébranle ? (*Supplément,* 27.)

« ... tout passait en eux et autour d'eux, et ils croyaient leurs cœurs affranchis de vicissitudes. O enfants! toujours enfants!... » écrit Diderot dans *Jacques* [18].

---

autres qu'on ignorait, et que je défiais de me citer [...] un seul procès en séparation pour cause de galanterie où il n'y eut des lettres produites. » On ne devrait donc courir un tel risque qu'à condition de s'aimer *à la folie* (*Correspondance,* VI, 191), ce qui n'est pas le cas de Desroches.

Dans *Madame de La Carlière,* Diderot résume ainsi son admonestation aux amants séparés : « N'écrivez point; les lettres vous perdront; tôt ou tard le hasard en détournera une de son adresse. Le hasard combine tous les cas possibles; et il ne lui faut que du temps pour amener la chance fatale » (*O. R.,* 823). Voir également l'*Entretien d'un père avec ses enfants* (*O.,* 781).

Les affres   Le changement est angoissant par sa
de l'inconstance.   nécessité, mais plus encore par son uni-
               latéralité. Les amours s'usent à contre-
temps. Mlle de La Chaux et Mme de La Pommeraye aiment
encore, lorsque Gardeil et le marquis ne sentent plus rien. Pourquoi la passion ne s'éteint-elle pas simultanément des deux côtés ?
« En effet, quel malheur que mon amour eût duré lorsque le
vôtre aurait cessé! — Ou que ce fût en moi qu'il eût cessé le premier [19]. » Mme de La Pommeraye se joue la comédie du repos.

Il est une autre raison de malaise et de souffrance : la relativité
du changement. Nous ne faisons jamais que *passer* d'un objet à
un autre. Cette incapacité de renouvellement ajoute au sentiment
de trahison. Aussi sœur Thérèse dit-elle à sœur Suzanne en parlant
de la supérieure : «... elle fait aujourd'hui pour vous précisément
ce qu'elle a fait pour moi dans les commencements [20]. » D'une
sœur à l'autre les mêmes caresses, les mêmes diminutifs répétés
scandent tragiquement l'absence de l'être aimé.

Ce *tuf* de l'amour, comme eût dit Sainte-Beuve, ce fonds où
chacun puise sans vergogne, accuse-t-il une carence du langage
ou une insuffisance du cœur ? Toujours est-il que notre inconstance
trouve refuge dans le discours et les protestations. Ainsi Diderot,
après 1768, s'évertue à se persuader et à persuader Sophie Volland,
qu'il n'a pas changé : « c'est un penchant très vrai, très ancien,
toujours le même, qui me presse vers vous, auquel je ne résiste ni
ne cherche à résister » (12 octobre 1770); « mon cœur est le même;
je vous l'ai dit, et je ne mens pas » (2 novembre 1770); « mon
inviolable attachement » (28 novembre 1770); « votre inviolable
ami » (5 décembre 1770); « je vous réitère mon serment d'éternel
et inviolable attachement » (18 juin 1773).

Protestations suspectes, il l'assure lui-même en un fragment
peut-être destiné à Sophie Volland : « ... les protestations se
multiplièrent à mesure que la sécurité s'affaiblit. D'abord il n'y
eut qu'un mot; ensuite il fallut dire et redire sans cesse pour être
cru. [21] »

C'est donc par les efforts du langage que nous nous donnons
l'illusion d'échapper aux errances du cœur. Il en résulte la *déclaration*
d'amour (ou le désir masqué, suivant l'interprétation que Diderot

en donne à sa fille), la *protestation* (l'on jure s'aimer encore), le *serment* (l'on jure de s'aimer toujours).

Le serment de   L'absolu de la fidélité, dans *Madame de*
Mme de La Carlière.   *La Carlière,* se définit par une triple
exigence : permanence du sentiment et du désir, libre consentement à une appropriation réciproque :

> Monsieur Desroches, écoutez-moi. Aujourd'hui nous sommes libres l'un et l'autre ; demain nous ne le serons plus ; et je vais devenir maîtresse de votre bonheur ou de votre malheur ; vous, du mien. J'y ai bien réfléchi. Daignez y penser aussi sérieusement. Si vous vous sentez ce même penchant à l'inconstance qui vous a dominé jusqu'à présent ; si je ne suffisais pas à toute l'étendue de vos désirs, ne vous engagez pas ; [...] Chevalier, je vais vous abandonner ma personne et mon bien, vous résigner mes volontés et mes fantaisies ; vous serez tout au monde pour moi ; mais il faut que je sois tout au monde pour vous ; je ne puis être satisfaite à moins. (*O. R.*, 818.)

Avant de se rendre à l'église pour la « formalité d'usage », les fiancés prêtent serment devant un cercle de parents et d'amis. Ceux-ci jurent à leur tour de sanctionner sans pitié l'inobservance du contrat.

Plus sûre d'elle, Mme de La Carlière se fût passée de tant de témoins, mais elle ne peut compter, à vrai dire, que sur les ressources de sa vanité : « Songez que moins je me crois faite pour être négligée, plus je ressentirais vivement une injure [22]. » C'est en éprouvant l'infidélité de l'autre comme une inguérissable humiliation, que Mme de La Carlière se cuirasse contre un éventuel mouvement d'indulgence. Mais il ne lui importe pas moins de parer à toute faiblesse de ses témoins : le jour où leur serait dévoilée l'infidélité de son époux, ils ne pourraient que se cantonner dans les attitudes du désespoir. Chacun, au cours de la cérémonie, abdique sa volonté particulière. L'aliénation est mutuelle et totale.

On a noté que la Société constituait un personnage du conte. Cependant elle n'influe qu'indirectement sur l'intrigue, par sa mémoire — comme gardienne du serment —, et par le biais des conventions. Elle ne recouvre le mauvais usage de sa liberté qu'en devenant opinion. Mais le passage à l'opinion suppose l'événement, c'est-à-dire la fin de la cérémonie, la séparation réelle. Il n'y a pas de jugement possible dans le contexte du spectacle, mais une unanimité de présence, d'émotion, de vertu. C'est au sortir du théâtre que s'affirme l'inconséquence du jugement public.

3. LE CATÉCHISME DE CYTHÈRE

Les antidotes ne manquent pas contre les vicissitudes de l'amour, mais ils ne soulagent ni ne modifient le moins du monde les existences individuelles. Ballotté du bonheur des uns à l'infortune des autres, le lecteur seul obtient réparation. Ainsi *Jacques le Fataliste* conserve-t-il sa gaîté par la coexistence panoramique de principes opposés. Le roman de Mme de La Pommeraye est compensé par la fable villageoise de la Gaîne et du Coutelet, comme par la présence joviale de l'hôtesse, présence physique et verbale qui fascine Jacques et son maître. Un amant provoque son rival en duel, mais deux femmes se partagent les faveurs de Jacques sans souci de monopole : « Utiles l'une à l'autre, elles s'en sont aimées davantage [23]. » Il existe certes d'autres remèdes à l'amour : l'amitié, le renoncement — où par amour de soi l'on se grandit à ses propres yeux —; mais pour tout *accommodement* véritable, Diderot ne manque jamais de nous renvoyer à Cythère [a]. La passion de l'amour, « réduite à un simple appétit physique », n'y produit « aucun de nos désordres [24] ». L'herbe des talus, les impératifs de l'adolescence commandent la sérénité. C'est à la ville que se joue le drame, c'est à la campagne que le marquis des Arcis et sa femme, heureux malgré eux, font échec au mauvais génie de Mme de La Pommeraye. Ces invites à l'amour heureux, Diderot les aperçoit en 1759 dans les forêts et les prairies de Vignory :

> Imaginez une centaine de cabanes entourées d'eaux, de vieilles forêts immenses, de coteaux, d'allées de prés qui séparent ces coteaux, comme si on les y avait placées à plaisir, et de ruisseaux qui coupent ces allées-prairies. Non, pour l'honneur des garçons de ce village, je ne veux pas me persuader qu'il y ait là une seule pucelle passé

a. Dieckmann remarque (*Supplément,* CVIII) que « seuls les récits qui traitent de l'amour physique ont un dénouement heureux ». Lequel ? La vérité, c'est que ces amours sont heureuses parce qu'elles ne se *dénouent* pas.

quatorze ans. Une fille ne peut pas mettre le pied hors de sa maison sans être détournée; et puis le frais, le secret, la solitude, le silence, le cœur qui parle, les sens qui sollicitent... (*Correspondance*, II, 222-223.)

Rencontres sereines, que celles de Jacques avec Suzon, Marguerite ou Justine, et de Sélim avec Zirziphile :

— Mais, à ce compte, lui dit la favorite, vous n'avez donc jamais aimé ?
— Bon ! répondit Sélim, je pensais bien alors à l'amour ! je n'en voulais qu'au plaisir et qu'à celles qui m'en promettaient.
— Mais a-t-on du plaisir sans aimer ? interrompit la favorite. Qu'est-ce que cela, quand le cœur ne dit rien ?
— Eh ! madame, répliqua Sélim, est-ce le cœur qui parle, à dix-huit ou vingt ans ? (*O. R.*, 191.)

Sélim et Jacques détaillent complaisamment leurs exploits, sans rien nous épargner ni de la position ni du tempérament des acteurs. La logorrhée de Jacques ne puise qu'au bonheur, et tout se passe comme si maux de gorge et récits d'aventures n'avaient pour mission que de retarder une révélation douloureuse : la fin des amours.

VIII. LES LIEUX

1. LES INTERMITTENCES DU DÉCOR

Un passage des *Illusions perdues* permet de comprendre, par opposition, la fonction du décor dans l'œuvre de Diderot : « ... Lucien
ne reconnut pas sa Louise dans cette chambre froide, sans soleil,
à rideaux passés, dont le carreau frotté semblait misérable, où
le meuble était usé, de mauvais goût, vieux ou d'occasion. Il est
en effet certaines personnes qui n'ont plus ni le même aspect ni
la même valeur, une fois séparées des figures, des choses, des
lieux qui leur servent de cadre [a]. »

Pour Balzac ou Stendhal, le décor préexiste aux personnages,
autonome et hostile : on se rappelle les maladresses de Julien,
ou celles de Rastignac à l'hôtel de Restaud. Il dissimule, il dépayse,
on s'y acclimate. Il est statique aussi : l'ambitieux change de décor.
Au contraire, chez Diderot, le décor aurait mauvaise conscience
à se laisser escamoter ou solliciter pour lui-même. L'herbe et les
ombrages du bord de la route n'existent pas indépendamment du
cavalier et de sa monture. Rivières et fondrières s'affirment comme
obstacles au voyage. Le retard de Jacques au rendez-vous de Marguerite s'excuse par la nonchalance du moulin (« C'est que l'eau
était basse, que le moulin allait lentement, que le meunier était
ivre... [1] »), mais l'évocation du décor se justifie à son tour par le
retard de Jacques.

Défini comme utilité, non comme poésie, le paysage ne surgit
qu'au gré des besoins. Aussi le lecteur est-il invité, dans *Jacques
le Fataliste,* à exercer sa complicité en choisissant, parmi divers
gîtes possibles, celui qui convient le mieux à la circonstance présente [2]. Lorsqu'il s'agit de retrouver le cheval du maître, les champs

a. Balzac, *Les Illusions perdues* (*L'Œuvre de Balzac,* t. IV), 516.

apparaissent, avec un laboureur, sa charrue et ses chevaux. Tel
site demeurerait invisible sans la fatigue de Jacques : « C'est qu'il
fait chaud, que je suis las, que cet endroit est charmant, que nous
serons à l'ombre sous ces arbres, et qu'en prenant le frais au bord
de ce ruisseau nous nous reposerons [3]. » Voici encore, à point
nommé, pour le plaisir, un « endroit en pente » ou un « petit
bois à passer [4] ». Nous ne connaîtrions pas telle misérable auberge
si Jacques et son maître n'y avaient mal soupé et mal dormi :
« On leur dressa deux lits de sangles dans une chambre formée
de cloisons entr'ouvertes de tous les côtés... [5] »

Voué à l'environnement et au témoignage, le décor est appelé
à *comparaître*. Les greniers manifestent la pauvreté de ceux qui
y habitent. Dix mille bonnes tables de Paris [a] sont une expérience
de la faim. Le jardin du Luxembourg n'est ressuscité que pour sa
complicité avec le bohème d'autrefois : « Mais vous n'iriez plus
au Luxembourg, en été... [6] »

Paris ou campagne, le décor est *langage* parce qu'il est habité.
Ce n'est pas que Diderot ne se sente près de céder parfois au
complexe du Niagara ou de la solitude alpestre, mais il s'en délivre
aussitôt par les spectacles « d'utilité » : torrent dirigé vers une
machine, jardins, maisons, moissons. « C'était, écrit-il dans les
Entretiens, la saison où la terre est couverte des biens qu'elle accorde
au travail et à la sueur des hommes [7]. »

a. Diderot a fait entrer dans son œuvre les Parisiens et Paris : les Tuileries
et le Palais-Royal, le Cours, les Boulevards, les Champs-Élysées, le Luxembourg,
la rue Sainte-Marguerite (Tanié et Mme Reymer), la rue de la Vieille-Estrapade
(le narrateur de *Ceci n'est pas un conte*), la rue Hyacinthe (Gardeil) où l'on entre
par la place Saint-Michel (Mlle de La Chaux), la rue de l'Université (où l'inten-
dant de M. de Saint-Florentin courtise une pâtissière mariée), le Faubourg-
Saint-Médard (où le P. Hudson tient cachée une jeune fille), le Petit-Châtelet
(où il fait enfermer ses ennemis), le quartier du Temple, la porte Saint-Denis,
les ruelles obscures où intriguent usuriers et brocanteurs ; les marchands de
soieries des rues Saint-Denis, Saint-Honoré, Quincampoix (un beau-frère de la
Religieuse) ; les badauds de Paris : locataires sur le palier de leur appartement
(*O. R.*, 678) ; les Hospices (dernières pages de *la Religieuse*) ; les environs de
Paris : Villejuif (maison du marquis des Arcis), etc. Au Jardin du Roi, le marquis
des Arcis et Mme de La Pommeraye paient leur tribut à la frivolité de Paris :
«... et les voilà mêlés dans la foule, regardant tout, et ne voyant rien, comme les
autres » (*O. R.*, 622).

2. LE VOYAGE

Jacques le Fataliste.   Le roman s'introduit sur le thème du voyage. D'où venaient Jacques et son maître ? « Du lieu le plus prochain. » Où allaient-ils ? Comment le saurions-nous, si l'auteur lui-même l'ignore ? La nuit les surprend égarés au milieu des champs. Le lendemain à l'aube, les « voilà remontés sur leurs bêtes et poursuivant leur chemin [8] ». C'est alors que le mot voyage est prononcé pour la première fois : « Si j'entame le sujet de leur voyage, adieu les amours de Jacques... [9] » Comme il s'agit d'user le temps, de sorte que tout en causant on arrive « à la couchée », chemin faisant, Jacques entreprend de raconter à son maître l'histoire de ses amours. Récit interrompu de toutes les manières possibles par Jacques, le maître, le lecteur, l'auteur, et coupé d'incidents qui sont la vérité du voyage [a]. Jacques et son maître se fourvoient, sont retardés par les intempéries et le mauvais état des routes, oublient leur montre ou leur portefeuille, rencontrent un enterrement. Le cheval de Jacques s'emballe, le maître se laisse voler le sien, ou fait une chute, Jacques s'enrhume ou apprend à se défier des « filles d'affaire ». Ils descendent dans de bonnes et de mauvaises auberges, rencontrent des brigands dans une région infestée de brigands, bavardent, se disputent, se réconcilient, éprouvent leur dépendance et s'en attendrissent. Ils font des rencontres, depuis la plus banale (un paysan-chirurgien portant une jeune fille en croupe) jusqu'à la plus excitante : le marquis des Arcis.

Pour Jacques, philosophe sans le savoir, peu importe le paysage : quotidien ou romanesque; il ne voyage pas comme ceux avec qui il fait chambrée commune. Lorsqu'il entend dire, par l'hôtesse du Grand-Cerf, que le marquis des Arcis s'en va à sa terre, il réplique : « Qui sait cela [10] ? » Car si l'on sait d'où l'on vient, comment savoir où l'on va ? Le diaphragme du roman s'ouvre à l'infini sur l'incertitude de la suite et du terme : « D'où venaient-ils ? Du lieu le plus prochain. Où allaient-ils ? Est-ce que l'on sait où l'on va ?

---

a. « Rien ne tient dans la conversation; et il semble que les cahots d'une voiture, les différents objets qui se présentent en chemin, les silences plus fréquents, achèvent encore de la découdre. » (*Correspondance*, IV, 135.)

Que disaient-ils ? Le maître ne disait rien; et Jacques disait que
son capitaine disait que tout ce qui nous arrive de bien et de mal
ici-bas était écrit là-haut [11]. » La sagesse de Jacques consiste
à accepter joyeusement cette nécessité : tout ce qui nous échoit
était écrit. Le « destin, pour Jacques, était tout ce qui le touchait
ou l'approchait, son cheval, son maître, un moine, un chien,
une femme, un mulet, une corneille [12] ». Le voyage et l'aventure
métaphysique se nouent dans cette définition.

A quoi bon voyager ?   Diderot se passerait de voyager. S'il
aime à quitter Paris pour la banlieue ou
la proche campagne, il ne se rend jamais en province que par devoir,
et sans doute ne serait-il pas allé remercier Catherine II de sa
générosité, s'il n'avait été hanté par le péché d'ingratitude. Sa
répugnance au voyage s'illustre cruellement par le destin de ses
voyageurs, bons ou méchants. Le père de l'*Entretien* demande à
sa locataire, Mme d'Isigny, des nouvelles de son mari. Ce mari,
« pour échapper à la poursuite de ses créanciers, s'en était allé à
la Martinique ». « M. d'Isigny ? Dieu merci! je n'en ai plus entendu
parler; il est peut-être noyé [13]. » Les frères Ange et Jean s'enfuient
à Lisbonne, les poches pleines, et Jacques révèle à contrecœur,
sur les instances de son maître, qu'ils y sont allés chercher « un
tremblement de terre, qui ne pouvait se faire sans eux; être écrasés,
engloutis, brûlés; comme il était écrit là-haut [14] ». De tous les
anciens maîtres de Jacques, les voyageurs sont les plus infortunés :
le commandeur de la Boulaye « périt en passant à Malte »; la marquise du Belloy « s'est sauvée à Londres avec un étranger », tandis
que son cousin a passé aux îles après s'être ruiné avec des femmes [15].
Quant à Tanié, l'on ne sait trop s'il meurt à Pétersbourg, de par un
lapsus de Diderot, ou bien à Peterborough, au Canada, dans l'Ontario. En même temps qu'il fait justice des voyageurs, Diderot
dépouille le voyage de ses oriflammes traditionnelles :
Prestige de la géographie, des noms, des coordonnées utiles ?
Dans *Jacques,* il ne fait le point que pour nous désorienter : « à
quelque distance derrière eux... à plus d'une lieue à la ronde... au
lieu le moins éloigné... à une égale distance des deux villages... »
« Il n'y avait donc pas loin de la commune au village ? » demande

le maître. « Pas plus loin que du village à la commune », répond Jacques [16].

Prestige d'un vocabulaire ? Diderot spolie le voyage de ses locutions héréditaires. Systématiquement les métaphores se déplacent du simple au figuré, de la réalité géographique aux symboles de la condition humaine ou aux démarches de l'esprit : « Nous croyons *conduire* le destin; mais c'est toujours lui qui nous *mène*... » Dès la deuxième page du roman : « Vous voyez, lecteur, que je suis en beau *chemin*... » Jacques et son maître se disputent : « Et les voilà *embarqués* dans une querelle... » Lorsqu'ils ont enfin arrêté leurs rôles et prérogatives, Jacques conclut : « ... nous n'avons plus qu'à *cheminer* en conséquence [17]. » Jacques, *fourvoyé* par son maître, le prie de le remettre sur la bonne *voie*.

Enfin Diderot se refuse au merveilleux à la mode. Qu'est-ce qui l'empêcherait « d'embarquer Jacques pour les îles ? d'y conduire son maître ? de les ramener tous les deux en France sur le même vaisseau ? Qu'il est facile de faire des contes [18]! » Le merveilleux, ce serait un voyage à l'étranger : « ... vous mettez le pied dans une terre inconnue, où rien ne se passe comme dans celle que vous habitez, mais où tout se fait en grand... [19] »

Dans *Jacques le Fataliste,* les choses se font en petit. C'est l'anti-voyage, et par là-même, l'anti-roman, à une époque où tout écrivain tenait Babylone et l'Amérique au bout de sa plume. Le paysage est familier, la nature si peu exagérée, la vérité si peu hypothétique, que si Jacques nommait tel village, le charme serait rompu et la curiosité du maître sans objet. Or l'important est de préserver la conversation dans une œuvre où le Verbe s'adjuge les circuits les plus insolites. Aussi Diderot suggère-t-il, pour l'auberge du Grand-Cerf, mieux qu'une construction de pierre : un édifice sonore.

> Il était tard; la porte de la ville était fermée, et ils avaient été obligés de s'arrêter dans le faubourg. Là, j'entends un vacarme... — Vous entendez! Vous n'y étiez pas; il ne s'agit pas de vous. — Il est vrai. Eh bien! Jacques... son maître... On entend un vacarme effroyable. Je vois deux hommes... — Vous ne voyez rien; il ne s'agit pas de vous, vous n'y étiez pas. — Il est vrai. Il y avait deux hommes à table, causant assez tranquillement à la porte de la chambre qu'ils occupaient; une femme, les deux poings sur les côtés, leur vomissait un torrent d'injures... (O. R., 577.)

L'auberge — ce fond sonore où se mêlent commandes, coups de sonnette, cris du personnel, discussions et conversations — se superpose au récit que fait l'hôtesse, de la vengeance de Mme de La Pommeraye. Plus tard, dans une autre auberge, le marquis des Arcis racontera au maître les démêlés de Richard, son secrétaire, avec le P. Hudson. Ces rencontres *en récit*, qui justifient les rencontres réelles, sont l'occasion du vrai dépaysement. La fraternité des voyageurs représente une communauté, non de l'infortune — comme dans *Candide* —, mais du récit et de la confidence.

Foyer privilégié de la parole et du dépaysement, l'auberge est aussi le lieu de rencontre du romanesque (les malheurs du marquis) et de la vérité (le malheur du compère endetté). Contrairement au château, elle ne s'isole pas du paysage environnant, qu'elle traduit dans son bien-être ou sa misère.

Le renoncement au voyage. L'auberge n'est pas seulement le concile de l'Histoire et des histoires. La faim, la fatigue et la nuit y conduisent inévita- blement, et Diderot ne bouleverse pas tant la durée qu'il ne respecte le rythme physiologique de ses personnages. L'auberge s'offre alors comme une réplique de la maison, un refuge contre le voyage. On y mange, on y dort, bien ou mal. « Je vais manger deux œufs frais et dévorer un pigeon; car j'ai de l'appétit. Le voyage me fait bien », écrit Diderot à Sophie Volland. Au Grand-Cerf, la nourriture est excellente, quoique un peu salée, et les draps « de lessive » ne servent jamais deux fois. « ... c'est cependant, poursuit Diderot, une sotte chose que de voyager. J'aimerais autant un homme qui, pouvant avoir une compagnie charmante dans un coin de sa maison, passerait toute sa journée à descendre du grenier à la cave et à remonter de la cave au grenier [20]. » Désapprouvant que l'on s'éloigne de son pays, passé vingt-deux ans, il oppose à l'image du père, siégeant au milieu de sa famille, l'absurde agitation du voyageur. A trois reprises Diderot récite sa parabole du maître de maison [21] : pour Sophie Volland en 1759 et 1760, pour les lecteurs de la *Correspondance littéraire* en 1767.

Dans le *Supplément, A* s'interroge encore sur la déconcertante carrière du voyageur :

A. — Je n'entends rien à cet homme-là. L'étude des mathématiques, qui suppose une vie sédentaire, a rempli le temps de ses jeunes années; et voilà qu'il passe subitement d'une condition méditative et retirée au métier actif, pénible, errant et dissipé de voyageur.

B. — Nullement; *si le vaisseau n'est qu'une maison flottante,* et si vous considérez le navigateur qui traverse des espaces immenses, resserré et immobile dans une enceinte assez étroite, vous le verrez faisant le tour du globe sur une planche, comme vous et moi le tour de l'univers sur notre parquet. (*Ibid.,* 4.)

L'agoraphobie de Diderot s'apaise en ce dialogue, mais *B* ne prend son parti du voyage qu'en réduisant le vaisseau à une maison et la navigation à une reconnaissance plus exacte « de notre vieux *domicile* et de ses habitants ». En précisant les distances (« plus de correction dans nos cartes géographiques ») et en conjurant l'aventure (« plus de sûreté sur des mers qu'il a parcourues la sonde à la main [22] »), Bougainville ne nous a-t-il pas ôté le souci de voyager ? Un jour viendra où l'univers nous étant devenu de fond en comble familier, le voyage ne pourra plus être que le masque inexcusable d'un *divertissement* [a]. Le plus grand mérite de Bougainville est d'avoir permis à un philosophe sédentaire d'écrire sans mentir un *Supplément* au voyage et d'entrevoir ailleurs, dans le déplacement ou l'incertitude des valeurs, un absolu de l'aventure.

---

a. Inexcusable quand il nous distrait de la famille ou de l'étude, le voyage peut, dans certaines maladies (vapeurs, hypocondrie), nous rendre à nous-mêmes et guérir « par le mouvement, le changement d'air et de climat, la distraction ». C'est pourquoi les « eaux les plus éloignées sont les plus salutaires » (*A. T.,* XVII, 337-338). Une patiente de Bordeu fait le tour de l'Europe et retrouve la santé sur les grands chemins (*A. T.,* II, 165). A vrai dire il s'agit moins de voyage que d'errance, puisque l'exercice et la distance parcourue importent plus que le *therme* prescrit.

LA PRÉSENCE MASQUÉE

*Au séminaire, il est une façon de manger
un œuf à la coque qui annonce les progrès
faits dans la vie dévote.*
(*Stendhal*, Le Rouge et le Noir.)

I. PRÉSENCE ET VÉRITÉ

Les premiers masques capitulent dans *les Bijoux indiscrets*. D'un tour de bague magique, Mangogul met au jour la légèreté d'Hippomanès, l'innocence de Kersael ou l'appétit de Fulvia. Il joue à déjouer le mensonge, à confondre l'imposteur, à reconnaître avec une absolue certitude la vertu sous cet « air trop libre » qui peut nuire autant que les aventures. Emporté par la curiosité, ira-t-il jusqu'à confesser son amante ? Mirzoza rêve à la singulière ordonnance qui abolirait le soupçon : « Ah! s'il m'était donné seulement pour vingt-quatre heures d'arranger le monde à ma fantaisie, je vous divertirais par un spectacle bien étrange : en un moment j'ôterais à chaque âme les parties de sa demeure qui lui sont superflues, et vous verriez chaque personne caractérisée par celle qui lui resterait. [...] il ne resterait à une joueuse que deux bouts de mains qui agiteraient sans cesse des cartes; à un glouton, que deux mâchoires toujours en mouvement; à une coquette, que deux yeux; à un débauché, que le seul instrument de ses passions...[1] » Rigoureux tableau où Mangogul pourrait, d'un regard, se réjouir de la fidélité de sa favorite. Toute simulation deviendrait impossible, chacun étant schématiquement, publiquement, réduit à soi-même. L'on ne saurait plus d'aucune manière se tromper, ni les uns les autres, ni les uns sur les autres.

Si, dans *les Bijoux indiscrets,* les masques font encore piètre figure, avec *la Religieuse* et, surtout, *Jacques le Fataliste,* ils cessent d'être objet de répression pour inspirer l'admiration et l'étude. Comment parvient-on à se masquer ? Diderot ne se pose ni en prédicant ni en justicier, il s'intéresse au « faire », aux techniques de l'imposture. Aussi abordons-nous les personnages dans leur immédiate ou virtuelle duplicité, sans rien ignorer de leurs malins projets. Les masques se signalent sans façons ; ils complotent et opèrent sous nos yeux. Le romanesque, peut-être, en pâtit. A aucun moment, nous ne tombons des nues, comme dans l'œuvre de Proust, lorsque nous apprenons les goûts véritables de Saint-Loup. Le plus candide lecteur de Diderot n'aura pas tardé à déchiffrer le vocabulaire ou les caresses de Madame *** de Saint-Eutrope. De même le P. Hudson et Mme de La Pommeraye s'apprêtent-ils devant nous. Ainsi, les masques coopèrent à une exploration de la présence. Diderot entreprend un inventaire des conduites, une appréciation des subterfuges.

1. LA TROMPERIE PAR LES MASQUES

Les personnages de Diderot excellent à se tromper les uns les autres.

On se rappelle la pantomime de Mme de La Pommeraye se couvrant les yeux et penchant la tête, du chevalier de Saint-Ouin « penchant sa tête sur ses deux mains, et se couvrant le visage de honte », ou bien feignant de n'attendre qu'un ordre du maître pour « s'expédier à l'antique » : il « saisit un couteau qui était sur la table, détache son col, écarte sa chemise, et, les yeux égarés, se place la pointe du couteau de la main droite à la fossette de la clavicule gauche... [2] » N'est-ce pas là le propos d'un homme de théâtre ? Diderot prête à ses personnages le sang-froid des grands acteurs. « Mais, tout en jouant la dévotion, n'allez pas vous en empêtrer », conseille Mme de La Pommeraye, qui connaît le *Paradoxe sur le comédien*. Il importe de ne pas se laisser prendre à son propre jeu. « Savoir se contenir est leur grand art », écrit la Religieuse des supérieures de couvent. Le P. Lemoine est « gai, très aimable *quand il s'oublie* » ; sa physionomie est « ouverte, riante, agréable *quand il n'y pense pas* [3] ». Religieux et religieuses, jusqu'aux plus honnêtes, se contiennent et se composent comme sur une scène de théâtre.

Trompeuses apparences. Comment se prononcer entre la vérité et le masque, si Mme de La Pommeraye observe avec le marquis « les démonstrations extérieures de l'estime, de l'amitié, de la confiance la plus parfaite », si la Religieuse offre « toutes les apparences de postuler de [son] plein gré », si M. de Merval sait prendre, pour tromper le maître de Jacques, l'air le plus humain et le plus désintéressé [4] ?

Le destin de sœur Suzanne se lie en sens inverse à cette latitude des signes [a] : innocente, elle paraît coupable. En se justifiant, auprès de sa supérieure, de protester contre ses vœux, elle s'emporte désespérément au point d'accuser tous les signes de la possession :

> « Mon enfant, vous êtes possédée du démon; c'est lui qui vous agite, qui vous fait parler, qui vous transporte; *rien n'est plus vrai : voyez* dans quel état vous êtes! »
> *En effet,* je jetai les yeux sur moi, et *je vis* que ma robe était en désordre, que ma guimpe s'était tournée presque sens devant derrière, et que mon voile était tombé sur mes épaules.
> ....
> Cependant je tâchais de rajuster mon voile; mes mains tremblaient; et plus je m'efforçais à l'arranger, plus je le dérangeais : impatientée, je le saisis avec violence, je l'arrachai, je le jetai par terre, et je restai devant ma supérieure, le front ceint d'un bandeau, et la tête échevelée. (*O. R.,* 287.)

A partir de ces évidences — le désordre du corps et du vêtement —, le signe s'émancipe et trahit. Au lieu de révéler littéralement un texte, il devient à son tour objet de lecture et de conjecture [b].

Les cautions du mensonge.　　Pour mieux saisir la problématique du masque, rappelons que la typologie de Diderot se réduit à une petite provision de clichés ou d'obsessions. Les mélancoliques se dessèchent et brunissent, l'homme de génie se reconnaît à une certaine coupe du front, la femme amoureuse à son regard. L'amour simple, le désir,

---

a. « ... et ma vie était une suite de délits réels ou simulés, et de châtiments. » (*O. R.,* 269.)
b. Jacques poursuit lentement son chemin après avoir repris à un mercier ambulant la montre volée de son maître. Les paysans avoisinants « ne savaient à quoi s'en rapporter, des cris du porteballe ou de la marche tranquille de Jacques. » (*O. R.,* 518.)

l'amour passionné ont leur expression définie [a]. Chacun manifestant clairement son état, il semble que l'inquiétude soit hors de saison. En fait, il suffit, pour tromper son monde, de connaître ces expressions et d'y puiser. Toute méditation sur la présence prépare à la comédie. Si la fureur « enflamme les yeux, serre les poings et les dents et arrondit les paupières [5] », les yeux enflammés, les poings serrés signifieront la fureur. Le voleur pratiquera l'allure de l'honnête homme en se gardant des « caractères apparents du vice [6] ». Pour l'innocent et le coupable il n'existe qu'un seul et même alphabet. La comédie s'élabore sous les auspices de la vérité. Les masques aussi sont présence et vérité, mais une vérité usurpée et déplacée.

2. LES MOYENS DE DÉVOILEMENT

Le mythe.   Chez Diderot, toute construction mythique met en œuvre le thème du confinement ou de l'insularité. Ici l'on aperçoit une société où la difficulté de *paraître* est extrême, là une nature où l'innocence et la franchise sont de règle. Ainsi, dans la *Satire I,* Diderot imagine des hommes prisonniers d'eux-mêmes, enfermés dans la vérité de leur métier : « Heureuse la société où chacun serait à sa chose, *et ne serait qu'à sa chose* [7] ! » Cet ajustement professionnel du paraître à l'être avait été réalisé dans *les Bijoux indiscrets* en une harmonie préétablie. « Les insulaires n'étaient point faits comme on l'est ailleurs. Chacun avait apporté en naissant des signes de sa vocation : aussi en général on y était ce qu'on devait être [8]. » Les géomètres avaient les doigts allongés en compas, les musiciens les oreilles en cornet.

Simplicité, lucidité, mise à découvert : telles sont les qualités de l'île. La lucidité du Tahitien tient à sa simplicité, à son ignorance des masques. Il ne saurait se méprendre sur ce qu'il n'aperçoit pas : ainsi le travestissement de Baré, une femme déguisée en homme, et qui servait de domestique à un officier de Bougainville : « Igno-

a. Jacques Proust, *Diderot et la physiognomonie, Cahiers de l'Association internationale des études françaises,* n° 13, juin 1961, 324.

rée de l'équipage entier, pendant tout le temps d'une longue traversée, les Otaïtiens devinèrent son sexe *au premier coup d'œil*[9]. » Ils *voient* Baré sans avoir à la démasquer. Plus clairvoyant, en réalité, que ne l'eût souhaité Diderot, l'équipage de Bougainville, « depuis quelque temps [a] », soupçonnait Baré d'être une femme. Mais Diderot s'aventure à sa manière, emporté par le désir de privilégier les insulaires.

La répétition. Mlle Bridoie ne prononce pas une phrase sans l'étayer d'une révérence; sa pantomime la trahit [10]. Le chevalier de La Morlière manifeste sa lâcheté réelle par « une *longue et habituelle* singerie de bravoure » : « Il avait tant fait les mines qu'il se croyait la chose. » Ce n'est pas pour arranger sa coiffure qu'il « retape son chapeau sur son oreille [11] », ni pour regarder l'heure que le maître tire sans cesse sa montre. Dans ce domaine de l'absence, l'expressivité de la répétition se substitue à la finalité du geste. La pantomime machinale trahit un *ailleurs* ou un vide sur quoi l'on voudrait donner le change. A la répétition de certains mouvements, Jacques a vite fait d'éventer un moine dans la compagnie du marquis des Arcis : « A cette allure singulière Jacques le déchiffra... [12] » Sœur Suzanne s'est accoutumée en religion à certaines pratiques :

S'il survient un étranger, mes bras vont se croiser sur ma poitrine, et au lieu de faire la révérence, je m'incline. Mes compagnes se mettent à rire, et croient que je m'amuse à contrefaire la religieuse; mais il est impossible que leur erreur dure; mes étourderies me décèleront, et je serai perdue. (*O. R.*, 391.)

La répétition est décèlement [b], et plus généralement élucidation. De même qu'il s'était fait aux tournures spinozistes de son capitaine, Jacques devine l'impatience de son maître aux mouvements de sa narine droite.

a. Bougainville, *Voyage autour du monde...* (2ᵉ éd.), II, 156-159.
b. « Est-ce que vous ne sentez pas l'affectation de ces *perdus* répétés ? » (*Le Neveu de Rameau*, 74.)

Les indices du corps.

Il dit :
« Qu'on lui lève son voile. »
On l'avait cousu en différents endroits, sans que je m'en aperçusse... [...] cependant à force de tirer, le fil manqua en quelques endroits, le voile ou mon habit se déchirèrent en d'autres, *et l'on me vit. (O. R.,* 302-303.)

Le voile symbolise, tout au long du roman, le masque et l'hypocrisie de religieuses non *appelées.* Il dissimule également les stigmates de l'ennui (peau desséchée, etc.). Dans une société à tous égards aliénée, la Religieuse garde, de couvent en couvent — comme le narrateur de Proust sa jeunesse — la blancheur et la fraîcheur de peau qui lui vaudront les hommages de Saint-Eutrope. Suzanne peut se dévoiler sans crainte : « J'ai la figure intéressante ; la profonde douleur l'avait altérée, *mais ne lui avait rien ôté de son caractère ;* [...] *on sent que mon expression est celle de la vérité* [13]. »

Le corps, donc, révèle ce que le vêtement cachait. Le corps lui-même est suspect néanmoins. Si souvent il se prête au mensonge, tantôt délibérément, par son *langage* sémaphorique (gestes, positions), tantôt naturellement, par sa seule physionomie : « ... savoir jusqu'où les physionomies mentent ou disent vrai [a]. » Dans sa jeunesse, Diderot avait été abusé par un nommé Rivière, « ayant le masque de la sensibilité, le don des larmes [b] ». Voilà le véritable scandale : que les phénomènes physiologiques, qui représentent la souveraineté de la présence, et, dans une certaine mesure, le sérieux retrouvé du roman (comme le suintement de l'objet dans une nature morte de Robbe-Grillet), se réveillent traîtreusement pour accréditer l'imposture. La supérieure de Saint-Eutrope entretient Suzanne « avec la tristesse la mieux étudiée » : « Ensuite elle me dit, *en vérité je crois que ce fut en pleurant...* [14] » L'insensible Reymer se lamente au départ de Tanié : « Elles pleurent toutes quand elles veulent. » Les femmes, en particulier, « font de leur corps tout ce qu'elles veulent [15] ». Elles en récrivent le texte à volonté.

C'est pourquoi, sans lui retirer ses privilèges, Diderot réduit le

a. Voir Jacques Proust, *op. cit.,* 321.
b. Mme de Vandeul, *Mémoires, A. T.,* I, XLVIII.

corps au désordre extrême qui exclut la duplicité : « Je plains, dit Jacques à son maître, ceux ou celles qui se tordent les bras, qui s'arrachent les cheveux, qui poussent des cris... ᵃ » L'homme *enfermé* dans son malheur ne saurait mentir. C'est après le départ du marquis des Arcis, qu'il eût fallu surprendre Mme de La Pommeraye.

Voir sans être vu, comme dans *les Bijoux indiscrets,* afin de parer au mensonge du corps en représentation. Alors même qu'il applaudit au génie de la mystification, conscient d'avoir atteint une sorte de plafond de la pantomime, Diderot engage sa réflexion dans une méthode de lecture nouvelle, sèche et technique, qui est celle des *Éléments de physiologie* ou de la *Question d'anatomie et de physiologie.* « ... mais soyez si physiologiste, si savant, si détaillé que vous le voudrez », écrit-il au docteur Petit en lui soumettant le problème suivant :

> Imaginez un grand fainéant de l'âge de vingt-cinq ans; il n'a jamais rien fait, aussi a-t-il les formes extérieures de la proportion la plus rigoureuse, telles qu'elles se trouvaient au bout du crayon de Raphaël.
> Ce fainéant-là songea un jour à prendre un état, et il se fit assommeur de grands chemins à la manière d'Hercule.
> Le voilà donc s'armant de la massue. Je voudrais que vous me dissiez quelle altération est survenue dans son organisation extérieure, à partir des bras, qui ont fatigué les premiers, jusqu'à l'extrémité de son corps ou le bout de ses pieds [...]. Un mot aussi des mouvements de l'âme sur les parties du visage, et de l'action des viscères intérieurs sur les parties extérieures.
> Voilà le sujet de votre première lettre. (*A. T.,* IX, 239.)

L'interprétation le cède donc à la lecture. De plus en plus, Diderot tend à considérer le corps comme un texte parfaitement accessible à un artiste tant soit peu versé dans les sciences. La peau, surtout, le fascine par la netteté de sa graphie : « Cela est écrit là, là, et là encore... La tristesse passe, mais ses traces demeurent [16]. »

---

a. *O. R.,* 509. Aux confins du désordre et de la souffrance, le corps coïncide *indubitablement* avec *sa* vérité. Non pas forcément avec la vérité. Les cheveux s'arrachent tantôt à bon escient (Jacques et la femme ruinée, Agathe sur le cadavre de Saint-Ouin, etc.), tantôt en pure perte : Jacques au désespoir devant le faux enterrement de son capitaine. Mais cette manifestation intempestive exprime encore une vérité : la fidélité de Jacques.

Il déchiffre dermatoses et érésipèles. Le signe se fait stigmate, marque irrécusable et indélébile, substance et histoire.

Le bal de l'Opéra. Quand tous les efforts de dévoilement sont vains, rien n'est encore perdu. Il reste la durée, cette durée éthique et justicière qui finit par triompher des masques. Mais il faut bien du temps à la Religieuse pour apercevoir le stratagème de ses supérieures, au maître pour se convaincre de la friponnerie de Saint-Ouin.

L'on ne peut attendre que des années l'absolue certitude de la réparation et du dévoilement : « Un jour, leur disais-je, un philosophe demandait à un homme du monde : Si le bal de l'Opéra durait toute l'année, que pensez-vous qu'il en arrivât ?... Ce qui en arriverait, c'est que tous les masques se reconnaîtraient [17]. »

II. PRÉSENCE ET VERTU

I. FLAGRANTS DÉLITS ET PROCÈS-VERBAUX

Hanté par le spectacle des masques, Diderot s'est appliqué tant à décrire le monde qu'à le déclarer illisible et à en récrire idéalement la *présentation*. Le Plan d'une faculté de théologie pour l'université de Russie nous propose précisément une *institution de la présence*, institution d'autant plus malaisée que l'état ecclésiastique incline souverainement « à la profondeur et au secret ». Mais Diderot connaît le remède : une technique du confinement. Pour éviter que les « apprentis prêtres » ne se masquent, c'est-à-dire ne s'absentent, il suggère à Catherine II de les enfermer dans la médiocrité (ni pauvres, ni riches) et le *langage* de leur état : « Il faut pardonner toutes les fautes, excepté celles contre la pantomime et les mœurs. Le meilleur des prêtres est un saint prêtre; un bon prêtre est un prêtre décent. [...] Au demeurant, je supplie Sa Majesté Impériale de considérer qu'il ne faut point de prêtres, ou qu'il faut de bons prêtres... [1] » Toutes précautions prises pour discerner les vocations, décourager les tièdes et les ambitieux, interdire la familiarité, bref, les masques étant mis hors de portée, la moindre peccadille ne manquerait pas de transpirer aussitôt. Dans une société si rigoureusement ordonnée, la présence éclairerait sur la vertu.

Le problème est donc moins de changer les hommes que de les identifier. Diderot rêve d'une société où le constat, retrouvant infailliblement l'être derrière sa pantomime, *justifierait* la sanction.

Tel n'est pas le monde où nous vivons. Jacques voit dans la condition humaine une expérience du quiproquo : « Si l'on ne dit presque rien dans ce monde, qui soit entendu comme on le dit, il y a bien pis, c'est qu'on n'y fait presque rien, qui soit jugé comme on l'a fait [2]. » Rien n'illustre mieux ce décalage, que la critique romanesque du constat.

Critique du constat. Pour mieux montrer l'inanité du flagrant délit, Diderot l'introduit sous forme de paradoxe : le soi-disant constat est chez lui le couronnement d'une mystification. C'est le stratège qui prime, et non le détective. L'opération de lecture est ici gouvernée non par le souci de la justice, mais par le principe du plaisir (vengeance, pouvoir, argent). La supérieure de Longchamp s'occupe à confondre la Religieuse qui la juge, le chevalier de Saint-Ouin et la famille d'Agathe lorgnent la fortune du maître, Mme de La Pommeraye « s'intéresse » à la déchéance du marquis. Quant au P. Hudson, afin de perdre les deux religieux qui enquêtent sur ses forfaits, il imagine de les surprendre en tête-à-tête avec une jeune fille qu'il avait séduite...

> « Demandez, lui dit-il, à leur parler en secret. Seule avec eux, jetez-vous à leurs genoux, implorez leur secours, implorez leur justice, implorez leur médiation auprès du général, sur l'esprit duquel vous savez qu'ils peuvent beaucoup; pleurez, sanglotez, arrachez-vous les cheveux...
> — Comment, monsieur, je leur dirai...
> — Oui, vous leur direz qui vous êtes, à qui vous appartenez, que je vous ai séduite au tribunal de la confession, enlevée d'entre les bras de vos parents, et reléguée dans la maison où vous êtes. [...] Ils s'informeront de vous et de vos parents, et *comme vous ne leur aurez rien dit qui ne soit vrai,* vous ne pouvez leur devenir suspecte. Après cette première et leur seconde entrevue, je vous prescrirai ce que vous aurez à faire à la troisième. Songez seulement à bien jouer votre rôle. » (*O. R.*, 676-677.)

Aussitôt soupçonné le projet de ses adversaires, Hudson garde son sang-froid, réfléchit, entre dans leur jeu pour déjouer tout soupçon, et conduit sa machination avec un extraordinaire souci du détail. Aucun mot, aucun geste n'est laissé à l'improvisation de ses complices, la jeune fille et le commissaire. Il leur dicte un rôle,

a. On ne constate pas sans violence l'infidélité ou la luxure. Encore distingue-t-on, chez Diderot, trois manières d'intrusion : accidentelle (Mme Volland a besoin d'un papier), passionnelle (Sœur Thérèse surgit, échevelée, dans l'intimité de sa supérieure), policière (les procès-verbaux des commissaires).

comme Mme de La Pommeraye avait fait aux d'Aisnon. La jeune fille convient avec les religieux d'une dernière entrevue au cours de laquelle elle signera sa déclaration. Ils s'y trouvent tous trois, et déjà ils verbalisent, lorsqu'on frappe à la porte [a] :

> « Ah! ah! dit le commissaire en entrant, deux religieux en tête-à-tête avec une fille! Elle n'est pas mal. » La jeune fille s'était si indécemment vêtue, qu'il était impossible de se méprendre à son état et à ce qu'elle pouvait avoir à démêler avec deux moines dont le plus âgé n'avait pas trente ans. Ceux-ci protestaient de leur innocence. Le commissaire ricanait en passant la main sous le menton de la jeune fille qui s'était jetée à ses pieds et qui demandait grâce. « Nous sommes en lieu honnête, disaient les moines.
> — Oui, oui, en lieu honnête », disait le commissaire. (*O. R.*, 678.)

La machination triomphe dans le paradoxe : les moines, le maître se voient obligés de signer un procès-verbal qui ne contient que la vérité. Mais le magistrat n'en interprète pas moins, tout en la sanctionnant, une vérité phénoménale et qui, de surcroît, se prête si complaisamment à la fabrication. Il abstrait du contexte réel (histoire, intentions) une instantanéité tout arbitraire qui décide d'un destin. La porte s'ouvre sur un *tableau* inachevé; car, si l'on y regarde de près, l'on s'aperçoit que, suivant la méthode des *Salons,* Diderot critique le constat comme une composition qui ne retiendrait rien du passé. L'instant du flagrant délit exclut, par définition, l'instant précédent qui établirait l'innocence. Deux religieux sont surpris en compagnie d'une jeune fille fort dévêtue, mais il n'est pas vrai qu'ils travaillent à la séduire. Le maître de Jacques s'est fourré dans le lit d'Agathe, soit, mais il n'y serait pas parvenu sans la conspiration de ceux qui, à son chevet, crient déshonneur et trahison. Au moment où on lui demande si elle renonce à Satan et à ses œuvres, Suzanne pousse un cri, mais c'est parce que ses compagnes la piquent. Son voile se déchire ? C'est qu'elles l'ont

---

a. Notons l'insistante *orchestration* du scandale : bruits de pas et de portes, protestations et lamentations des religieux, ricanements du commissaire, supplications de la jeune fille, « bruit confus de l'invective et des huées » (locataires, badauds), etc. (*O. R.*, 678, 679, 765, 766).

cousu : « ... il fallait que ce prêtre me vît obsédée, possédée ou folle[3]... » Quoi qu'il se propose de démontrer, l'adversaire mise sur le prestige de l'évidence. Les déboires du P. Ange, dans *Jacques le Fataliste*, relèvent également d'une synchronisation satanique. On le persécute tant et si bien que sa tête « *parut* se déranger » : « Alors on appela un médecin qu'on corrompit et qui *attesta* que ce religieux était fou... [4] »

A quoi bon protester de son innocence ? Le maître raconte à un commissaire de bonne foi sa « triste aventure, telle qu'elle s'était passée » : « Il ne la vit pas d'un œil beaucoup plus favorable; car tout ce qui pouvait m'absoudre ne pouvait ni s'alléger ni se démontrer au tribunal des lois [5]. » « On avait la preuve de ce qui était *contre* moi; ce qui était *pour* ne pouvait ni s'alléger ni se prouver [6] », écrit la Religieuse.

Les appareils de torture, les pièges du décor, les artifices du romanesque se révèlent superflus. La légalité se charge, chez Diderot, des plus cruelles infortunes. Vérité dépourvue de preuves, l'innocence est impuissante comme une *nature* devant la *machination* et l'arbitraire. Sa parole, son silence la condamnent également. Elle s'exclut du domaine des preuves, parce qu'elle est *sa* preuve. Enfermée en elle-même, absolu de la vérité, coupée de l'histoire et du monde, quelle mémoire pourrait-elle garder ?

> Je fus prêchée bien ou mal, je n'entendis rien : on disposa de moi pendant toute cette matinée qui a été nulle dans ma vie, car je n'en ai jamais connu la durée; je ne sais ni ce que j'ai fait ni ce que j'ai dit. On m'a sans doute interrogée, j'ai sans doute répondu; j'ai prononcé des vœux, mais je n'en ai nulle mémoire, et je me suis trouvée religieuse aussi innocemment que je fus faite chrétienne... (*O. R.*, 263.)

Étrangère à l'écriture et à l'action, l'innocence n'a rien d'autre à offrir que l'éclat de sa pureté. En signant ses vœux, Suzanne confirme elle-même sa réclusion, mais comment se souviendrait-elle ?

> ... je voulus voir la signature de mes vœux : il fallut joindre à ces preuves le témoignage de toute la communauté, celui de quelques étrangers qu'on avait appelés à la cérémonie. M'adressant plusieurs fois à la supérieure, je lui disais : « Cela est donc bien vrai ?... » et je m'attendais toujours qu'elle m'allait répondre : « Non, mon

enfant; on vous trompe... » Son assurance réitérée ne me convainquait pas... (*Ibid.*, 263.)

Ainsi la Religieuse n'a pu *agir* que dans un moment d'aliénation : « Mais il reste à savoir, note-t-elle, si ces actions sont de l'homme, et s'il y est, quoiqu'il *paraisse* y être [7]. »

Toutes ces mésaventures mettent en question le système des preuves. Assurément le procès-verbal expose le fait pur et simple, mais c'est à la manière du miroir qui capte et accrédite l'apparence. Quel parti prendre à présent ? Diderot ne rejette pas les lois. Il les déclare insuffisantes ou contradictoires. Les unes dépouillent l'innocent, les autres le protègent. Dans *la Religieuse,* il n'est pas une faction qui n'en appelle à la justice : la famille, les supérieures, l'infortunée Suzanne. Ici encore — et chaque fois qu'il se voit dans une impasse — Diderot invoque l'œuvre du temps. Mais sa patience se double de prudence, et son éthique se fait politique, puisqu'il se résigne à conserver les lois, provisoirement, avec le souci de les réformer.

2. JUGEZ, NE JUGEZ PAS

C'est que chacun a son avis... Comme Montaigne, Diderot récite le pour et le contre. Jamais nous ne voyons le même caractère ni le même événement du même œil. L'action la plus honnête nous jette dans des camps opposés. Par exemple, il ne devrait pas y avoir, selon le maître, deux opinions sur la conduite de M. Le Pelletier, un brave homme consumé par la charité. Mais les pauvres le prennent pour un saint, les riches pour un fou, sa famille pour un dissipateur qu'il faudrait interdire. A bout de ressources, Le Pelletier vient solliciter un certain Aubertot en faveur de ses pauvres. Celui-ci, excédé de son insistance, lui donne un soufflet :

« Ce qu'il fit après son soufflet reçu ? Il prit un air riant, et dit à M. Aubertot : « Cela c'est pour moi; mais mes pauvres ?... » (*O. R.,* 546.)

Le capitaine s'indigne de tant de lâcheté. Comment admirer qui renonce à venger son honneur ? Chacun, remarque Jacques, «apprécie l'injure et le bienfait à sa manière [8] ».

Cette diversité de manières alimente pour l'essentiel le dialogue de Jacques et de son maître. Sur les moines ils sont tombés d'accord, mais que dire du P. Hudson ? Il montre « le génie de l'intrigue porté au dernier point », les « mœurs les plus dissolues [9] », mais n'a-t-il pas rétabli l'ordre dans son couvent, éloigné ou converti les jansénistes, rendu d'immenses services à l'Église ? L'accomplissement de l'œuvre ne l'emporte-t-elle pas sur la méchanceté de son auteur ? C'est l'alternative entre Racine bon père et médiocre poète, ou bien mauvais père et poète sublime.

Que penser de la charmante voisine de Desglands ? Sans mœurs, il est vrai, d'une inconstance effrénée, mais toujours prête à secourir les miséreux. De Gousse qui vend tout ce qu'il possède afin que son ami Prémontval puisse épouser Mlle Pigeon, mais qui, pour se faire payer huit cents livres, ajoute froidement un zéro à un mandat de quatre-vingts livres ?

Les agissements de Mme de La Pommeraye et de ses complices suscitent également les appréciations les plus différentes. Jacques la tient pour une méchante femme. N'est-ce pas se prononcer un peu vite ? objecte le maître. Sa méchanceté, d'où lui vient-elle, sinon de l'infidélité du marquis ? Les revoici du même avis sur l'abjection du confesseur et la vilenie de la d'Aisnon. Alors, de crainte que l'indolent lecteur ne s'empare de leur verdict, Diderot rouvre brusquement le débat en accordant à la d'Aisnon les circonstances atténuantes : « Est-ce que cette fille comprit rien aux artifices de la dame de La Pommeraye, avant le dénouement [10] ? » Et c'est l'amorce d'une remontée de l'histoire. En amont de l'événement, l'on se rappelle que la jeune fille n'était pas incapable d'aimer, qu'elle n'avait aucun esprit de libertinage, qu'elle s'était brouillée avec un petit abbé antiphilosophe qui n'avait pas « d'autres sentiments que ceux qu'il ridiculisait [11] ». Non, Mlle Duquesnoi n'était aucunement douée pour l'infamie, et la mystification eût certainement échoué si Mme de La Pommeraye n'en avait arrêté le plan. Mme de La Pommeraye ? « Un homme en poignarde un autre pour un geste, pour un démenti ; et il ne sera pas permis à une honnête femme perdue, déshonorée, trahie, de jeter le traître entre les bras d'une courtisane ? Ah ! lecteur, vous êtes bien léger dans vos éloges, et bien sévère dans votre blâme [12]. »

Les jugements ne divergent pas seulement d'acteur à acteur ou de juré à juré : le dialogue, la conscience du narrateur entretiennent aussi une mobilité qui empêche le lecteur de s'assoupir au plus moelleux de l'événement.

Les revirements   Le mouvement ne peut ébranler qu'à
du narrateur.   partir d'une relative inertie. C'est pour-
                      quoi *le Neveu de Rameau* s'ouvre par une appréciation apparemment sans recours : le portrait condescendant d'un original. Départ combien habile dans la mesure où tout portrait est voué à la contestation : « C'est qu'ils ressemblent si peu, que, si par hasard on vient à rencontrer les originaux, on ne les reconnaît pas. Racontez-moi les faits, rendez-moi fidèlement les propos, et je saurai bientôt à quel homme j'ai affaire. Un mot, un geste m'en ont quelquefois plus appris que le bavardage de toute une ville [13]. » Partis d'un insuffisant *a priori,* nous découvrons, à travers ses propos et sa pantomime, l'intelligence, la sensibilité, le cynisme du Neveu. Mais après nous avoir fait partager tour à tour la sévérité, l'admiration, la perplexité du philosophe, Diderot nous abandonne à notre propre réflexion.

Autre exemple : les premières pages de *Ceci n'est pas un conte.* Tout se passe comme si, en raison même de leurs infortunes, Tanié, Mlle de La Chaux, le docteur Le Camus devaient disposer de notre entière sympathie. Le dévouement des uns, l'ingratitude des autres auraient-ils décidément orienté nos sentiments ? Un déconcertant dialogue ravale soudainement la vertu de Tanié à la « sottise » d'un amant aveuglé par sa passion :

— Il y a des gens dans le monde qui vous diront que c'est un sot.
— Je ne le défendrai pas... (*O. R.,* 799.)

Mlle de La Chaux n'est pas non plus au-dessus de tout reproche. N'espérait-elle pas, à force de sacrifices, s'approprier Gardeil ? Quant au docteur Le Camus :

La passion qu'il avait prise pour cette jeune fille différait peu de celle qu'elle ressentait pour Gardeil. Je lui fis le récit de notre visite; et tout à travers les signes de sa colère, de sa douleur, de son indignation....
— Il n'était pas trop difficile de démêler sur son visage que votre peu de succès ne lui déplaisait pas trop.

— Il est vrai.
— Voilà l'homme. Il n'est pas meilleur que cela. (*O. R.*, 808.)

Loin de canoniser qui que ce soit, parce que c'en serait fait alors du principe d'incertitude, Diderot multiplie doutes et soupçons. C'est le point de vue qui fait la valeur et qui répartit les valeurs. Diderot peut donc, sans le moindre pharisaïsme, écrire dans le *Supplément au Voyage de Bougainville* :

B. — [...] Tant que nos appétits naturels seront sophistiqués, comptez sur des méchantes femmes.
A. — Comme la Reymer.
B. — Sur des hommes atroces.
A. — Comme Gardeil.
B. — *Et sur des infortunés à propos de rien.*
A. — *Comme Tanié, Mademoiselle de La Chaux, le chevalier Desroches et Madame de La Carlière.* (*Op. cit.*, 63.)

Infortune à Paris, mais à Tahiti infortune « à propos de rien ». Tout est affaire de point de vue.

Le pari de Diderot. Balzac se leurre lorsqu'il affirme que Diderot, dans *Ceci n'est pas un conte,* a « évidemment » conclu pour Reymer et Gardeil [a]. Diderot ne conclut pas. Il s'interroge [b] et conteste inlassablement le parti qu'il vient de prendre. Par une dialectique du pour et du contre qui ne saurait s'achever qu'avec l'épuisement des perspectives, il s'emploie à stimuler et à entretenir le mouvement : « On doit exiger de moi que je cherche la vérité, mais non que je la trouve. » S'il ne désespère pas de la découvrir, il lui importe plus encore de prévenir échec ou erreur, et de pallier l'incertitude de toute recherche par la qualité de sa démarche. Dans la prospection aventureuse d'un absolu — de la présence ou de la conscience —, il est une authenticité d'intention qui dépasse le succès ou l'insuccès : « ... qu'ai-je à craindre, si c'est innocemment que je me trompe [14] ? » Pour rien

a. Balzac, *Lettres sur la littérature,* 1131.
b. « On me demandera si je n'ai jamais ni trahi, ni trompé, ni délaissé aucune femme sans sujet. » (*Ceci n'est pas un conte, O. R.*, 812.)
« Mais si vous aviez une fille à marier, la donneriez-vous à Desroches ?
— Sans délibérer... » (*Madame de La Carlière, O. R.*, 834.)

au monde il ne voudrait d'une certitude paresseusement acquise : illumination ou révélation. S'il découvre la vérité, c'est que sa démarche l'y aura conduit; s'il échoue, du moins lui reconnaîtra-t-on le mérite de son effort. Tel est le *pari* de Diderot.

« Pour moi, qui m'occupe plutôt à former des nuages qu'à les dissiper, et à suspendre les jugements qu'à juger... [15] » La recherche l'emporte sur la découverte ou la réponse. Mais comment concilier un univers en mouvement avec le rêve d'un absolu ? Sans doute par le moyen d'une recherche sincère. Car la recherche est mouvement qui nous rapproche du repos. L'on peut assurément soupçonner Diderot de retarder le plus longtemps possible l'avènement du repos. « Pensée questionneuse, note Roland Mortier, qui suscite les problèmes moins pour les résoudre que pour inquiéter et troubler, pour ébranler notre confort intellectuel [a]. »

C'est dans cet esprit-là que Diderot entreprend la réforme du lecteur. Mais, à la façon du Ponocrates de Rabelais, d'abord il l'observe, sans indulgence, en son train de questionnement ordinaire : « Comment s'appelaient-ils ?... D'où venaient-ils ?... » Les répliques du romancier sont une ironique transition de la vaine curiosité au « train d'estude ». L'identité ? « Que vous importe ? » Les lieux, le but du voyage ? « Est-ce que l'on sait où l'on va ?... » Il dénonce les prétextes du repos (noms, lieux, événements) pour introduire à l'être : est-il bon ? est-il méchant ? au fond, quel homme est-ce ? Bien entendue, la question appelle non plus une réponse, mais un faisceau de questions essentielles. Entre le système des preuves légales et la voix de la conviction intime, le sens moral s'affirme comme une *étude* des points de vue, comme une expérience de l'incertitude. De la solitude aussi. Les dernières lignes, si abruptes, la désinvolte pirouette finale de l'auteur annoncent l'émancipation du lecteur. A lui de juger, ou plutôt de suspendre son jugement, mais en se justifiant de son incertitude.

La propédeutique relativiste de Diderot constitue à cet effet un véritable code de la prudence :

— Éviter de compromettre le groupe à l'occasion d'actions individuelles. Diderot multiplie, à l'intérieur d'un groupe déter-

---

a. Roland Mortier, *Diderot et le problème de l'expressivité, Cahiers de l'Association internationale des études françaises,* n° 13, juin 1961, 292.

miné, les exemples du pour et du contre. Convenons avec l'hôtesse
« que s'il y a de bien méchants hommes, il y a de bien méchantes
femmes »; avec le narrateur de *Ceci n'est pas un conte,* que « s'il y a
des femmes méchantes et des hommes très bons, il y a aussi des
femmes très bonnes et des hommes très méchants ». Les valets ?
« ... il y en a de bons, il y en a de mauvais... [16] » Ailleurs, de bons et
de mauvais prêtres, de bonnes et de mauvaises religieuses, de bons et
de mauvais juifs.

— Se cuirasser contre les préjugés de l'opinion. Diderot s'emporte, dans *Madame de La Carlière,* contre la stupidité, la méchanceté,
les vicissitudes du jugement public : « Et c'est ainsi que de bouche
en bouche, échos ridicules les unes des autres, un galant homme est
traduit pour un plat homme, un homme d'esprit pour un sot, un
homme honnête pour un coquin, un homme de courage pour un
insensé, et réciproquement. » Tout d'abord *on* convient de la faute
de Desroches, à condition que sa femme modère son ressentiment.
Mais elle reprend son nom de veuve et condamne sa porte : *on* la
déclare « folle à enfermer ». Elle maigrit, elle devient squelettique :
« S'éteindre à la fleur de son âge, passer ainsi, et cela par la trahison
d'un homme qu'elle avait bien averti, qui devait la connaître... »
Confié à une nourrice, son bébé meurt « d'un changement de
lait » : et c'est encore Desroches le coupable. Le frère de Mme de La
Carlière est tué à la tête de son régiment : « A *les* entendre, on eût
cru que le coup, dont le jeune officier avait été tué, était parti de
la main de Desroches. » La mère de Mme de La Carlière meurt,
de vieillesse, et l'*on* accuse Desroches d'avoir assassiné son fils,
son beau-frère, sa belle-mère. Enfin c'est le tour de Mme de La
Carlière et l'*on* ne parle plus de Desroches que comme d'une « bête
féroce, qui avait enfoncé peu à peu un poignard dans le sein d'une
femme divine... [17] »

Rien ne résistait à l'anneau de Cucufa : ni les secrets ni *l'histoire*
des « bijoux ». Le jugement *public,* lui aussi, se prononce sur l'insaisissable : nos actions *particulières.* Insaisissables dans leurs intentions et leurs secrets. Le P. Hudson, « mais, *au fond,* quel homme
est-ce ? » Mlle Duquesnoi ? « Et qui sait ce qui se passait *au fond
du cœur* de cette jeune fille, et si, dans les moments où elle nous
paraissait agir le plus lestement, elle n'était pas *secrètement* dévorée

de chagrin ? » Qui savait que Desroches s'était retiré à la campagne,
non pour passer les nuits « à crapuler avec des espèces comme lui »,
mais afin d'attendre, « dans la douleur et dans l'ennui, un sentiment
de pitié qu'il avait inutilement sollicité par toutes les voies de la
soumission ? [18] » Qui savait qu'autrefois, rapporteur dans une
affaire criminelle, il avait, saisi d'un doute, déchiré sa robe magistrale ?

— C'est qu'on ignore ces choses-là.
— C'est qu'il faut se taire, quand on ignore. (O. R., 815.)

— Accepter l'homme dans sa diversité et sa mobilité. Ici encore
la contradiction logique fait place à l'opposition réelle : « ... nous
sommes nous, toujours nous, et pas une minute les mêmes [19]. »
Si l'homme peut dissembler de lui-même soit dans l'instant, soit
au fil du temps, n'est-il pas absurde de le juger sur une seule de
ses actions ? Richard présente le P. Hudson comme le « meilleur
des amis et le plus dangereux des ennemis [20] ». Tel est aussi Lovelace. Et M. Hardouin :

MADAME DE CHEPY : Est-il bon ? est-il méchant ?
MADEMOISELLE DE BEAULIEU : L'un après l'autre.
MADAME DE VERTILLAC : Comme vous, comme moi, comme tout
le monde. (O., 1402.)

3. REFAIRE L'HISTOIRE

Suspendre son jugement avec, sous les yeux, un panorama des
intentions et des conduites, s'en remettre au temps comme à la
promesse du dévoilement et de la réparation : à défaut d'une
morale, Diderot nous livre cette méthodologie. Mais qu'est-ce
qu'une réparation posthume pour qui se soucie du bonheur des
vivants ? La gloire de Socrate ? « Le voilà bien avancé! en a-t-il
moins été mis à mort [21] ? » C'est bien pourquoi, dans ce domaine
de la liberté qu'il affirme être le sien, le romancier se résout à
récrire l'histoire. Lorsqu'il ironise sur la puérilité de certaines
infortunes, il rectifie un destin. Jamais, à Tahiti, Mlle de La Chaux
n'aurait songé à dire de son amant : « Vous savez tout ce qu'il
me doit. » Dans un état de nature où il ne lui devait que quelques
heures de plaisir, elle l'aurait quitté sans regret. Le *Supplément au*

Voyage de Bougainville représente une pointe extrême d'audace et de prudence, d'une prudence à la Montesquieu, préférant à l'anarchie un ordre imparfait. Car Diderot ne se fait pas illusion : Paris ne saurait être converti en Tahiti. C'est précisément parce qu'il y a si loin de l'un à l'autre, que la Polynésie devient paraboliquement exemplaire : elle découvre, par contraste, malfaçons et inutiles souffrances.

En un monde mieux agencé Tanié rencontrerait Mlle de La Chaux, et Gardeil la Reymer. Mais plutôt que de consentir à une interversion des destins, Diderot biaise avec l'histoire. Tout en s'interdisant les miracles que le roman met gratuitement à sa portée, il recherche rétrospectivement accommodements et compromis. Pour *Madame de La Carlière* il change la « thèse [a] », tout en conservant l'*eidos* de ses personnages : humeur et bouderies de la belle, serments réitérés, galanterie de Desroches : « Point de séparation, point d'éclat; ils vivent ensemble comme nous vivons tous... [22] » Ils meurent sans alerter le jugement public. Pour Mme de La Pommeraye, nouvel accommodement, il lui reproche « plus encore la manière que la chose » : « Je ne me fais pas à un ressentiment d'une si longue tenue; à un tissu de fourberies, de mensonges, qui dure près d'un an [23]. » Le marquis des Arcis se serait inspiré de la voisine de Desglands : « Comme elle connaissait sa légèreté, elle ne s'engageait point à être fidèle [24]. »

a. « A quoi pensez-vous donc ? vous rêvez. — Je change la thèse, en supposant un procédé plus ordinaire à Mme de La Carlière. Elle trouve les lettres; elle boude. Au bout de quelques jours, l'humeur amène une explication, et l'oreiller un raccommodement, comme c'est l'usage. » (*O. R.*, 833.)

III. LA PRÉSENCE AU MONDE

I. L'ŒIL ET LA MAIN

« Quand on a un peu l'habitude de lire dans son propre cœur, on est bien savant sur ce qui se passe dans le cœur des autres [1]. » La connaissance d'autrui présuppose une connaissance intime. Je puis, sur moi-même, exercer ma lucidité au prix d'un effort qui apparente traditionnellement l'examen de conscience à une exploration par le regard. Il ne m'en coûtera que de me lire et relire patiemment. Mme de La Pommeraye s'est accoutumée « à examiner de près ce qui se passe dans les replis les plus secrets de son âme et à ne s'en imposer sur rien... [2] » Abusée par le marquis des Arcis, et consciente de l'aimer encore, elle répond à l'indifférence masquée par une indifférence simulée. Mais, de crainte de se trahir, elle se couvre le visage.

Dans un univers où nul ne tricherait plus, il suffirait donc, pour se connaître, connaître, juger, de tenir les yeux ouverts. Au cours de son *Voyage de Hollande,* Diderot remarque une jeune fille « qui semblait porter son histoire écrite dans ses yeux [3] ». Les yeux lisent dans les yeux, les cœurs, les âmes.

Lire, écrire.   Avant de prétendre à l'écriture et à la domination, le conquérant dresse la carte des paysages réels. Au hasard d'une rencontre ou d'un souper, il s'exerce à déchiffrer l'inconnu jusqu'à ce que la *présentation* du monde se suffise textuellement à elle-même. « Il faut savoir avec qui l'on cause ; et, pour y réussir, il n'y a qu'à laisser parler et réunir les circonstances [4]. » Ces « circonstances » trop souvent embaumées par la critique dans quelque art poétique de la vraisemblance, la *Satire I* restitue leur signification pratique. Le jour est là où les autres, bon gré, mal gré, produisent leur identité véritable :

> Il survint sur le soir un personnage qu'il ne connaissait pas; mais ce personnage ne parlait pas haut : il avait de l'aisance dans le maintien, de la pureté dans l'expression, et une politesse froide dans les manières. « C'est, me dit-il à l'oreille, un homme qui tient à la cour. » Ensuite il remarqua qu'il avait presque toujours la main droite sur sa poitrine, les doigts fermés et les ongles en dehors. « Ah! ajouta-t-il, c'est un exempt des gardes du corps; et il ne lui manque que sa baguette. »
> Peu de temps après, cet homme conte une petite histoire. « Nous étions, dit-il, Mme et M. tels, Mme de *** et moi... » Sur cela, mon instituteur continua : « Me voilà entièrement au fait. Mon homme est marié; la femme qu'il a placée la troisième est sûrement la sienne; et il m'a appris son nom en la nommant. » (O., 1224.)

Avec une telle maîtrise, il devient aisé de dominer le monde, car la mystification représente un accomplissement et une anticipation de la lecture. Elle découvre un texte avec les yeux d'autrui [a].

Étrange polémique où l'œil oriente sa propre défaite, la main se jouant de lui dans le langage du visible ou du lisible.

2. LA MYSTIFICATION

Le mot et la chose.   « Nous appelons un canard, dit un personnage des *Illusions perdues,* un fait qui a l'air d'être vrai, mais qu'on invente pour relever les Faits-Paris quand ils sont pâles. Le canard est une trouvaille de Franklin, qui a inventé le paratonnerre, le canard et la république [b]. » C'est Franklin, l'un des grands humoristes de son temps, qui avait intercalé dans sa Bible une *Parable against Persecution :* le cinquante et unième chapitre de la Genèse, assurait-il. En France, dans sa petite imprimerie de Passy, il composait un *Supplement to the*

---

a. Diderot admire en Socrate ce même don de la divination : « Socrate avait une si prodigieuse habitude de considérer les hommes et de peser les circonstances, que, dans les occasions les plus délicates, il s'exécutait secrètement en lui une combinaison prompte et juste, suivie d'un pronostic dont l'événement ne s'écartait guère. » (*A. T.,* II, 24.)
b. Balzac, *Les Illusions perdues,* 736.

Boston Independent Chronicle [a]. « Ce journaliste, continue Balzac [b], trompa si bien les encyclopédistes par ses canards d'outre-mer que, dans l'*Histoire Philosophique des Indes*, Raynal a donné deux de ces canards pour des faits authentiques. »

Vers les années 1760-1770, le *canard* devient un divertissement à la mode. Le verbe mystifier aurait été alors inventé et conjugué par Palissot, Fréron, Préville et Bellecour pour leur souffre-douleur Poinsinet, à l'occasion de soupers qui réunissaient bourreaux et victimes deux ou trois fois par semaine. Poinsinet était d'une crédulité extrême : on parvint à lui faire accroire que le roi de Prusse désirait lui confier l'éducation du prince royal. Aussitôt il s'affuble du cordon de l'aigle noir et abjure la religion catholique en présence de deux prétendus ministres protestants. La *Correspondance littéraire* nous apprend que cette comédie « dura plusieurs mois et eut plusieurs actes, sans que Poinsinet doutât un instant de la réalité de tous ces faits. Ses amis appelaient cela mystifier un homme, et lui donnèrent le surnom de mystifié, terme qui n'est pas français, [...] et qui, inventé et employé par certaines gens, ne mériterait pas d'être remarqué... [c] » A vrai dire, Grimm, remarquable pasticheur, comme Diderot, et « professionnel » de la mystification, réprouvait plus le mot que la chose. Georges Roth hésite entre Grimm et Mme d'Épinay pour l'attribution d'une lettre de Diderot à Grimm, lettre apocryphe destinée à l'*Histoire de Madame de Montbrillant*, les pseudo-mémoires de Mme d'Épinay [d]. Il semble également, contrairement à ce qu'ont avancé, jusqu'à André Billy, tous les critiques sauf Tourneux, que l'on doive mettre au seul compte de Grimm la ténébreuse affaire des dédicaces [e].

a. J. V. Johansson, *Études sur Denis Diderot*, Göteborg et Paris, 1927, III.
b. *Op. cit.*, 736.
c. *Correspondance littéraire*, VI, 69-70; VIII, 350.
d. Diderot, *Correspondance*, II, 112.
e. « Diderot et Grimm montèrent contre Palissot une mystification destinée à le ruiner pour jamais dans l'esprit de ses protectrices, la comtesse de la Marck et la princesse de Robecq, ancienne maîtresse de Choiseul. Utilisant les traductions d'*Il Vero Amico*, et d'*Il padre di famiglia*, qu'avaient faites deux collaborateurs de l'*Encyclopédie*, [...] ils les publièrent avec des dédicaces satiriques signées du nom de Bleichnarr (*bleich* : pâle; *narr* : sot) et adressées à ces deux belles dames ennemies de la philosophie » (André Billy, *Diderot*, 220).
A. Billy ne connaissait pas encore la *Lettre apologétique de l'abbé Raynal à*

La part de Diderot. Dès les premières pages de sa correspondance, on découvre Diderot travaillant
« sourdement » à obtenir une pension de sa famille[5]. Dix ans plus
tard, triomphant d'intrigues diaboliques dont il démonte fièrement
les ressorts, il décroche pour Caroillon de La Salette l'office
d'entreposeur du Tabac à Langres : « Nous reparûmes sur l'eau;
nos ennemis *s'endormirent;* [...] et vous fûtes nommé[6]. » En janvier 1755, toujours au profit des Caroillon, il s'offre à séduire
Mme Buignet, leur riche et vieille tante, jusque-là un peu négligée : «... j'avais un ton de persuasion qui produisait tout son effet.
[...] Nous *endormirons* la bonne tante. » Mais ce ne sera pas sans
effort, et Diderot perçoit ironiquement les résistances à vaincre :
« Je ne vous dissimulerai point toutefois qu'elle ne m'ait dit en
riant qu'elle ne doutait guère que l'intérêt que l'on prenait aux
vieilles tantes ne fût un peu mêlé de la crainte d'en être oubliés.
Je tâchai de lui faire entendre que vous étiez assez éloignés d'un
pareil sentiment...[7] »

Ces exercices-là sont le solfège de la mystification. Diderot
s'accorde l'omniscience et l'ubiquité qu'il refusait au romancier.
Il écrit pour ceux qui ne savent pas écrire : épîtres dédicatoires,
sermons, discours d'avocats généraux, plans de comédie; il va
même jusqu'à rédiger un *Avis au public* pour la fortune d'une
pommade capillaire. Au nom d'une femme malheureuse, il envoie
à M. de Saint-Florentin « une lettre vraiment sublime; et cela
dans la même matinée où Marmontel et M. de Vaines en écrivaient
chacun une au même ministre en faveur et au nom d'une autre
malheureuse » : « J'ai vu leurs lettres. Ils n'ont pas encore vu la
mienne. Qu'ils conviennent ou non que je suis le plus fort, cela
n'en sera pas moins vrai[8].» Pour recommander un neveu de
Sophie Volland, il dresse « un placet rempli des mensonges les
plus honnêtes et les plus pathétiques[9] ». Pour mieux épauler la

---

M. Grimm : « Et les épîtres dédicatoires à Madame de La Marck et à Madame
de Robeque, est-ce de lâcheté ou de folie qu'elles vous accusent ? » (Dieckmann, *Inventaire,* p. 245). Écœuré, vers 1781, par l'opportunisme des rédacteurs
de la *Correspondance littéraire,* Diderot accuse Grimm d'être devenu « un des
plus cachés, mais un des plus (lacune) antiphilosophes » (*Ibid.,* 241).

requête d'une dame Dubois qu'il n'a jamais vue et qui souhaiterait qu'on rende sa pension « réversible sur la tête de son fils [10] », il feint d'être le père de cet enfant. Il n'est pas de domaine où il ne s'enchante de ses talents.

Techniques de la   Naigeon rapporte, dans ses *Mémoires,*
mystification.   comment le jeune Diderot, à court d'argent, avait mystifié un carme : « Quand il crut lui avoir inspiré de l'intérêt, et surtout de la confiance, il lui avoua qu'il était aussi ennuyé que las de la vie dissipée qu'il menait, et lui témoigna le désir le plus ardent et le plus réfléchi de se retirer du monde. » Enfin, Diderot, pour lui donner « une grande idée de sa discrétion et de sa véracité, se contenta d'une somme assez modique, mais suffisante pour éteindre les dettes les plus urgentes, promit ou du moins laissa entrevoir le projet de se faire carme, et partit [a] ». Mme de Vandeul, racontant elle aussi la mésaventure de frère Ange, parle d'une première visite de Diderot, d'une deuxième où la confiance se fortifie à travers les ruses réciproques, d'une petite somme empruntée, d'une petite bagatelle encore [b].

Cette discrétion dans la déloyauté, ce sens du peu sont un des ressorts de la mystification. Le mystificateur côtoie la vérité « d'assez près [11] ». Il valorise les détails, les accessoires, les petites circonstances. Il accorde au peintre que ce sont les imperfections d'un visage qui le rendent intéressant : coupure, verrue, cicatrice. Les valeurs négatives, le vague, l'imperfection, l'erreur, lui paraissent les plus efficaces. Diderot et ses amis, se proposant de mystifier le marquis de Croismare, adressent « par erreur » la première lettre de la Religieuse à un cousin du marquis, le comte de Croixmar, gouverneur de l'École royale militaire de Paris : « M. Diderot jugea cette première démarche nécessaire par plusieurs bonnes raisons. La religieuse avait l'air de confondre les deux cousins ensemble et d'ignorer la véritable orthographe de leur nom; elle apprenait par ce moyen, bien naturellement, que

a. Naigeon, *Mémoires,* 19-20.
b. Mme de Vandeul, *op. cit.,* XXXIV-XXXVI.

son protecteur était à Caen [a]. » Pour Diderot, il n'ignore aucunement l'adresse du marquis : c'est précisément pour le faire revenir de Normandie, qu'au nom de sa Religieuse, il lui demande secours et protection.

S'il veut faire illusion, le mystificateur doit endormir la méfiance : par une feinte carence d'invention, par le mouvement du récit, l'authenticité des patronymes, le mode d'expression, la connaissance de sa victime. Aussi n'y a-t-il de mystification qu'à mesure de la vérité : le prosélytisme de frère Ange, l'esprit et la sensibilité du marquis, la « crédulité rare » du correspondant de Mme de Prunevaux [b], les vapeurs et la naïveté de Mlle Dornet.

Le prince de Galitzin, au lendemain de son mariage, désire recouvrer deux ou trois portraits laissés à son ancienne maîtresse, Mlle Dornet. Diderot songe à « tirer parti des inquiétudes qu'elle avait sur sa santé, et [à] supposer à ces portraits une influence funeste qui l'effrayât ». Mais il reste dans les coulisses, comme Mme de La Pommeraye ou le P. Hudson, et dicte son rôle à un ami, Desbrosses, qui emprunte l'identité et les manières d'un médecin turc. Celui-ci, s'inspirant de la théorie épicurienne des simulacres, prescrit à sa patiente « la soustraction de tout ce qui pouvait lui rappeler de certaines idées, comme meubles, lettres, bijoux, *portraits* [12] ». Afin de ne pas éveiller le soupçon, il glisse l'essentiel — les portraits — à la fin de son ordonnance.

Si la mystification n'eût tourné court, il est probable que Desbrosses eût réussi à récupérer les portraits et à guérir Mlle Dornet de ses vapeurs. Il ne fait qu'appliquer ici une thérapeutique familière à Diderot et qui investit le réel des puissances de l'imaginaire.

Ayant rencontré à La Haye un mari affligé « par les vapeurs

a. *Préface-Annexe* de *la Religieuse*, O. R., 851-852.
b. C'est à lui que furent adressés en premier lieu *les Deux Amis de Bourbonne* : « Parmi ces correspondants il y en avait un d'une crédulité rare; il ajoutait foi à tous les fagots que ces dames lui contaient... Le philosophe voulut prendre part à cet amusement; il fit quelques contes que la jeune amie malade inséra dans ses lettres à son ami crédule, qui les prit pour des faits avérés, et assura sa jeune amie qu'elle écrivait comme un ange : ce qui était d'autant plus plaisant qu'une de ses prétentions favorites est de reconnaître, entre mille, une ligne échappée à la plume de notre philosophe. » (*Correspondance littéraire,* IX, 185.)

cruelles dont sa femme était tourmentée », Diderot lui conseille de feindre le même mal : « Votre femme, à qui vous êtes cher, vous promènera de ville en ville, [...] et guérira de ses vapeurs réelles par les efforts continus qu'elle emploiera pour vous délivrer de vos vapeurs simulées... [13] »

Aveux, justifications, secrets. La mystification apparaît comme un art de la retenue. Le chevalier de Saint-Ouin n'avoue que quelques actes de supercherie. La maîtresse du P. Hudson ne ment pas lorsqu'elle l'accuse de l'avoir séduite, mais elle se garde bien d'avouer que c'est lui qui l'envoie. Cet enchevêtrement de vérités, de silences et de faussetés, donne à la mystification un air redoutable d'honnêteté. C'est bien pourquoi Diderot, plus que personne, appréhende d'être joué : « Le marquis a répondu! Et cela est bien vrai ? Son cœur est-il bien fou ? Sa tête est-elle bien en l'air ? N'y a-t-il point là-dedans quelque friponnerie ? Car je me méfie un peu de vous tous [14]. » En 1768, peu avant l'histoire des portraits, Diderot se plaint d'avoir reçu de la princesse de Galitzin une lettre anonyme qui « contient la satire d'elle-même la plus sanglante, la moins ménagée et la plus indécente; et cela avec tant de sérieux et de vérité que, si le prince ne m'eût pas dit le mot de l'énigme, je m'y serais peut-être trompé, et j'en aurais à coup sûr conçu la plus cruelle inquiétude. Que dites-vous de cette bizarrerie ? Cette lettre est incroyable. Il faut la voir. Grimm à qui je l'ai montrée, doute encore qu'elle soit d'elle, en dépit de l'avis du prince qui ne permet pas d'en douter [15]. »

Redoutable parce que méconnaissable, la mystification n'est pas le mensonge, et Diderot prend soin de la racheter de diverses manières : par son prétexte, sa chaleur, son dénouement. Sur le prétexte, il s'explique dans une lettre à Sophie Volland : « ... je vous chargerai de chercher mon absolution dans Suarez et dans Escobar. Ces gens-là auront apparemment décidé qu'il est permis de faire un petit mal pour un grand bien; et ma conscience sera tranquille [16]. » Un petit mal pour un grand bien : voilà qui justifie la manie des bons offices. La mystification se purifie par le service rendu. Elle se valorise aussi par sa chaleur et son génie. L'inventaire du trousseau de la Religieuse, dans les lettres au marquis [17], est un chef-d'œuvre de vocabulaire et de prévoyance féminine. Le chevalier de Saint-Ouin force l'admiration lorsqu'il règle inopinément une addition, ce qu'il n'avait jamais fait jusque-là, pour s'assurer la confiance du maître. En fait, c'est la mystification que Diderot prétend sauver; elle s'achève en tragi-comédie, afin que nous ne condamnions pas l'œuvre avec le personnage. Le récit, le dialogue sont sans cesse tempérés par le sourire. Diderot, dans *les Deux Amis*, et Grimm, dans sa *Correspondance littéraire*, envoient au diable le menteur « plat et froid », parce que la feinte doit viser à la fiction. Tandis que le menteur dissimule et se dissimule, le mystificateur brûle de lever le masque. Diderot et Grimm avouent au marquis de Croismare leur « complot d'iniquité » : « ... il en a ri, comme vous pouvez penser [18]... » Le mystificateur confondu fait la paix avec sa victime : « ... on dîna bien, on dîna gaiement, et sur le soir on se sépara avec promesse de se revoir... [19] » Jeter le masque, se laisser démasquer : ce dénouement est aussi essentiel à la jouissance et à la reconnaissance, que la publication de l'œuvre. Diderot imagine un argument de ballet où, comme en un film d'Eisenstein, les spectres ôtent leurs masques : « ... ils se mettent à rire; ils font toute la pantomime qui convient à des scélérats *enchantés du tour qu'ils ont joué ; ils s'en félicitent* par un *duo,* et ils se retirent [20]. »

Diderot est loin pourtant d'avoir tout confessé. Lequel d'entre ses lecteurs, le soupçonnant embusqué derrière ses aveux mêmes, comme le P. Hudson derrière sa « marcheuse », n'a pas eu parfois le sentiment d'être joué ? Pour quelques aveux, que de silences! L'examen des manuscrits autographes et les enquêtes policières ne relèvent pas, touchant Diderot, de la pure érudition. Pour la Préface-Annexe de *la Religieuse,* Dieckmann a relevé dans la copie manuscrite les correctifs et surcharges que l'on attribuait jusqu'ici à Grimm : en particulier la célèbre anecdote de d'Alainville et la *Question aux gens de lettres.* Yves Benot, grâce aux *Rapports des Inspecteurs de police de M. de Sartine,* a pu établir avec précision l'identité de Mlle Dornet. Diderot, par une délicatesse qui n'empêche pas la raillerie, ne nous dit presque rien de sa victime, encore qu'il

la connût fort bien : le prince de Galitzin « avait été attaché à
Paris à une demoiselle Dornet, grande fille, assez belle, mais d'une
mauvaise santé, ne manquant pas tout à fait d'esprit, mais ignorante
comme une danseuse d'Opéra, et toute propre à donner dans un
torquet [21]. » Mlle Dornet avait ses entrées chez les Volland, le
prince était soupçonneux et jaloux. Pour un peu l'on imaginerait
un long attachement, tendre et désintéressé. Or nous apprenons
que Mlle Dornet, avant de se lier, vers 1765, avec le prince de
Galitzin, avait eu bien d'autres protecteurs : MM. de Villemur,
Mathix, Schutz, de Forceville, de Wangen, de Fontamieux, de
Montecastro, pour ne citer que les mieux pourvus. « Voici qu'un
conte d'apparence anodine se révèle truqué comme une valise à
double fond. Rien là-dedans qui soit un mensonge, et pourtant
tout est faussé [a]. »

La mystification et les mœurs. « Mais que dites-vous du mérite littéraire ? » avait répliqué Schlegel à un ami
qui lui reprochait la méchanceté d'un
libelle [b] Dans le contexte de la mystification, le dilemme entre la
belle page et la bonne action perd son sens. Assurément Diderot ne
sacrifierait ni l'art ni les mœurs. La mystification lui permet de
ménager l'un et l'autre par le double projet de réussite et de confession — puisque la découverte du coupable est intimement liée à la
réussite de l'entreprise. Tel est le destin du mystificateur : il ne peut
parvenir à ses fins qu'autant qu'il garde le masque; il ne peut jouir
de soi qu'en le jetant [c]. C'est au terme de la mystification réussie
que se conjuguent l'art et les mœurs, le triomphe et le jugement.
Avec l'affranchissement des victimes, les rôles se renversent, sans
que le mystificateur soit dépossédé de son mérite. Diderot tient en
outre à ce que la mystification se solde par un « en fin de compte ».

a. Yves Benot, *A propos de Diderot,* dans *La Pensée,* novembre-décembre
1958, 69. Autre mystification, si l'on admet l'*identité* de Mlle Dornet : son séjour,
arrangé par Diderot en 1767, dans la très honorable famille Volland. Il est probable que Sophie elle-même ignorait les antécédents et les talents réels de sa
pensionnaire.
b. Benjamin Constant, *Journaux intimes,* Paris, Gallimard, 1952, 127.
c. Naigeon désapprouve cette « franchise ». Cf. *A. T.,* V, 206 s.

En fin de compte, Richard doit au P. Hudson de ne pas vieillir dans les ordres. Mme de La Pommeraye, en dépit de son succès, ne parvient pas à faire le malheur du marquis.

La mystification,
le roman, l'action.
En quoi consistent donc les privilèges de la mystification ? Le théâtre et la peinture ne poursuivent-ils pas le même objet ? « Je sais encore que la perfection d'un spectacle consiste dans l'imitation si exacte d'une action, que le spectateur, trompé sans interruption, s'imagine assister à l'action même [22]. » Dans les natures mortes de Chardin, « les objets sont hors de la toile et d'une vérité à tromper les yeux [23] ». Pourtant, comme le note Belaval, « ni Mlle Dornet, ni le marquis de Croismare n'eussent été mystifiables de cette manière par une comédie ou par une ode [a] ». La mystification est romanesque. Elle ne se confond pas avec le roman, mais elle s'en inspire dans son économie, son sens du détail ou du geste, et elle y conduit. On sait que l'affaire de la Religieuse est contemporaine de la relecture de *Clarisse* et de *Paméla*. Diderot n'a certes pas attendu Richardson pour se jeter dans la mystification, mais pour que celle-ci lui apparût sur la voie du roman, il lui fallait s'être assuré de la complicité du roman et de l'action. Action, mise en action, réalité : telle est la matière de l'*Éloge*. Diderot n'aperçoit plus désormais de coupure essentielle entre l'univers romanesque et celui de l'action, entre le roman et son lecteur. La peinture et le théâtre n'agissent que par parenthèse. Le roman s'impose par une efficacité absolue et durable qui n'appartient pas au spectacle : « J'ai entendu disputer sur la conduite de ses personnages, comme sur des événements réels... [24] »

La mystification s'accomplit en vue de l'œuvre ; elle la préfigure [b] ; elle la cautionne enfin. *La Religieuse* n'est pas immédiatement œuvre d'art. La mystification est esthétique en puissance et l'œuvre

a. Yvon Belaval, *Nouvelles recherches sur Diderot*, Critique, nº 108, mai 1956, 411.
b. « Ce volume [*Mystification ou histoire des portraits*], c'est moi qui l'ai écrit. C'est la chose comme elle s'est passée. » (*Correspondance*, VIII, 206.)

conditionnée par la réussite de la mystification. Que l'histoire réelle avorte, et Diderot se détache de l'œuvre. Le suicide de Desbrosses et le départ précipité de Mme Therbouche, autre comparse, font échouer l'affaire des portraits, et Diderot, interrogé par Sophie Volland, feint d'avoir oublié : « Je ne saurais vous répondre sur l'histoire des portraits. Je ne sais plus ce que c'est [25]. » La dernière ligne de cette histoire éclaire le *sens* de la mystification : « Mais Desbrosses, quelques jours avant cette singerie, se cassa la tête de deux coups de pistolet, et la suite bien ou mal projetée n'eut pas lieu [26]. » *Bien* ou *mal* projetée, c'est ce qu'il importait à l'auteur de connaître. Comment, à présent, pourrait-il s'assurer de la fécondité de ses expédients ? Le bouleversement du marquis de Croismare atteste, en revanche, la réussite du complot et la créance de l'œuvre prochaine. Le mystificateur fait l'histoire avant d'évoquer la chose comme elle s'est passée. Ainsi la vérité de l'histoire se concilie-t-elle avec la volonté du romancier. La grandeur des histoires, c'est de n'être pas des contes; mais l'histoire, pour Diderot, glisse dans l'arbitraire dès que le romancier ou le conteur abdique ses droits. Qu'est-ce que la mystification, sinon le lieu de rencontre du réel et du monde ?

Dostoïevski et Diderot. Les lettres de la Religieuse avaient été composées au milieu des éclats de rire. Mais Diderot en robe de chambre, les pieds sur une chaufferette, un verre de malaga à portée de la main, pleure en *lisant* la page qu'il vient d'écrire. Ses contemporains s'étonnent. La portée réelle de la mystification leur échappe. Diderot l'élève au-dessus de la plaisanterie ou de la vengeance. Il y voit l'origine de l'œuvre, l'irrécusable témoignage d'une présence.

Nietzsche [a], Dostoïevski sont peut-être les seuls à rejoindre Diderot dans son art de l'ambiguïté ou du mensonge. Dostoïevski dans les *Frères Karamazov* :

Je ressemble au philosophe Diderot, Votre Révérence. Savez-vous, très saint père, comment il se présenta chez le métropolite Platon, sous l'impératrice Catherine ? Il entre et dit d'emblée : « Il

a. Friedrich Nietzsche, *Gesammelte Werke,* IX, 60-62.

n'y a point de Dieu. » A quoi le grand prélat répond, le doigt levé :
« L'insensé a dit en son cœur : il n'y a point de Dieu! » Aussitôt
Diderot de se jeter à ses pieds : « Je crois, s'écrie-t-il, et je veux être
baptisé. » On le baptisa sur le champ. La princesse Dachkov fut la
marraine, et Patiomkine le parrain... (Éd. Pléiade, 41-42.)

Ici encore la vraisemblance parraine le mensonge. Fiodor Pavlovitch avoue avoir inventé de toutes pièces ce « piquant » bap-
tême. Mais il est tout de même remarquable que, pour mystifier
le *starets,* Dostoïevski ait songé à la fois à Diderot et à ce bouffon
de Pavlovitch qui, dans sa jeunesse, gagnait son pain en parasite,
à la manière du Neveu.

IV. LA PRÉSENCE A SOI

Le dicéphale.   Corps et mots s'affirment organique-
ment : c'est pourquoi la mystification
réussie élude la critique. On ne censure pas la présence : elle est
ou elle n'est pas. Le marquis de Croismare pleure, offre sa protection : aurait-il répondu aux lettres d'une absente ? Irrécusable
victoire de l'auteur : « Qu'ils conviennent ou non que je suis le
plus fort, cela n'en sera pas moins vrai [1]. »

Cependant cette victoire entraîne la dépendance déjà constatée
par Rousseau : « Telle est la constitution de l'homme en cette
vie, qu'on n'y parvient jamais à bien jouir de soi sans le concours
d'autrui [a]. » Aussi bien Diderot ne se contente-t-il pas de dominer
ou de connaître. Suivant sa définition de la *jouissance,* il tient encore
à « sentir les avantages de posséder [2] ». Sa conviction intime ne
lui suffit pas. Il éprouve le besoin de paraître aux yeux des autres
tel qu'il est, d'être reconnu et admiré. A peine a-t-il proclamé
son triomphe, qu'il se découvre enchaîné au regard d'autrui.
S'il s'y résigne, au contraire de Jean-Jacques, ce n'est pas sans
avoir imaginé un *dicéphale* qui permette au solitaire la pleine jouissance de soi.

« Plusieurs fois, dans le dessein d'examiner ce qui se passait
dans ma tête, et de *prendre mon esprit sur le fait,* écrit-il dans la
Lettre sur les sourds et muets, je me suis jeté dans la méditation la
plus profonde, me retirant en moi-même avec toute la contention
dont je suis capable; mais ces efforts n'ont rien produit. Il m'a
semblé qu'il faudrait être tout à la fois au-dedans et hors de soi;

a. Cf. Jean Starobinski, *Jean-Jacques Rousseau, Reflet, réflexion, projection,
Cahiers de l'Association internationale des études françaises,* nº 11, mai 1959, p. 230.

et faire en même temps le rôle d'observateur et celui de la machine observée. Mais il en est de l'esprit comme de l'œil; il ne se voit pas [3]. » Dans *le Rêve de d'Alembert,* Mlle de Lespinasse se demande ce que serait la « vie doublée d'un être double » : « ... la nature amenant avec le temps tout ce qui est possible, elle formera quelque étrange composé [4]. » Enfin, dans une de ses dernières œuvres, les *Éléments de physiologie,* Diderot, obstinément, revient à son mythe : « Si un homme avait deux têtes... [5] »

Les miroirs.   En attendant que la nature produise ce « *dicéphale* qui se contemple lui-même [a] », force nous est de recourir à diverses médiations.

C'est ainsi que Diderot, rétrospectivement, fait intervenir d'Alainville. Un jour que Diderot s'échauffait sur sa *Religieuse,* d'Alainville « le trouva plongé dans la douleur et le visage inondé de larmes. — Qu'avez-vous donc ? lui dit M. D'Alainville. Comme vous voilà! — Ce que j'ai, lui répondit M. Diderot, je me désole d'un conte que je me fais [b]. »

Il est significatif que ce soit Diderot lui-même qui ait rédigé et travesti cette anecdote [c]. L'extrême économie des expressions, la stricte politesse de l'observateur devaient faire illusion. S'il ne s'agissait d'une mystification à fonds perdu, où l'écrivain apparaît comme irremplaçable, privilégié, et le témoin comme pure *utilité,* Diderot eût exagéré à plaisir l'émotion de son ami, de même qu'en

---

a. « Hypothèse sans fondement », note plaisamment l'éditeur : « Les deux têtes auraient beau être placées sur un même corps, elles auraient chacune un cerveau et par conséquent une existence distincte. » (*A. T.,* I, 402.)

b. *O. R.,* 850.

c. « Ce qui surprend surtout dans ce manuscrit, c'est que la partie du texte que l'on a toujours attribuée à Grimm a été également corrigée par Diderot et que les cinq passages insérés, qui sont entièrement de la main de Diderot, se trouvent précisément dans la partie qui semblait être de Grimm. Un des passages insérés est la fameuse anecdote de d'Alainville sur Diderot rédigeant *la Religieuse.* La rédaction de cette anecdote doit donc être attribuée à Diderot lui-même. » (H. Dieckmann, *Inventaire du Fonds Vandeul,* 142.) Il ne semble pas que Dieckmann ait été conscient de l'importance et de la signification de sa découverte.

lisant Richardson il dramatisait jusqu'à la caricature le désespoir de Miss Howe.

Mystification à fonds perdu ? L'on s'en dissuaderait en rouvrant la correspondance avec Falconet : « ... la durée pendant laquelle nous existons et nous entendons la louange, le nombre de ceux qui nous adressent directement l'éloge que nous avons mérité d'eux, tout cela est trop petit pour la capacité de notre âme ambitieuse, peut-être ne nous trouvons-nous pas suffisamment récompensés de nos travaux par les génuflexions d'un monde actuel. A côté de ceux que nous voyons prosternés, nous agenouillons ceux qui ne sont pas encore [6]. »

Diderot n'a certes rien inventé [a] : ni sa propre exaltation, ni la visite de d'Alainville. Mais l'important me paraît qu'il se soit regardé ainsi, qu'il ait tenté de se surprendre, avec la complaisance dont témoignent également les lettres à Sophie Volland et les mémoires de la Religieuse.

C'est ainsi que sœur Suzanne s'admire avec les yeux de ses compagnes :

... elles m'embrassent, et se disent : « Mais voyez donc, ma sœur, comme elle est belle! » (O. R., 239.)

Prosternée sur la dernière marche de l'autel, « j'oubliai en un instant, écrit-elle, tout ce qui m'environnait. Je ne sais combien je restai dans cette position, ni combien j'y serais encore restée; mais je fus un spectacle bien touchant, il le faut croire, pour ma compagne et pour les deux religieuses qui survinrent. [...] Quand je me retournai de leur côté, mon visage avait sans doute un caractère bien imposant, si j'en juge par l'effet qu'il produisit sur elles... [7] » Nul mysticisme chez cette religieuse, mais ce même air égaré qui est le privilège des lecteurs de Richardson (et de *la Religieuse*), de Diderot bouleversé par le testament de Clarisse et se mettant à parler tout haut, « au grand étonnement de Damilaville ».

Au reste, Diderot ne tarit pas sur les effets de ses lectures :

... quelquefois on s'en aperçoit, et l'on me demande : « Qu'avez-vous ? vous n'êtes pas dans votre état naturel; que vous est-il arrivé ? » (O., 1093).

a. Yves Benot, *op. cit.*, 71.

Dans son *Éloge de Richardson,* il reprend les termes mêmes d'une lettre à Sophie, mais en inversant les rôles, à son profit : ce n'est plus lui qui se désole en présence de Damilaville, c'est Damilaville « qui s'empare des cahiers, qui se retire dans un coin et qui lit ». Ayant eu la primeur de cette lecture, Diderot en goûte les privilèges après les larmes, heureux de pouvoir, en épiant son ami, faire en même temps « le rôle d'observateur et celui de la machine observée » :

Lettre à Sophie Volland : (17 septembre 1761)	*Éloge de Richardson :*
Ce que vous me dites de l'enterrement et du testament de Clarisse, je l'avais éprouvé. [...] Seulement encore mes yeux se remplirent de larmes; je ne pouvais plus lire; je me levai et je me mis à me désoler, à apostropher le frère, la sœur, le père, la mère et les oncles, et à parler tout haut, au grand étonnement de Damilaville qui n'entendait rien ni à mon transport, ni à mes discours... (*Correspondance,* III, 306.)	J'étais avec un ami, lorsqu'on me remit l'enterrement et le testament de Clarisse [...]. Le voilà qui s'empare des cahiers, qui se retire dans un coin et qui lit. Je l'examinais : d'abord je vois couler des pleurs, il s'interrompt, il sanglote; tout à coup il se lève, il marche sans savoir où il va, il pousse des cris comme un homme désolé, et il adresse les reproches les plus amers à toute la famille des Harlowe. (*O.,* 1101.)

Le lecteur, ne se voyant pas pendant qu'il voit, n'est spectaculaire que pour autrui. Aussi Diderot recourt-il à un expédient, son ami, qui permette une sorte de contemplation *approchée.* Que Damilaville, à son insu, se soit prêté à Diderot, ne signifie pas que les rôles soient interchangeables. Fanatique de Richardson, Diderot l'est plus encore que son ami : « *...peu s'en faut* qu'il ne le soit autant que moi [8]. » Même surenchère dans la confrontation de la Religieuse avec dom Morel : celui-ci « avait *presque* subi les mêmes persécutions domestiques et religieuses [9] ». Que serait, en effet, un monde où l'interchangeabilité abolirait le regard ? Diderot évoque ces personnages dont parle Lucien, qui « avaient le malheureux avantage de détacher leurs yeux de leurs têtes, et d'emprunter ceux de leurs voisins quand ils avaient égaré les leurs [10] ».

Proust note, dans *la Prisonnière,* que nous ne voyons pas notre corps que les autres voient. « ... c'est pour les autres qu'on est belle, et non pour soi [11] », répond la Religieuse à sa supérieure d'Arpajon. Autrement dit : on n'est pas belle pour soi sans les autres. C'est pourquoi, fêtée ou persécutée, sœur Suzanne s'offre inlassablement aux regards. Il n'est pas jusqu'aux deux jeunes acolytes de l'archidiacre qui ne se retournent vers elle :

> ... les deux jeunes ecclésiastiques en versèrent des larmes...
> ... mais les jeunes ecclésiastiques laissant tomber leurs bras, la tête baissée et les yeux comme fixés en terre, décelaient assez leur peine et leur surprise.
> ... leurs yeux s'humectèrent; et je remarquai sur leur visage l'attendrissement et la joie.
> ... ses deux compagnons se retournèrent, et me saluèrent d'un air très affectueux et très doux. (*O. R.*, 304, 309, 325, 326.)

Dans sa famille, elle avait souffert de n'être pas regardée :

> S'il arrivait qu'on dît à ma mère : « Vous avez des enfants charmants... » jamais cela ne s'entendait de moi. (*O. R.*, 236.)

A présent elle tient un compte minutieux et de ses attitudes et des regards qui lui sont prodigués ou refusés. Il arrive que, en l'espace d'une page, le verbe regarder revienne quatre fois sous sa plume. Lucide, alors qu'on la croit à l'agonie, attentive jusque dans l'extase à l'impression qu'elle fait, à l'image que lui renvoient les autres, la Religieuse non seulement se voit regardée, mais parfois même, sans autre médiation, se fait magiquement *dicéphale :*

> Les autres fois, quand je sortais, elle [la supérieure] m'accompagnait jusqu'à sa porte, elle me suivait des yeux tout le long du corridor jusqu'à la mienne; elle me jetait un baiser avec les mains, et ne rentrait chez elle que quand j'étais rentrée chez moi... (*O. R.*, 345.)

Ou encore, la supérieure de Saint-Eutrope ayant voulu l'entraîner dans sa cellule :

> ... je m'enfuis. Elle se retourna, me regarda aller quelques pas, puis, rentrant dans sa cellule dont la porte demeura ouverte, elle se mit à pousser les plaintes les plus aiguës.
> . . . .
> Le jour, si j'étais à la promenade, dans la salle du travail, ou dans la chambre de récréation, de manière que je ne pusse l'apercevoir, elle passait des heures entières à me considérer... (*O. R.*, 374, 373.)

Le monde ne surgit du clair-obscur qu'à mesure de sa complaisance. Le comportement de la Religieuse au couvent de Longchamp illustre bien ce double processus de refus des autres et de récupération de soi. Mme de Moni, la supérieure de Longchamp, qui n'avait de prédilection qu' « inspirée par le mérite », se trouve auprès de sœur Suzanne « une femme ordinaire et bornée [12] ». Bientôt elle meurt, et Suzanne s'approprie, corps et âme, le souvenir de sa supérieure : [les religieuses] « ajoutèrent que je ressemblais alors à notre ancienne supérieure, lorsqu'elle nous consolait, et que ma vue leur avait causé le même tressaillement [13] ». S'étant identifiée à Mme de Moni, chaque matin la Religieuse baise son portrait : « ... lorsque je veux prier et que je me sens l'âme froide, je le détache de mon cou, je le place devant moi, je le regarde, et il m'inspire [14]. »

La récupération est immédiate avec dom Morel dont les propos la renvoient à elle-même et à la conscience de sa solitude : « ... l'histoire de ses moments, c'était l'histoire des miens; l'histoire de ses sentiments, c'était l'histoire des miens; l'histoire de son âme, c'était l'histoire de la mienne [15]. »

De même Clairville, dans le Fils naturel, se rappelle-t-il avoir lu ses sentiments dans les yeux de Rosalie [16] : ces miroirs de chair offrent sur les miroirs de verre l'avantage de capter et de renvoyer la chaleur. Ainsi Diderot, se regardant à travers la conscience fascinée de ses amis, retrouve-t-il son image sensible : « J'étais plein de la tendresse que vous m'aviez inspirée quand j'ai paru au milieu de nos convives; elle brillait dans mes yeux; elle échauffait mes discours; elle disposait de mes mouvements; elle se montrait en tout. Je leur semblais extraordinaire, inspiré, divin. Grimm n'avait pas assez de ses yeux pour me regarder, pas assez de ses oreilles pour m'entendre; tous étaient étonnés; moi-même, j'éprouvais une satisfaction intérieure que je ne saurais vous rendre. » « On est si aise de m'avoir, si flatté, si honoré! Le moyen de résister à cela ? [17] »

Diderot découvre en même temps l'ambiguïté des miroirs. Ils instaurent la distance, mais une distance qui ne se justifie que par le retour à soi. Le regard suppose l'éloignement. Le miroir est, pour l'aveugle-né du Puisaux, « une machine qui nous met en relief hors de nous-mêmes [18] ». Voir un tableau, c'est déterminer, comme il est dit dans l'Essai sur la peinture, le point au-delà duquel on ne voit plus rien. Se voir, c'est donc se tenir à distance. C'est pourquoi, dans l'Essai sur les règnes de Claude et de Néron, Diderot passe à la troisième personne :

Un homme de lettres se plaignait de la rapidité du temps. Un de ses amis [...] l'interrompit en lui citant ce passage de Sénèque : Tu te plains de la brièveté de la vie, et tu te laisses voler la tienne. « On ne me vole point ma vie, répondit *le philosophe,* je la donne... » (*A. T.*, III, 332.)

De même dans l'anecdote de d'Alainville et la *Question aux gens de lettres :* « *M. Diderot,* après avoir passé des matinées à composer des lettres bien écrites [...] employait des journées à les gâter... [19] »

M'insegnavate come l'uom s'eterna. Ces textes, répétons-le, sont bien de Diderot. Il n'hésite pas à mystifier ses lecteurs pour fabriquer sa propre mythologie. Ses trucs, ses secrets, son narcissisme ont partie liée avec un système littéraire dont Curtius écrit qu'il est particulier à la France. *Le* philosophe, M. Diderot perçoit « quelques sons du concert lointain ». « Le ton est donné, écrit-il à Falconet, et il ne changera pas. » La conversation avec l'avenir est un autre ressort de la mystification chez Diderot : « Malgré que nous en ayons, nous proportionnons nos efforts au temps, à l'espace, à la durée, au nombre des témoins, à celui des juges ; ce qui échappe à nos contemporains n'échappera pas à l'œil du temps et de la postérité. » Diderot mise secrètement sur la mystification — et sur le silence ou l'indifférence de ses contemporains — pour imposer à la postérité « le vrai qu'en dira-t-on », une image sensible de lui-même : « En vérité, cette postérité serait une ingrate si elle m'oubliait tout à fait, moi qui me suis tant souvenu d'elle [20]. »

L'appel à la postérité a aussi pour objet de constituer un univers *assurantiel* d'où les lecteurs eux-mêmes soient exclus. Caroline von Wolzogen rapporte que Gœthe avait fondu en larmes en lisant une page d'*Hermann et Dorothée* qu'il venait d'écrire. C'est ainsi, aurait-il ajouté, qu'on brûle sur ses propres charbons. Dans l'anecdote, décidément inépuisable, de d'Alainville, Diderot se désole d'un conte qu'il croit pouvoir écrire et découvrir tout à la fois, alors que l'opération d'écrire, comme l'a montré Sartre, « comporte une quasi-lecture implicite qui rend la vraie lecture impossible ». L'écrivain « ne peut pas lire ce qu'il écrit, au lieu que le cordonnier peut chausser les souliers qu'il vient de faire, s'ils sont à sa pointure, et l'architecte habiter la maison qu'il a construite [a] ». Mais Diderot ne voudrait-il pas être son unique lecteur, et découvrir son roman comme il lisait Richardson ? Ne souhaiterait-il pas être seul à se lire lorsqu'il voit Grimm penser « trop petitement de l'homme » ou Sophie rejoindre hâtivement ce « peuple des lecteurs » dont la médiocrité le hantera jusque dans *Jacques* ?

Le spectacle   Parce qu'elle est présentation et mise en
de la vertu.   lumière, la vertu, elle aussi, nous rend
               visuellement à nous-mêmes. Diderot ne conçoit pas de vertu ignorée. L'ingratitude l'indispose parce qu'elle annule le spectacle du bienfait : « Je ne cours pas après mon argent; mais un peu de gratitude me fait plaisir; quand ce ne serait que pour trouver les autres tels que je les désire [21]. » Le bienfait n'a de sens que s'il suscite l'image.

Ainsi comprise, comme miroir ou comme spectacle, la vertu se définit par la mise à distance. C'est en ce sens que *Clarisse,* par le rôle qu'y jouent fuites, approches, accommodements, peut être considéré comme le roman de la vertu. Clarisse se condamne à fuir Lovelace, et celui-ci ne parvient à la posséder que dans sa fuite. Du reste, Richardson assure, dans sa préface, que Lovelace croit à la vertu, aux récompenses d'une autre vie, et qu'il nourrit le projet de se corriger un jour. Pourquoi donc temporise-t-il ? « Er will ohne das Band der Ehe geniessen [b] », répond Erich Schmidt : il veut jouir en dehors des liens du mariage. Et Louis Reynaud : « Le cas de Lovelace n'est pas facile à résoudre. La Harpe déclarait ce caractère pétri de contradictions et impossible. Lovelace, en effet, se conduit d'une façon bizarre... Il séquestre sa fiancée dans une maison close, se livre sur elle à des attentats répugnants, va jusqu'à abuser d'elle, après l'avoir endormie au moyen d'un philtre. Tout cela en aimant Clarisse, dont il veut même faire sa femme... Cependant c'est La Harpe qui a raison, Lovelace est contradictoire en soi, et Richardson a eu surtout en vue d'effrayer celles de ses lectrices qui seraient tentées de suivre l'exemple de Clarisse. [c] »

a. Jean-Paul Sartre, *Situations II,* 91-92.
b. Erich Schmidt, *Richardson, Rousseau und Gœthe,* Iena, 1875, 13.
c. Louis Reynaud, *Le Romantisme. Ses origines anglo-germaniques,* Paris, Armand Colin, 1926, 67-68.

Pourquoi Lovelace poursuivrait-il Clarisse, sinon par goût de la vertu ? Si la vertu paraît *paradoxale,* c'est qu'elle s'apparente au spectacle. Ainsi Clarisse joue-t-elle son rôle pour le bourreau qu'elle s'est choisi. La mort seule pouvait mettre un terme au long roman de Richardson. Lovelace n'épouserait Clarisse qu'à condition de ne l'aimer plus. Impossible union : Lovelace et Clarisse ne sont heureux ou malheureux que par la distance qu'implique le spectacle.

Heureuse Clarisse, heureuse Suzanne. La vertu trouve sa récompense dans la publicité. Suzanne tient à ce que l'on connaisse son histoire : « Que je vive ou que je meure, je veux qu'*on* sache tout ce que j'ai souffert... [22] » Les autres s'aliènent dans l'anonymat du *on.* Le *nombre,* cependant, est simultanément sauvegardé, puisqu'il s'agit de rendre un éclatant témoignage : « ... ayant appris que la cérémonie serait clandestine, qu'il y aurait très peu de monde, et que la porte de l'église ne serait ouverte qu'aux parents, j'appelai par la tourière toutes les personnes de notre voisinage... [23] » Dans cet univers clos à l'heure du spectacle, c'est-à-dire de la comparution devant autrui, la Religieuse s'organise en tâchant de rendre sa condition la moins fâcheuse possible. La stricte observance de la règle lui permet de constituer son univers *assurantiel* sans s'exposer au jugement d'autrui : « ... j'étais toujours pour la règle contre le despotisme [24]. » Or la règle, précisément, représente un *modus vivendi* avec autrui sans les autres. Le despotisme, en revanche, c'est la réduction d'autrui par un autre. Aussi redoute-t-elle par-dessus tout d'être citée devant des inconnus. La visite de l'archidiacre lui paraît « le moment le plus terrible » de sa vie : « ... j'ignorais absolument sous quelles couleurs on m'avait peinte aux yeux de cet ecclésiastique [25]. » Elle craint les autres, tout en appelant leur regard, elle vit comme une sainte pour l'amour d'elle-même, persuadée que le vice trouve son châtiment dans l'aversion qu'il inspire. La vertu représente donc un gage d'admiration et de sécurité, la meilleure garantie contre le malheur.

Cette bonne conscience appartient aussi bien au lecteur qu'à l'homme vertueux. Le spectacle de la lecture et des larmes se confond avec celui de la vertu : « Combien j'étais bon! combien j'étais juste! que j'étais satisfait de moi! J'étais, au sortir de ta lecture, ce qu'est

un homme à la fin d'une journée qu'il a employée à faire le bien [26]. »
Au demeurant, les vertus de la lecture sont liées, sinon nécessairement à la vertu du lecteur, du moins aux virtualités d'un terrain :
« Richardson sème dans les cœurs des *germes* de vertu... [27] » Si la
lecture et l'écriture — que Diderot, penché sur lui-même, confond
volontiers — renferment déjà un sens moral, la relecture, sanc-
tionnée par le post-scriptum, possède toutes les qualités de l'élucidation : « Je me relis et me demande s'il n'entre point ici de ressentiment. Aucun, mon ami; je vous le jure, aucun. Je ne puis m'empêcher de voir les choses comme je les dis, et de les dire comme je
les vois... [28] » Le goût du post-scriptum comme examen de conscience, est peut-être ce qu'il y a de plus manifestement richardsonien. Diderot admire que, dans *Clarisse,* « quatre lignes de post-
script » transforment Lovelace « tout à coup en un homme de bien
ou peu s'en faut [29] ». Grâce *actuelle* qui suspend la condamnation
et rend incertain sur le personnage. « Avec quel art ce Lovelace se
dégrade et se relève [30]! » Cette grâce, qui n'est pas celle des théolo-
giens, nous invite, en effet, à des disputes qui sont la plus haute
consécration du roman. Quant aux dernières lignes de *la Religieuse,*
elles retouchent par l'aveu de coquetterie les multiples invraisemblances du récit; et surtout, marquant aussi bien la fin du récit que
le refus du temps, elles tiennent lieu de miroir.

Mais le post-scriptum est encore reconnaissance du fait littéraire.
« Il ne se relisait pas », écrit Barbey d'Aurevilly, qui aurait pu, avec
non moins d'agressivité, reprocher de se relire à ce « peintre qui
crevait sa peinture pour passer sa tête à travers le trou de sa toile,
afin qu'on le vît bien et qu'on l'entendît bien toujours [a] ». Car tel
est aussi l'objet de la relecture. L'admirable fin de *la Religieuse*
témoigne d'un double mouvement de lucidité : d'un retour ironique sur soi-même, découverte de l'œuvre avec ses artifices, et
d'une découverte émue de soi, puisque le post-scriptum requiert le
regard. C'est par l'écriture que la Religieuse parvient à se faire
créature admirable et à se regarder, tantôt avec les yeux étonnés de
ses compagnes, tantôt avec les yeux de celle qui écrit. Ainsi la
distance, chez Diderot, signifie-t-elle non le départ ou la conquête,
mais un secret retour à soi.

a. Barbey d'Aurevilly, *op. cit.,* 176.

V. SOLITUDES

« Grimm m'a dit plusieurs fois que j'avais été fait pour un autre monde... Grimm mon ami, vous avez raison. Ce monde ne fut pas fait pour moi, ni moi pour lui... [1] »

Le théâtre est son premier défi : œuvre non de revanche, mais de rapatriement. Diderot rapatrie poétiquement le père qui l'avait exclu et contesté. Dans l'imaginaire, il se refait une famille. Car le théâtre, tel qu'il l'envisage, est étranger à ce qui lui est étranger. Parenthèse peuplée selon son cœur et fermée à tout dissentiment. Acteur ou spectateur, nul n'y pénètre sans déposer les larmes.

A la retraite succède l'affrontement. Si Diderot fuit les méchants au théâtre, c'est par le roman qu'il tente de se créer un séjour parmi les hommes. L'hostilité du monde ne tient plus, désormais, à une autorité, mais à une altérité, aux inconnues d'un langage. La solitude se constelle d'hiéroglyphes dont Richardson possède les clefs. A travers l'*Éloge,* une certitude se fait jour : l'homologie du roman et du monde. L'un introduit au déchiffrement de l'autre. Le roman l'emporte même en vérité : il a valeur *eidétique.* Diderot croise dans la vie Clarisse et Lovelace : « Il est rare que j'aie trouvé six personnes rassemblées, sans leur attacher quelques-uns de ses noms. Il [Richardson] m'adresse aux honnêtes gens, il m'écarte des méchants; il m'a appris à les reconnaître à des signes prompts et délicats. Il me guide quelquefois, sans que je m'en aperçoive [2]. »
Ce n'est pas une imitation du monde que le roman de Richardson, mais une présentation anticipée, un champ d'exercices et d'élucidation infiniment plus vaste que celui où nous sommes appelés à combattre. Il va sans dire que l'épithète de *réaliste,* si légère-

ment appliquée à Diderot par la critique traditionnelle, ne rend compte ni de son itinéraire (de l'œuvre au monde), ni de l'originalité de son *expérience* romanesque : « J'avais parcouru... J'avais entendu... j'avais vu... j'étais devenu spectateur d'une multitude d'incidents, je sentais que j'avais acquis de l'expérience [3]. »

Le livre refermé, Diderot peut se sentir seul parmi les hommes. Dans un monde lisible et inhospitalier, il éprouve la solitude clairvoyante d'un Richardson mâtiné de Socrate et de Galiani, révolté par les injustices sociales, la cruauté du colonialisme, la lâcheté des amis proches [a].

Mais il vit également sa solitude comme le destin d'une jouissance. Condamné au concours d'autrui, il maintient par la distance l'intégrité de son image. Il s'impose quotidiennement par la plus déroutante logorrhée. La *communication* empêcherait le dialogue avec soi-même. En occupant à lui seul le champ de la parole, il réduit les autres au regard : « Je vois dans l'instant, rapporte Garat, que tout mon rôle dans cette scène *doit se borner à l'admirer en silence*... Il ne m'a jamais vu que dans ce moment; et lorsque nous sommes debout, il m'environne de ses bras; lorsque nous sommes assis, il frappe sur ma cuisse *comme si elle était à lui* [b]. » La cuisse de Garat et celle de Catherine II sont interchangeables [c], jusqu'à un certain point, comme les amitiés. Peu importe, au fond, que Grimm soit dépourvu des qualités de Socrate. Diderot ne l'invite qu'à attester le feu de son intelligence et de son cœur. Ses lecteurs ne sont pas encore nés. Il n'a besoin, en attendant, que de témoins. *Extraordinaire, inspiré, divin,* il ne produit pas une œuvre, il fascine un clan, il se lit dans le regard des autres.

La lecture est, chez lui, si intimement liée à l'écriture, et l'écriture à la domination, qu'il lui importe de ne délivrer aucun *texte*. Il

a. Voir à ce sujet le *Socrate imaginaire* de Jean Seznec, dans les *Essais sur Diderot et l'antiquité,* Oxford, At the Clarendon Press, 1957, 10-15.

b. D'après Assézat, Garat fait ici le récit « d'une entrevue qu'il eut, peut-être à la Chevrette, avec le philosophe et dont rit beaucoup celui-ci lorsqu'il le vit imprimé dans le *Mercure* (1779) ». (*A. T.*, I, xxi).

c. « Diderot, dans le feu d'un entretien philosophique, pinçait au sang les cuisses de l'impératrice de Russie. » (Jean-Paul Sartre, *Situation II,* 147.)

semble ne s'être appliqué à l'examen des consciences que pour exprimer, par contraste, son privilège. Ni l'amateur de style ni même le peintre ne forceront son secret : « J'ai un masque qui trompe l'artiste; soit qu'il y ait trop de choses fondues ensemble; soit que, les impressions de mon âme se succédant très rapidement et se peignant toutes sur mon visage, l'œil du peintre ne me retrouvant pas le même d'un instant à l'autre, sa tâche devienne beaucoup plus difficile qu'il ne la croyait [4]. »

C'est par la mobilité qu'il se veut inintelligible ou insaisissable. Parfois, pour nous obliger, il renonce à se suivre. Le plus souvent il s'enivre de son avance. On ne l'entend pas, faute de pouvoir régler son pas sur le sien. Toute sa singularité appelle les images du mouvement : élans, impulsions, digressions. « Je ne connais rien de si difficile qu'un dialogue où les choses dites et répondues ne sont liées que par des sensations si délicates, des idées si *fugitives,* des *mouvements* d'âme si *rapides,* des vues si légères, qu'elles en paraissent décousues, *surtout à ceux qui ne sont pas nés pour éprouver les mêmes choses dans les mêmes circonstances* [5]. » Que le dialogue devienne, paradoxalement, un « entretien avec soi-même » et Diderot *en mouvement* [a] pourra projeter sa présence dans un paysage de son invention.

a. L'expression est de Jean Starobinski : *Montaigne en mouvement,* N. R. F., février 1960.

REPÈRES BIOGRAPHIQUES

1713   5 octobre. Naissance de Denis Diderot à Langres.

1715   Naissance de Denise Diderot, « sœurette ».

1716   Naissance de Louise-Henriette, dite Sophie Volland.

1722   Naissance de Pierre-Didier Diderot.

1728   Diderot quitte Langres pour la capitale.

1732   Il est reçu maître ès arts de l'Université de Paris.

1741   Rencontre d'Anne-Antoinette Champion (« Tonton », « Nanette »).

1742   Diderot fait la connaissance de Jean-Jacques Rousseau au café de la Régence.
        Le 7 décembre, il se rend à Langres avec l'espoir d'obtenir de son père l'autorisation d'épouser Antoinette Champion.

1743   Comme le père désapprouve l'inclination de son fils, celui-ci passe « brusquement des sollicitations aux menaces, et des menaces aux effets ». Didier Diderot écrit à Mme Champion : « J'ai cru devoir prendre des précautions contre un emportement si funeste pour votre fille et pour lui. » Interné dans un monastère, Denis s'évade et regagne Paris.
        Sa traduction de l'*Histoire de Grèce*, de Temple Stanyan, paraît chez Briasson.
        Le 6 novembre, en l'église Saint-Pierre-aux-Bœufs, il épouse secrètement Antoinette Champion.

1745   « Traduction » de l'*Essai sur le mérite et la vertu* de Shaftesbury.
        Pendant une absence de sa femme, Diderot se lie avec Mme de Puisieux.

1746   « Privilège » de l'*Encyclopédie*.
        Entre le vendredi saint et le lundi de Pâques, Diderot rédige ses *Pensées philosophiques*.
        Pierre-Didier Diderot est ordonné prêtre.

Le 7 juillet, les *Pensées philosophiques* sont condamnées par le Parlement de Paris.

1747   Les libraires associés (Le Breton, Briasson, Laurent Durand et David l'aîné) confient à Diderot et à d'Alembert la direction de l'*Encyclopédie.*
Diderot écrit la *Promenade du sceptique* (publiée en 1830) et entreprend *les Bijoux indiscrets.*

1748   Diderot publie les *Mémoires sur différents sujets de mathématiques, les Bijoux indiscrets,* et rédige *l'Oiseau blanc, conte bleu* (publié en 1798). L'abbé Raynal, dans ses *Nouvelles littéraires,* juge *les Bijoux* « obscurs, mal écrits, dans un mauvais ton grossier, et d'un homme qui connaît mal le monde qu'il a voulu peindre ».
La mère de Diderot meurt à Langres.

1749   Début juin, publication de la *Lettre sur les aveugles à l'usage de ceux qui voient.* Arrêté le 24 juillet, Diderot est incarcéré au donjon de Vincennes ; il nie être l'auteur des *Pensées philosophiques,* de la *Lettre sur les aveugles,* des *Bijoux indiscrets,* de *l'Oiseau blanc.* En octobre, célèbre visite de Rousseau. Le 3 novembre, Diderot est remis en liberté. Il aura, entre-temps, rompu avec l'inconstante dame de Puisieux. C'est aux alentours de 1749 que Diderot se lie avec Grimm et d'Holbach.

1750   Diderot rédige le prospectus de l'*Encyclopédie.*

1751   Premier tome de l'*Encyclopédie.*
Lettre sur les sourds et muets à l'usage de ceux qui entendent et qui voient.

1752   Second tome de l'*Encyclopédie.*
Entre 1750 et 1752, séjour de Mme Diderot à Langres.

1753   Naissance de Marie-Angélique Diderot.
Troisième tome de l'*Encyclopédie.*
De l'interprétation de la nature.

1754   Séjour de Diderot à Langres.
Quatrième tome de l'*Encyclopédie.*

1755   *L'Histoire et le secret de la peinture en cire.*
Cinquième tome de l'*Encyclopédie.*
Vers 1755-1756, rencontre de Sophie Volland.

1756   Sixième tome de l'*Encyclopédie.*
Lettre à Landois sur le problème de la liberté.
Diderot fait la connaissance de Mme d'Épinay.

1757 *Le Fils naturel ou les épreuves de la vertu* (représenté en 1771), suivi
des *Entretiens sur le Fils naturel.*
Brouille avec Rousseau.
Septième tome de l'*Encyclopédie.*

1758 *Le Père de famille,* suivi du *Discours sur la poésie dramatique.*
Lettre à Mme Riccoboni.

1759 Un arrêt du Conseil du Roi révoque le « Privilège » de l'*Encyclopédie.* Défection de d'Alembert.
Le 3 juin, mort du père de Diderot. Le 25 juillet, Diderot se
rend à Langres où il reste jusqu'au 16 août.
Séjour au Grandval, dans le château de Mme d'Aine, belle-mère
du baron d'Holbach.
Le premier *Salon* paraît en novembre, dans la *Correspondance
littéraire* de Grimm.

1760 Mystification du marquis de Croismare : Diderot lui écrit sous le
nom d'une jeune religieuse qui implore son appui.
Adaptation du *Joueur (The Gamester)* d'Edward Moore.
Séjour à la Chevrette, « entre Grimm et Mme d'Épinay »; Diderot travaille à sa *Religieuse ;* visite de l'abbé Galiani, secrétaire
d'ambassade à Paris depuis juin 1759.
Diderot fait la navette entre la Chevrette et Paris, avant de s'ins-
taller au Grandval.

1761 Première parisienne du *Père de famille.*
Deuxième *Salon.*
Éloge de Richardson (paru, en janvier 1762, dans le *Journal étranger*).

1762 *Addition aux Pensées philosophiques* (publiée en 1770).
Séjour à la Briche, propriété de Mme d'Épinay.
Encyclopédie, premier volume de Planches.

1763 Troisième *Salon.*

1765 Diderot vend sa bibliothèque à Catherine de Russie.
Quatrième *Salon.*
Essais sur la peinture (publiés en 1795).

1766 L'*Encyclopédie* s'achève.

1767 Cinquième *Salon.*
Séjours au Grandval.
Le Neveu de Rameau (traduit par Gœthe en 1805) est-il déjà sur le
métier ? « Autant avouer, note Jean Fabre, notre incertitude et
notre parfaite ignorance. »

1768   *Myſtification ou hiſtoire des portraits* (publiée par Yves Benot en 1954) : pour obliger le prince de Galitzin, Diderot s'avise de recouvrer les portraits que celui-ci avait offerts à sa maîtresse, Mlle Dornet.

1769   *Regrets sur ma vieille robe de chambre.*
Rappelé à Naples, l'abbé Galiani confie à Diderot le manuscrit de ses *Dialogues sur le commerce des blés.* Le philosophe en corrigera les épreuves avec Mme d'Épinay.
La Comédie-Française reprend *le Père de famille.*
Grimm, voyageant en Allemagne, a remis à Diderot le « tablier de sa boutique », la *Correspondance littéraire.*
Diderot termine *le Rêve de d'Alembert* (publié en 1830).
Observations sur une brochure intitulée Garrick ou les aĉteurs anglais (publiées en 1770 dans la *Correspondance littéraire*).
Sixième *Salon.*

1770   Diderot séjourne à Langres et à Bourbonne. Les « affaires déplaisantes » : sa brouille avec son frère, sa passion pour Mme de Maux, le mariage prochain de Marie-Angélique.
Voyage à Bourbonne et à Langres (publié en 1831).
Les Deux Amis de Bourbonne, l'Entretien d'un père avec ses enfants (parus en 1772, à Zürich, dans les *Moralische Erzählungen und Idyllen,* von Diderot und Gessner).
Diderot médite son *Apologie de l'abbé Galiani* (publiée par Yves Benot en 1954).

1771   Unique représentation du *Fils naturel* au Théâtre-Français.
Septième *Salon.*

1772   Mariage de Marie-Angélique Diderot et d'Abel-François-Nicolas Caroillon de Vandeul.
Publication des deux derniers volumes de planches de l'*Encyclopédie.*
Ceci n'eſt pas un conte (publié partiellement en 1773, dans la *Correspondance littéraire,* intégralement en 1798, par les soins de Naigeon).
Madame de La Carlière ou sur l'inconséquence du jugement public (publié par Naigeon en 1798).
Sur les femmes.
Diderot met en chantier le *Supplément au Voyage de Bougainville* (publié en 1796).

1773   Diderot rédige le *Paradoxe sur le comédien* (remanié vers 1777-1778, publié en 1830) et, sans doute, travaille ou continue de travailler à *Jacques le Fataliſte* (publié en 1796).

En mai, il quitte Paris pour La Haye où il descend chez le prince de Galitzin. C'est au cours de ce séjour qu'ayant lu trois fois le « posthume d'Helvétius », il prépare sa *Réfutation de l'ouvrage d'Helvétius intitulé l'Homme* (texte remanié en 1774-1775, publié intégralement en 1875).

Parti de La Haye le 20 août, il arrive le 8 octobre à Saint-Pétersbourg.

1774   Le 5 mars, départ de Saint-Pétersbourg. Nouveau séjour à La Haye. Diderot termine la rédaction de son *Voyage de Hollande* (publié en 1819), prend des notes pour ses *Éléments de physiologie* (publiés en 1875) et compose l'*Entretien d'un philosophe avec la maréchale de**** (vraisemblablement reproduit en 1776 dans un numéro manuscrit de la *Correspondance* secrète de Métra).

Retour à Paris en septembre.

1775   Huitième *Salon*.

1775-1776   *Essai sur les études en Russie* (publié en 1818).
Plan d'une université pour le gouvernement de Russie (édition intégrale en 1875).

1778   *Essai sur les règnes de Claude et de Néron* (remanié en 1782, pour sa deuxième édition).

1781   Diderot parachève sa comédie : *Est-il bon ? est-il méchant ?*
Dans sa *Lettre apologétique de l'abbé Raynal à Monsieur Grimm,* il s'insurge contre la lâcheté et l'opportunisme de ses amis parvenus.
Neuvième *Salon*.

1783   Mort de Sophie Volland.

1784   Mort de Diderot.

RÉFÉRENCES

AVANT-PROPOS.

1. A. T., XVIII, 106. – 2. O., 1090.

LES PROBLÈMES DU ROMAN

I. ROMAN ET ROMANESQUE.

1. *Correspondance inédite*, II, 271. – 2. O. R., 526; A. T., VII, 313. Cf. G. May, *Diderot et « La Religieuse »*, 1-15. – 3. M. Tourneux, *Diderot et Catherine II*, 411. – 4. O., 1089.

II. LE NOUVEAU ROMAN.

1. A. T., VIII, 434. – 2. A. T., III, 95. – 3. *Correspondance*, III, 173. – 4. *Ibid.*, IV, 56; III, 306; IV, 152. – 5. A. T., VII, 331. – 6. O., 1093. – 7. O., 1094. – 8. O. R., 235, 262, 263-264, 304, 245, etc. – 9. A. T., III, 10. – 10. O., 1099. – 11. O., 1103-1104.

III. PROPITIATIONS.

1. O. R., 235. – 2. A. T., VII, 313. – 3. O. R., 569. – 4. O. R., 699. – 5. O. R., 509-510.

IV. L'ÉCRIVAIN ET SON LECTEUR.

1. O. R., 671. – 2. A. T., I, 16. – 3. A. T., I, 127. – 4. *Correspondance*, I, 101. – 5. O., 1145-1146. – 6. *Correspondance*, III, 292. – 7. O., 1103. – 8. O., 1093. – 9. *Correspondance*, II, 108; O. R., 235; lettre à Meister, citée par G. May, *op. cit.*, 170. – 10. O. R., 795, 796, 799. – 11. O. R., 794. – 12. O. R., 258. – 13. O. R., 392. – 14. O. R., 235, 301. – 15. O. R., 796. – 16. O. R., 801. – 17. O. R., 822. – 18. *Correspondance*, II, 200. – 19. O. R., 800.

V. LA MÉTHODE.

1. A. T., III, 11. – 2. A. T., VI, 384. – 3. A. T., XI, 97. – 4. O. R., 335. – 5. A. T., II, 9. – 6. A. T., X, 496. – 7. A. T., VI, 413. – 8. A. T., I, 331. – 9. A. T., I, 305, 324, 356. – 10. O. R., 823-824. – 11. A. T., III, 143. – 12. A. T., I, 228. – 13. A. T., VII, 100, 102. – 14. *Le Neveu de Rameau*, éd. Fabre, 3. – 15. A. T., II, 401; X, 187, 305. – 16. A. T., X, 386. – 17. A. T., X, 345. – 18. A. T., XI, 246. – 19. A. T., XI, 54-55. – 20. O. R., 556. – 21. A. T., VI, 122.

VI. Temps et mouvement.

1. *Fragments sans date,* dans les *Lettres à Sophie Volland,* II, 265. – 2. *A. T.,* XI, 266. – 3. *O. R.,* 143. – 4. *O.,* 1094. – 5. *O. R.,* 601, 805, 622. – 6. *Correspondance,* II, 222. – 7. *O. R.,* 823. – 8. *Supplément au Voyage de Bougainville,* éd. Dieckmann, 56. – 9. *Ibid.,* 56. – 10. *Mystification ou histoire des portraits,* 32. – 11. *A. T.,* XI, 265. – 12. *O.,* 1323. – 13. *O. R.,* 328. – 14. *O. R.,* 785. – 15. *A. T.,* VII, 331. – 16. *O. R.,* 820. – 17. *Correspondance,* II, 207. – 18. *A. T.,* I, 367. – 19. *Ibid.,* 367. – 20. *O. R.,* 62. – 21. *Le Neveu de Rameau,* 26, 84. – 22. *Correspondance,* X, 238. – 23. *O. R.,* 748. – 24. *O. R.,* 265. – 25. *O. R.,* 391. – 26. *O. R.,* 814. – 27. *O.R.,* 795. – 28. *O. R.,* 834. – 29. *A. T.,* IX, 436. – 30. *O.,* 1218. – 31. *A. T.,* II, 121. – 32. *A. T.,* III, 118. – 33. *A. T.,* IX, 463. – 34. *A. T.,* XI, 374.

VII. Théâtre et roman.

1. *O.,* 1242, 1262. – 2. *Correspondance,* II, 100. – 3. *Ibid.,* II, 199. – 4. *A. T.,* VII, 337. – 5. *Correspondance,* II, 174; III, 93. – 6. *A. T.,* VII, 330. – 7. *O.,* 1236. – 8. *Correspondance,* II, 200. – 9. *A. T.,* VII, 368. – 10. *A. T.,* VIII, 394. – 11. *Correspondance,* II, 90. – 12. *O.,* 1238. – 13. *A. T.,* VII, 380. – 14. *O. R.,* 143. – 15. *O.,* 1234. – 16. *O.,* 1096-1097. – 17. *O.,* 1096. – 18. *O.,* 1096. – 19. *O.,* 1095. – 20. *O.,* 1034. – 21. *O.,* 1046. – 22. *O.,* 1097, 1091. – 23. *O.,* 1178. – 24. *O.,* 1091. – 25. *A. T.,* VII, 81. – 26. *O.,* 1042. – 27. *A. T.,* VII, 195 s. – 28. *A. T.,* VII, 345-346.

VIII. Le renoncement au théâtre.

1. *Correspondance,* II, 20. – 2. *A. T.,* VII, 227, 293. – 3. *A. T.,* VII, 225. – 4. *O. R.,* 699-700. – 5. *Correspondance,* V, 74; II, 20. – 6. *O. R.,* 814. – 7. *O. R.,* 725. – 8. *Correspondance,* II, 213. – 9. *Ibid.,* II, 215, 213. – 10. *Ibid.,* II, 119. – 11. *Ibid.,* I, 180. – 12. *O.,* 1102. – 13. *O. R.,* 649. – 14. *A. T.,* VIII, 357. – 15. *A. T.,* VII, 84. – 16. *O.,* 1066; *Le Neveu de Rameau,* 28. – 17. *Correspondance,* II, 88, 97.

IX. Le code des spectacles.

1. *O. R.,* 9. – 2. *A. T.,* X, 280, 292. – 3. *A. T.,* X, 410, 435; XI, 357, 362, 319, etc. – 4. *O. R.,* 606. – 5. *O. R.,* 818. – 6. *Correspondance,* II, 90, 96. – 7. *A. T.,* XI, 199. – 8. *O. R.,* 803. – 9. *A. T.,* VII, 381 s. – 10. *A. T.,* XI, 75. – 11. Cf. G. May, *Quatre visages de Denis Diderot,* 196. – 12. *Correspondance,* II, 99. – 13. *O. R.,* 358-359. – 14. *A. T.,* VII, 94. – 15. *O. R.,* 806. – 16. *O. R.,* 359. – 17. *O. R.,* 622. – 18. *Correspondance,* III, 67. – 19. *Ibid.,* II, 90. – 20. *O. R.,* 674. – 21. *O. R.,* 824, 827, 763, 341. – 22. *O. R.,* 356, 808, 339. – 23. *O. R.,* 337, 692. – 24. *O. R.,* 288. – 25. *O. R.,* 378. – 26. *A. T.,* XII, 91. – 27. *Le Neveu de Rameau,* 3; *O. R.,* 249, 795, 570, 674; *Mystification,* 34. – 28. *O.,* 1157-1158. – 29. *O. R.,* 815, 251; *O.,* 759. – 30. *O. R.,* 586, 653, 817. – 31. *Correspondance,* III, 134 s., 201. – 32. *A. T.,* VII, 95. – 33. *A. T.,* X, 498. – 34. *Correspondance,* VI, 30-31. – 35. *A. T.,* XIII, 13-14. – 36. *A. T.,* X, 236. – 37. *A. T.,* XI, 179. – 38. *A. T.,* XII, 129. – 39. *A. T.,* X, 138, 239, 335. – 40. *A. T.,* XI, 190; XII, 86, 84. – 41. *A. T.,* II, 339; X, 499. – 42. *A. T.,* X, 499; XII, 90. – 43. *O. R.,* 799.

X. La présence et le corps.

1. O., 1096, 1098, 1089. – 2. A. T., IX, 275, 439. – 3. A. T., X, 421. – 4. A. T., XI, 338, 304; X, 218, 297, 317; XI, 292, 404, 515. – 5. O., 991. – 6. O. R., 239. – 7. A. T., X, 489, 241; XI, 372. – 8. O. R., 302; A. T., VII, 143; Supplément, 20. – 9. O. R., 785. – 10. O. R., 422, 803, 35, 63, 69, 78, 275, 410, 645, 248, 254, 322, 602. – 11. A. T., X, 141. – 12. A. T., XI, 260. – 13. O. R., 348. – 14. Correspondance, II, 97. – 15. A. T., XI, 216. – 16. A. T., X, 499; VII, 375; XI, 215-217. – 17. O. R., 805. – 18. O. R., 576. – 19. A. T., IV, 6. – 20. A. T., X, 94. – 21. O. R., 824. – 22. O. R., 622-623. – 23. O. R., 314, 786. – 24. O. R., 806. – 25. O. R., 808, 287, 341. – 26. A. T., VII, 96. – 27. O. R., 806, 10, 584, 94, 725. – 28. A. T., V, 236. – 29. A. T., IX, 352. – 30. O. R., 826, 805, 356, 647, 245, 805, 299, 355. – 31. O. R., 344. – 32. Supplément, 23. – 33. O. R., 351. – 34. O. R., 810. – 35. O. R., 778. – 36. A. T., IX, 324. – 37. A. T., VII, 143; O. R., 209, 645, 253, 341, 299, 346. – 38. A. T., VII, 117. – 39. O. R., 799, 803.

XI. Le langage.

1. O. R., 262. – 2. O. R., 717, 762, 763. – 3. O. R., 255. – 4. O. R., 331. – 5. Correspondance, II, 221. – 6. Ibid., II, 268. – 7. Le Rêve de d'Alembert, éd. Vernière, 54. – 8. O. R., 825. – 9. Correspondance, II, 220. – 10. A. T., VII, 105. – 11. O. R., 262. – 12. O. R., 825. – 13. O. R., 598. – 14. A. T., I, 356. – 15. O. R., 575-576. – 16. O. R., 806, 253, 741, 648, 809, 821, 501. – 17. O. R., 361. – 18. O. R., 334, 331. – 19. O. R., 372. – 20. O. R., 375. – 21. O. R., 577, 590, 595-612, 644. – 22. O. R., 711. – 23. O. R., 793. – 24. O. R., 247, 307, 809, 533. – 25. O. R., 542. – 26. O. R., 803, 806. – 27. O. R., 570. – 28. Le Neveu de Rameau, 83. – 29. Ibid., 87. – 30. A. T., VII, 106. – 31. Fragments sans date, 277. – 32. O. R., 330-331.

LE MONDE ROMANESQUE

I. Individu et groupe.

1. O., 1069. – 2. O. R., 817. – 3. O. R., 814. – 4. O. R., 795. – 5. O. R., 802. – 6. O. R., 766. – 7. O. R., 652. – 8. O. R., 49.

II. Le prix de l'argent.

1. O. R., 814. – 2. O. R., 798, 799. – 3. O. R., 237, 250. – 4. O. R., 636. – 5. O. R., 240. – 6. O. R., 783. – 7. O. R., 591. – 8. A. T., III, 48. – 9. Le Neveu de Rameau, 88. – 10. Ibid., 58. – 11. Ibid., 43. – 12. A. T., II, 420. – 13. A. T., XI, 7. – 14. O. R., 827. – 15. A. T., II, 420. – 16. Le Neveu de Rameau, 38. – 17. O. R., 295. – 18. A. T., II, 342.

III. Le paysage économique.

1. A. T., XVII, 359. – 2. Correspondance, X, 111. – 3. Ibid., X, 136. – 4. O., 759. – 5. Correspondance, X, 112. – 6. A. T., XIII, 243, 264. – 7. A. T., XVII, 358. – 8. A. T., XVII, 358. – 9. A. T., XVII, 345. – 10. Correspondance, X, 189.

– 11. *O. R.*, 510. – 12. *O. R.*, 590. – 13. *A. T.*, II, 431. – 14. *A. T.*, II, 427. – 15. *O. R.*, 511. – 16. *O.*, 760. – 17. *A. T.*, XVII, 344. – 18. *A. T.*, XVII, 344. – 19. *O. R.*, 594. – 20. *O. R.*, 782. – 21. *O. R.*, 783.– 22. *Correspondance*, III, 165. – 23. *A. T.*, II, 428. – 24. *A. T.*, II, 429. – 25. *O. R.*, 509. – 26. *O. R.*, 640. – 27. *A. T.*, XI, 89. – 28. *A. T.*, II, 430-431. – 29. *A. T.*, II, 431. – 30. *Apologie de l'abbé Galiani*, éd. Benot, 23. – 31. *O.*, 982-983. – 32. *A. T.*, II, 436. – 33. *A. T.*, II, 410.

IV. LES PRÊTRES.

1. *O. R.*, 535. – 2. *O. R.*, 310. – 3. *A. T.*, XVII, 358. – 4. *O. R.*, 672. – 5. *Correspondance*, V, 76. – 6. *Supplément*, 48. – 7. *Correspondance*, V, 75. – 8. *O. R.*, 672. – 9. *O. R.*, 534. – 10. *O. R.*, 673. – 11. *O. R.*, 535. – 12. *O. R.*, 311. – 13. *O. R.*, 310-311. – 14. *O. R.*, 40. – 15. *O. R.*, 672. – 16. *O. R.*, 310. – 17. *A. T.*, XIV, 58. – 18. *O. R.*, 342. – 19. *O. R.*, 309. – 20. *Correspondance*, V, 74. – 21. *Ibid.*, III, 109. – 22. *O. R.*, 637.

V. LES MÉDECINS ET LA MÉDECINE.

1. *A. T.*, IX, 427. – 2. *A. T.*, IX, 240. – 3. *O. R.*, 96. – 4. *O. R.*, 809. – 5. *O. R.*, 811-812. – 6. *O. R.*, 321. – 7. *O. R.*, 496. – 8. *Correspondance*, I, 59. – 9. *Mystification*, 44. – 10. *Le Rêve de d'Alembert*, 37-38. – 11. *O. R.*, 321. – 12. *Le Rêve de d'Alembert*, 119. – 13. *Mystification*, 47. – 14. *O. R.*, 600.

VI. LES FEMMES.

1. *A. T.*, IX, 402. – 2. *Correspondance*, X, 153. – 3. *Ibid.*, X. 145, 153. – 4. *O.*, 980. – 5. *Supplément*, 57. – 6. *O. R.* 53. – 7. *O.*, 982. – 8. *A. T.*, II, 319. – 9. *Correspondance*, VII, 159. – 10. *Ibid.*, III, 113. – 11. Cf. H. Lefebvre, *Diderot*, 221. – 12. *O.*, 987. – 13. *O.*, 985. – 14. *O.*, 984. – 15. *O. R.*, 215. – 16. *O. R.*, 616. – 17. *O. R.*, 599. – 18. *O. R.*, 817. – 19. *O.*, 983. – 20. *O. R.*, 101. – 21. *O. R.*, 828. – 22. *O. R.*, 613. – 23. *O. R.*, 645. – 24. *A. T.*, XI, 66. – 25. *O. R.*, 823-824. – 26. *O. R.*, 250. – 27. *O. R.*, 32. – 28. *O. R.*, 797. – 29. *O. R.*, 189. – 30. *O. R.*, 53, 58, 191, 569, etc. – 31. *O. R.*, 624. – 32. *O. R.*, 131. – 33. *O. R.*, 829. – 34. *Mystification*, 56, 38. – 35. *Le Neveu de Rameau*, 48. – 36. *O. R.*, 569, 682. – 37. *O. R.*, 137.

VII. LE DÉSIR ET L'AMOUR.

1. *Correspondance*, V, 194. – 2. *O. R.*, 194. – 3. *O. R.*, 801. – 4. *Correspondance*, VI, 234. – 5. *O. R.*, 802. – 6. *Mystification*, 58. – 7. *O. R.*, 628. – 8. *O. R.*, 631. – 9. *O. R.*, 805. – 10. *A. T.*, VII, 35. – 11. *O. R.*, 806. – 12. *O. R.*, 601. – 13. *O. R.*, 806. – 14. *O. R.*, 804. – 15. *O. R.*, 805. – 16. *O. R.*, 805. – 17. *O. R.*, 53, 54. – 18. *O. R.*, 604. – 19. *O. R.*, 602. – 20. *O. R.*, 337. – 21. *Fragments sans date*, 273. – 22. *O. R.*, 818. – 23. *O. R.*, 709. – 24. *Supplément*, 51.

VIII. LES LIEUX.

1. *O. R.*, 704. – 2. *O. R.*, 514. – 3. *O. R.*, 755. – 4. *O. R.*, 703, 704. – 5. *O. R.*, 499. – 6. *Le Neveu de Rameau*, 28. – 7. *A. T.*, VII, 102. – 8. *O. R.*, 493, 495. – 9. *O. R.*, 495. – 10. *O. R.*, 598. – 11. *O. R.*, 493. – 12. *O. R.*, 520. – 13. *O.*, 780-

781. – 14. O. R., 535. – 15. O. R., 657-658. – 16. O. R., 504, 505, 572, 704. – 17. O. R., 520, 495, 513, 666. – 18. O. R., 495. – 19. O. R., 790-791. – 20. *Correspondance*, II, 226. – 21. *Ibid.*, III, 131, 132. – 22. *Supplément*, 5.

LA PRÉSENCE MASQUÉE

I. PRÉSENCE ET VÉRITÉ.

1. O. R., 108-109. – 2. O. R., 601, 740, 743. – 3. O. R., 619, 238, 365, 364. – 4. O. R., 621, 257, 722. – 5. A. T., IX, 354. – 6. *Le Neveu de Rameau*, 60. – 7. O., 1223. – 8. O. R., 60. – 9. *Supplément*, 20. – 10. O. R., 724. – 11. *Le Neveu de Rameau*, 45. – 12. O. R., 667. – 13. O. R., 303. – 14. O. R., 238. – 15. O. R., 796, 806; O., 981. – 16. *Mystification*, 39. – 17. *Fragments sans date*, 265.

II. PRÉSENCE ET VERTU.

1. A. T., III, 510-518. – 2. O. R., 544. – 3. O. R., 302. – 4. O. R., 534. – 5. O. R., 766. – 6. O. R., 257. – 7. O. R., 264. – 8. O. R., 547. – 9. O. R., 673. – 10. O. R., 651. – 11. O. R., 615. – 12. O. R., 652. – 13. O. R., 751-752. – 14. A. T., I, 140. – 15. A. T., I, 369. – 16. O. R., 595, 799, 594. – 17. O. R., 815, 826-833. – 18. O. R., 681, 649, 830. – 19. A. T., II, 373. – 20. O. R., 681. – 21. *Le Neveu de Rameau*, 11. – 22. O. R., 833. – 23. O. R., 652. – 24. O. R., 748.

III. LA PRÉSENCE AU MONDE.

1. *Correspondance*, V, 228. – 2. O. R., 602. – 3. A. T., XVII, 455. – 4. O., 1225. – 5. *Correspondance*, I, 36. – 6. *Ibid.*, I, 156. – 7. *Ibid.*, I, 188, 190. – 8. *Ibid.*, VIII, 95-96. – 9. *Ibid.*, V, 144. – 10. *Ibid.*, V, 144, 235; O., 1362. – 11. *Mystification*, 46. – 12. *Ibid.*, 33, 47. – 13. A. T., XVII, 448. – 14. *Correspondance*, III, 18-19. – 15. *Ibid.*, VIII, 94-95. – 16. *Ibid.*, V, 145. – 17. O. R., 863. – 18. O. R., 850. – 19. O. R., 682. – 20. A. T., VII, 160. – 21. *Mystification*, 32-33. – 22. O. R., 142. – 23. A. T., X, 194. – 24. O., 1096. – 25. *Correspondance*, VIII, 223. – 26. *Mystification*, 77.

IV. LA PRÉSENCE A SOI.

1. *Correspondance*, VIII, 96. – 2. A. T., XV, 312. – 3. A. T., I, 402. – 4. *Le Rêve de d'Alembert*, 107. – 5. A. T., IX, 419. – 6. A. T., XVIII, 86. – 7. O. R., 281. – 8. O., 1101. – 9. O. R., 379. – 10. A. T., XII, 82. – 11. O. R., 352. – 12. O. R., 258, 260. – 13. O. R., 281. – 14. O. R., 283. – 15. O. R., 379. – 16. A. T., VII, 75. – 17. *Correspondance*, II, 269-270, 201. – 18. O., 844. – 19. O. R., 868. – 20. A. T., XVIII, 98, 90, 87. – 21. *Fragments sans date*, 278. – 22. O. R., 864. – 23. O. R., 244. – 24. O. R., 268. – 25. O. R., 298. – 26. O., 1090. – 27. O., 1091. – 28. *Correspondance*, VII, 185. – 29. O., 1102. – 30. O., 1102.

V. SOLITUDES.

1. *Fragments sans date*, 265, 269. – 2. O., 1097. – 3. O., 1090. – 4. A. T., XI, 22. – 5. A. T., VII, 365.

BIBLIOGRAPHIE

ŒUVRES DE DIDEROT

Encyclopédie, ou *Dictionnaire raisonné des sciences, des arts et des métiers, par une société de gens de lettres,* Paris, 1751-1765, 17 vol.

Correspondance littéraire, philosophique et critique par Grimm, Diderot, Raynal, Meister, etc., éd. Maurice Tourneux, Paris, Garnier, 1877-1882, 16 vol.

Œuvres complètes (A. T)., éd. Assézat-Tourneux, Paris, Garnier, 1875-1877, 20 vol.

Œuvres (O.), éd. André Billy, Paris, Gallimard (Bibl. de la Pléiade), 1951.

Œuvres romanesques (O. R.), éd. Henri Bénac, Paris, Garnier, 1951.

Œuvres philosophiques, éd. Paul Vernière, Paris, Garnier, 1956.

Œuvres esthétiques, éd. Paul Vernière, Paris, Garnier, 1959.

Le Neveu de Rameau, éd. Jean Fabre, Genève, Droz, 1950.

Le Rêve de d'Alembert, éd. Paul Vernière, Paris, Marcel Didier, 1951.

Supplément au Voyage de Bougainville, éd. Herbert Dieckmann, Genève, Droz, 1955.

Mystification ou histoire des portraits, éd. Yves Benot, Paris, Les Éditeurs Français Réunis, 1954.

Apologie de l'abbé Galiani, éd. Yves Benot, *La Pensée,* nº 55, mai-juin 1954.

Salons, éd. Jean Seznec-Jean Adhémar, Oxford, At the Clarendon Press, 1957. En cours de publication.

Lettres à Sophie Volland, éd. André Babelon, Paris, Gallimard, 1938, 3 vol.

Correspondance inédite, éd. André Babelon, Paris, Gallimard, 1931, 2 vol.

Correspondance, éd. Georges Roth, Paris, Les Éditions de Minuit, 1955. En cours de publication.

OUVRAGES CONSULTÉS

Bachaumont, *Mémoires secrets,* Londres, J. Adamson, 1777-1789, 36 vol.

L'Œuvre de Balzac, publiée sous la direction d'Albert Béguin, Paris, Club français du Livre, 1949-1953, 16 vol.

Barbey d'Aurevilly, *Gœthe et Diderot,* Paris, E. Dentu, 1880.

Roland Barthes, *Langage et vêtement, Critique,* n⁰ 142, mars 1959.
– *Sur Racine,* Paris, Éditions du Seuil, 1963.

Baudelaire, *Correspondance générale,* éd. J. Crépet, Paris, L. Conard, 1947.

Simone de Beauvoir, *Faut-il brûler Sade ? Les Temps Modernes,* décembre 1951.

Bédier et Hazard, *Hfttoire de la littérature française illuftrée,* Paris, Larousse, 1924, 2 vol.

Yvon Belaval, *L'Efthétique sans paradoxe de Diderot,* Paris, Gallimard, 1950.
– *La Crise de la géométrisation de l'univers dans la philosophie des lumières, Rev. Int. Philos.,* XXI, fasc. 3, 1952.
– *Le « Philosophe » Diderot, Critique,* n⁰ 58, mars 1952.
– *Nouvelles Recherches sur Diderot, Critique,* nᵒˢ 100-101, 107, 108, 109, septembre-octobre 1955-juin 1956.

J.-P. Belin, *Le Mouvement philosophique de 1748 à 1789,* Paris, Belin, 1913.

Yves Benot, *Un inédit de Diderot, La Pensée,* n⁰ 55, mai-juin 1954.
– *Le Rire de Diderot, Europe,* n⁰ 111, mars 1955.
– *A propos de Diderot, La Pensée,* n⁰ 82, novembre-décembre 1958.
– *Du nouveau sur le Neveu de Rameau, Les Lettres Françaises,* 21 septembre 1961.

André Billy, *Vie de Diderot,* Paris, Flammarion, 1948.

Maurice Blanchot, *L'Espace littéraire,* Paris, Gallimard, 1955.

Georges Blin, *Stendhal et les problèmes du roman,* Paris, J. Corti, 1953.

Bougainville, *Voyage autour du monde par la frégate du Roi La Boudeuse, et la flûte L'étoile ; en 1766, 1767, 1768 et 1769,* 2ᵉ éd., Paris, 1772, 2 vol.

Cahiers de l'Association internationale des études françaises, Paris, « Les Belles Lettres », n⁰ 13, juin 1961.

P. Caftex et P. Surer, *Manuel des Etudes littéraires françaises, XVIIIᵉ siècle,* Paris, Hachette, 1949.

Mary Lane Charles, *The Growth of Diderot's Fame in France from 1784 to 1875,* thesis, Bryn Mawr, 1938-1939.

Louis Chevalier, *Classes laborieuses et classes dangereuses à Paris pendant la première moitié du XIXᵉ siècle,* Paris, Plon, 1958.

Auguste Comte, *Syftème de politique positive,* Paris, L. Mathias, 1851.

Benjamin Conftant, *Journaux intimes,* Paris, Gallimard, 1952.

Crébillon fils, *Les Égarements du cœur et de l'esprit,* Paris, Le Divan, 1929.
– *Le Sopha,* Paris, Le Divan, 1930.

Ernst Robert Curtius, *Europäische Literatur und Lateinisches Mittelalter,* Berne, Francke, 1948.

Claude David, *La Pensée allemande au XVIIIe siècle, Critique,* no 60, mai 1952.

Diderot, dans *Europe,* janvier-février 1963.

Herbert Dieckmann, *Inventaire du Fonds Vandeul,* Genève, Droz, 1951.
– *Cinq Leçons sur Diderot,* Genève, Droz, 1959.

Paul Dottin, *Samuel Richardson,* Paris, Libraire académique Perrin, 1931.

Les Pseudo-Mémoires de Madame d'Épinay, *Histoire de Madame de Montbrillant,* éd. Georges Roth, Paris, Gallimard, 1951, 3 vol.

Jean Dutourd, *Le Prolétaire errant,* N. N. R. F., octobre 1958.

Otis E. Fellows and Norman L. Torrey, *Diderot Studies* I, II, Syracuse University Press, 1949, 1952.

Otis E. Fellows and Gita May, *Diderot Studies* III, IV, Genève, Droz, 1961, 1963. En cours de publication.

Henri Fluchère, *Laurence Sterne,* Paris, Gallimard, 1961.

Alfred Franklin, *La Vie privée d'autrefois. Les soins de toilette. Le savoir-vivre,* Paris, Plon, 1887.
– *Le Café, le thé et le chocolat,* Paris, Plon, 1893.
– *La Vie de Paris sous la Régence,* Paris, Plon, 1897.

Alice Green Fredman, *Diderot and Sterne,* New York, Columbia University Press, 1955.

Félix Gaiffe, *Le Drame en France au XVIIIe siècle,* Paris, Armand Colin, 1907.

Lettres de l'abbé Galiani à Mme d'Épinay, éd. E. Asse, Paris, Charpentier, 1881.

Philippe Garcin, *Diderot et la philosophie du style, Critique,* no 142, mars 1959.

Stephen J. Gendzier, *The Diderot and Balzac affinity,* thesis, Columbia University, 1959.

Hubert Gillot, *Denis Diderot. L'homme. Ses idées philosophiques, esthétiques, littéraires,* Paris, G. Courville, 1937.

Gœthes Werke, Leipzig, Insel-Verlag, 1940, 6 vol.

Edmond et Jules de Goncourt, *La Femme au XVIIIe siècle,* Paris, Flammarion-Fasquelle, édition définitive, 2 vol.

Marcel Granet, *La Pensée chinoise,* Paris, La Renaissance du livre, 1934.
– *Études sociologiques sur la Chine,* Paris, P. U. F., 1953.

Charly Guyot, *Diderot par lui-même,* Paris, Éditions du Seuil, 1953.

Hegel, *La Phénoménologie de l'Esprit,* trad. Jean Hyppolite, Paris, Aubier, Éditions Montaigne, 1939-1941, 2 vol.

Pierre Hermand, *Les Idées morales de Diderot,* Paris, Les Presses Universitaires, 1923.

René Hubert, *La Morale de Diderot, Revue du XVIIIe siècle,* vol. II-III, 1914-1916.

Jules Janin, *Clarisse Harlowe,* Paris, Amyot, 1846.

J. Viktor Johansson, *Études sur Denis Diderot,* Paris, Champion, 1927.

Lester G. Krakeur, *La Correspondance de Diderot,* New York, The Kingsley Press, 1939.

C. E. Labrousse, *La Crise de l'économie française à la fin de l'Ancien Régime et au début de la Révolution,* Paris, P. U. F., 1944.

Daniel Lagache, *Le travail du deuil, Revue française de psychanalyse,* 1938.

La Harpe, *Lycée ou Cours de littérature ancienne et moderne,* Paris, chez Philippe, 1830, 18 vol.

Roger Laufer, *Structure et signification du « Neveu de Rameau », de Diderot, Revue des Sciences humaines,* fasc. 100, octobre-décembre 1960.

André Le Breton, *Le Roman français au XVIIIe siècle,* Paris, Boivin, 1925.

Henri Lefebvre, *Diderot,* Paris, Les Éditeurs Réunis, 1949.

John Robert Loy, *Diderot's determined fatalist,* New York, King's Crown Press, 1950.

J. Luc, *Diderot, l'artiste et le philosophe,* Paris, Éditions Sociales Internationales, 1938.

Georg Lukacs, *Gœthe und seine Zeit,* Berne, Francke, 1947.

I. K. Luppol, *Diderot,* trad. V. et Y. Feldman, Paris, Éditions Sociales Internationales,1938.

Marivaux, *Théâtre complet,* éd. Marcel Arland, Paris, Gallimard (Bibl. de la Pléiade), 1955.
– *Romans,* éd. Marcel Arland, Paris, Gallimard (Bibl. de la Pléiade), 1957.

Robert Mauzi, *L'Idée du bonheur dans la littérature et la pensée française au XVIIIe siècle,* Paris, Armand Colin, 1960.

Georges May, *Quatre visages de Denis Diderot,* Paris, Boivin, 1951.
– *Diderot et « La Religieuse »,* Paris, P. U. F., 1954.

Gita May, *Diderot et Baudelaire, critiques d'art,* Genève, Droz, 1957.

Jean Mayer, *Diderot homme de science,* Rennes, Imprimerie Bretonne, 1959.

Jean-Jacques Mayoux, *Diderot and the Technique of Modern Literature. Modern Language Review,* vol. XXXI, 1936.

Jacques-Henri Meister, *Aux mânes de Diderot,* Londres, 1788.

Paul Meister, *Charles Duclos,* Genève, Droz, 1956.

Montesquieu, *Lettres Persanes,* éd. Antoine Adam, Genève, Droz, 1954.

Daniel Mornet, *Diderot,* Paris, Hatier-Boivin, 1941.

Roland Mortier, *Diderot en Allemagne,* Paris, P. U. F., 1954.

J. A. Naigeon, *Mémoires historiques et philosophiques sur la vie et les ouvrages de D. Diderot,* Paris, Brière, 1821.

Friedrich Nietzsche, *Gesammelte Werke,* München, Musarion Verlag, 1920-1929, 23 vol.

Jean Pommier, *Diderot avant Vincennes,* Paris, Boivin, 1939.

Georges Poulet, *Études sur le temps humain,* Paris, Plon, 1951-1952, 2 vol.

Abbé Prévost, *Le Philosophe anglais ; Histoire de Cléveland Fils naturel de Cromwell, écrite par lui-même et traduite de l'anglais,* Amsterdam, 1783.

Jacques Proust, *Diderot et l'Encyclopédie,* Paris, Armand Colin, 1962.

Marcel Proust, *A la recherche du temps perdu,* éd. Pierre Clarac et André Ferré, Paris, Gallimard (Bibl. de la Pléiade), 1954, 3 vol.

J. Quicherat, *Histoire du costume en France,* Paris, Hachette, 1877.

Louis Reynaud, *Le Romantisme. Ses origines anglo-germaniques,* Paris, Armand Colin, 1926.

Richardson, *Clarisse Harlowe,* trad. M. Le Tourneur, Genève-Paris, 1785.

Romanciers du XVIIᵉ siècle, textes présentés et annotés par Antoine Adam, Paris, Gallimard (Bibl. de la Pléiade), 1958.

Karl Rosenkranz, *Diderots Leben und Werke,* Leipzig, Brockhaus, 1866.

Jean-Jacques Rousseau, *Œuvres complètes,* éd. publiée sous la direction de Bernard Gagnebin et Marcel Raymond, Paris, Gallimard (Bibl. de la Pléiade), 1951. En cours de publication.

Nathalie Sarraute, *L'Ère du soupçon. Essais sur le roman,* Paris, Gallimard, 1956.

Sade, *La Philosophie dans le boudoir,* Paris, J.-J. Pauvert, 1953.

Pierre Sage (abbé), *Le « Bon Prêtre » dans la littérature française,* d'Amadis de Gaule *au Génie du Christianisme,* Genève, Droz, 1951.

Jean-Paul Sartre, *Situations I, II, III,* Paris, Gallimard, 1947-1949.

Fritz Schalk, *Einleitung in die Encyclopädie der Französischen Aufklärung* München, Max Hueber, 1936.

Edmond Schérer, *Diderot,* Paris, Calmann-Lévy, 1880.

— *Melchior Grimm,* Paris, Calmann-Lévy, 1887.

Erich Schmidt, *Richardson, Rousseau und Gœthe,* Iena, 1875.

Jean Seznec, *Essais sur Diderot et l'Antiquité,* Oxford, At the Clarendon Press, 1957.

Leo Spitzer, *Linguistics and Literary History,* Princeton, Princeton University Press, 1948.

Jean Starobinski, *Jean-Jacques Rousseau. La Transparence et l'obstacle,* Paris, Plon, 1957.
   — *Montesquieu par lui-même,* Paris, Éditions du Seuil, 1957.
   — *Jean-Jacques Rousseau, Reflet, réflexion, projection, Cahiers de l'Association internationale des études françaises,* n° 11, mai 1959.

Tableau de la littérature française, XVIIe-XVIIIe siècles; préface par André Gide. *De Corneille à Chénier,* Paris, Gallimard, 1939.

René Taupin, *Richardson, Diderot et l'art de conter, The French Review,* janvier 1939.

Jean Thomas, *L'Humanisme de Diderot,* Paris, « Les Belles Lettres », 1932.

Maurice Tourneux, *Diderot et Catherine II,* Paris, Calmann-Lévy, 1899.

Pierre Trahard, *Les Maîtres de la sensibilité française au XVIIIe siècle,* Paris, Boivin, 1932, 4 vol.

Franco Venturi, *La jeunesse de Diderot (de 1713 à 1753),* Paris, Skira, 1939.

Paul Vernière, *Spinoza et la pensée française avant la Révolution,* Paris, P. U. F., 1954.

Voltaire, *Romans et contes,* éd. René Groos, Paris, Gallimard (Bibl. de la Pléiade), 1958.

F. H. Wilcox, *Prévost's translations of Richardson's novels, University of California Publications in Modern Philology,* XII, 1925-1926.

TABLE DES CHAPITRES

TABLE DES CHAPITRES

LA PRÉSENCE MASQUÉE

IMPRIMERIE MAME A TOURS. D. L. 1ᵉʳ TR. 1964. Nº 1549 (1296)

COLLECTION « PIERRES VIVES »